366 JOURS
POUR RÉFLÉCHIR À NOTRE TERRE

Photographies

YANN ARTHUS-BERTRAND

ET HELEN HISCOCKS, JIM WARK, PHILIPPE BOURSEILLER, FRANÇOIS JOURDAN, RENAUD VAN DER MEEREN

Légendes sous la direction d'Isabelle Delannoy

Ont participé à l'ouvrage :

Christian Balmes, Dominique Bourg, Hosny El-Lakany, Peter H. Gleick, Brian Groombridge, Jean-Marc Jancovici, Alain Liébard, René Passet, Maximilien Rouer, Pierre Sané, Alan Simcock, Laurence Tubiana, John Whitelegg et Gary Haq

Éditions
de La Martinière

Par ce travail réalisé sur plus de dix ans, j'ai compris et voulu souligner que, plus que jamais, les niveaux
et modes actuels de consommation, de production et d'exploitation des ressources, ne sont pas viables à long terme.
J'ai voulu illustrer cette étape décisive, où l'alternative qu'offre le développement durable doit aider
à provoquer les changements qui permettront de « répondre aux besoins du présent
sans compromettre la capacité des générations futures de répondre aux leurs ».
Les articles et les images qui suivent, indissociables des textes qui les accompagnent et les complètent,
invitent chacun à réfléchir à l'évolution de la planète et au devenir de ses habitants.
Nous pouvons et devons tous agir au quotidien pour l'avenir de nos enfants.

Yann Arthus-Bertrand

Des chiffres pour la Terre

ÉTAT DES LIEUX

La population mondiale a plus que doublé en 50 ans et une multiplication par 1,5 est prévue d'ici 2050 :

Année	Population totale (en milliards de personnes)
1950	2,5
2002	6,2
2050	8 à 9

Si la Terre était ramenée à un village de 100 habitants, 60 vivraient en Asie, 14 en Afrique, 9 en Amérique du Sud, 9 en Europe, 5 en Amérique du Nord, 2 en Russie, 1 en Océanie.

Une grande partie de la population n'a pas accès à des soins et à une éducation satisfaisants :

▷ 815 millions de personnes (1 personne sur 7) sont sous-alimentées
▷ 1,1 milliard de personnes (1 personne sur 6) n'a pas accès à l'eau potable
▷ 133 millions d'enfants (1 enfant sur 5) ne fréquentent pas l'école, 97 % dans les pays en développement
▷ 860 millions d'adultes (1 adulte sur 5) ne savent ni lire ni écrire, dont 544 millions de femmes
▷ 19 % des enfants de 5 à 14 ans travaillent

L'augmentation des besoins en énergie et le recours massif aux énergies fossiles non renouvelables posent des problèmes de durabilité.

Sources d'énergie	Part dans la production mondiale
Pétrole	34,9 %
Gaz	21,1 %
Charbon	23,5 %
Nucléaire	6,8 %
Autres (énergies renouvelables)	13,8 %
	(dont 10,7 % de biomasse – essentiellement du bois)

- Le monde consomme aujourd'hui en 6 semaines autant de pétrole qu'il en consommait en 1 an en 1950.
- Avant 2020, les besoins en énergie pourraient croître de 1,5 % par an.
- En 2000, 79,5 % de la production d'énergie primaire était assurée par les énergies fossiles.

DES INÉGALITÉS IMPORTANTES

La santé n'est pas à la portée de tout le monde

	Pays les moins avancés	Pays en développement	Pays industrialisés	Monde
Taux de mortalité des enfants de moins de 5 ans en ‰	157	89	7	82
Risque de décès de la mère suite à un accouchement	1/16	1/61	1/4 085	1/75

- L'espérance de vie moyenne mondiale est de 67 ans en 2002. En Afrique elle est de 53 ans, alors qu'en Amérique du Nord elle est de 77 ans et au Japon de 81 ans.
- Le VIH/SIDA touche 42 millions de personnes en 2002, dont 90 % vivent dans les pays en développement et 75 % en Afrique subsaharienne.

Une minorité de la population consomme une majorité des ressources :

- 20 % de la population habitent dans les pays développés :
  ▷ Ils consomment 53 % du total de l'énergie mondiale.
  ▷ Ils mangent 44 % de la viande consommée dans le monde.
  ▷ Ils possèdent environ 80 % des véhicules circulant dans le monde.

Note : chaque chiffre cité est documenté. Dans le cas où deux chiffres portant sur le même sujet étaient différents, la valeur la plus modérée a été retenue. Sources : Total Midyear Population for the World : 1950-2050, U.S. Bureau of the Census, International Data Base http://www.census.gov/ipc/www/worldpop.html ; World Population Data Sheet 2002, Population Reference Bureau www.prb.org ; FAO ; Joint Monitoring Programme septembre 2002, ONU ; Rapport sur le développement humain 2002, PNUD ; UNESCO ; UNICEF ; EIA www.cia.doe.gov ; IEA www.iea.org ; Vital Signs 2001, Worldwatch Institute ; UNICEF ; World Population Data Sheet 2002, Population Reference Bureau ; ONUSIDA ; Rapport mondial pour le développement humain 2002, PNUD ; FAO – chiffres 2002 http://www.fao.org/WAICENT/faoinfo/economic/giews/english/fo/fo0205/Y6668e13.htm ; http://www.fao.org/ag/agl/aglw/aquastat/main/index.stm ; Donnée UNFCC pour les émissions, sauf Mexique et Mozambique, 1998, données IPCC 2001 ; Rapport mondial pour le développement humain 2002, PNUD.

Les inégalités d'accès à l'eau se traduisent par des grands écarts de consommation

Pays	Consommation d'eau potable, par jour et par personne
France	290 litres
États-Unis	590 litres
Chine	88 litres
Mali	12 litres

L'HUMANITÉ FACE À DES ENJEUX COMMUNS

Le changement climatique résulte de l'accentuation de l'effet de serre par les activités humaines :

• Depuis plus de 150 ans, l'industrie libère du dioxyde de carbone (CO_2) dans l'atmosphère des millions de fois plus vite qu'il n'avait été stocké sous terre.
• Si aucune décision n'est prise, la hausse des températures pourrait atteindre 6 °C en 2100. Les conséquences économiques, sociales et environnementales d'une telle hausse s'annoncent préoccupantes.
• Pour limiter les conséquences catastrophiques des changements climatiques, il faudrait réduire les émissions globales de CO_2 de 50 %, ce qui veut dire une réduction de 80 % dans les pays riches.

Des efforts sont nécessaires pour que notre niveau de consommation énergétique permette un développement durable :

Pays	Émissions d'équivalent carbone (kg/habitant/an ; base 2000)	Rapport entre les émissions actuelles et les émissions en situation durable de 500 kg/habitant/an
États-Unis	6 718	13,5
Allemagne	3 292	6,5
France	2 545	5
Mexique	1 000	2
Mozambique	416	Inférieur

L'appauvrissement de la biodiversité nuit à la découverte de nouveaux médicaments, ainsi qu'à la fertilité des champs :

- En 2002, 24 % des mammifères, 12 % des oiseaux et 30 % des poissons étaient menacés d'extinction.
- 50 % des forêts de mangroves, pourtant essentielles à la vie de 75 % des espèces marines commercialisées, ont disparu.
- Les forêts tropicales primaires, réserves de la biodiversité mondiale, connaissent un déboisement rapide et continu, de l'ordre de 15 millions d'hectares par an (soit 2 fois l'Irlande).

DES SIGNES DE PRISE DE CONSCIENCE

- Depuis le Sommet de la Terre à Rio en 1992, les risques majeurs de dégradation des ressources naturelles et leurs conséquences sont de plus en plus pris en compte par les décideurs politiques au « Nord » comme au « Sud ».
- Le nombre et les actions des organisations non gouvernementales (ONG) internationales sur les questions environnementales et sociales sont en croissance constante (création de plus de 7 000 nouvelles ONG depuis 1990).
- Le succès croissant des labels « équitables » permet à chacun d'agir en consommant : comme le label *Max Havelaar*, dont les points de vente en France sont passés de 250 à 3 500 en 3 ans.

IL EST ENCORE TEMPS D'AGIR

- Notre richesse apparente repose sur une croissance économique dont les indicateurs ignorent l'épuisement des ressources naturelles. L'élaboration actuelle des prix tient peu compte des coûts environnementaux et sociaux (par exemple : le prix de vente de 1 kg de céréales n'inclut pas les coûts nécessaires à la dépollution de l'eau, supportés par la collectivité). D'après Amartya Sen, prix Nobel d'économie 1998, « une remise en cause des fonctionnements de base du marché est devenue urgente ».
- À nous de jouer, nous pouvons tous agir en réduisant nos consommations superflues et en faisant pression sur les gouvernements et les entreprises pour que s'impose un développement durable. Nous avons encore le choix entre une régulation choisie et une régulation subie : les marges de manœuvre ne sont jamais les mêmes selon que l'on se donne une semaine ou vingt ans pour les mettre en œuvre.

Maximilien Rouer
Président-directeur général de la société BeCitizen
Ingénieur de l'Institut national agronomique de Paris et maître ès sciences

Créée en 2000, BeCitizen a pour mission la promotion du développement durable. BeCitizen est un acteur de référence en France en matière d'expertise et de conseil du développement durable, et est à ce titre membre du Conseil national du développement durable.

LE DÉVELOPPEMENT DURABLE, UN PROJET DE CIVILISATION

Il en va du développement durable comme de Dieu dans la théologie négative : au-delà des slogans et de quelques formules consacrées, nous ne savons pas positivement et concrètement ce qu'il est. Nous savons en revanche beaucoup plus clairement ce qu'il n'est pas et ne saurait être, par exemple la pérennisation des grandes tendances de nos sociétés. L'enjeu du développement durable n'est donc rien de moins que l'édification d'une autre civilisation, rompant partiellement avec la nôtre. La définition désormais canonique du développement durable a été proposée par la Commission mondiale sur l'environnement et le développement, créée à l'initiative de l'ONU en 1983. Elle fut présidée par l'ancien Premier ministre de Norvège, Gro Harlem Brundtland, et a publié les résultats de ses travaux en 1987 dans un rapport intitulé « Notre avenir à tous ». Selon cette Commission, le développement durable est « le développement qui répond aux besoins du présent sans compromettre la capacité des générations futures de répondre aux leurs ». Ce qui implique qu'on ne mette pas « en danger les systèmes naturels qui nous font vivre : l'atmosphère, l'eau, les sols et les êtres vivants ». La contradiction avec notre mode actuel de développement est patente. Nous avons perturbé tous les grands cycles biogéochimiques de la biosphère : par exemple celui du carbone, au point de dériver vers un avenir climatique menaçant, celui de l'azote, jusqu'à avoir saturé les sols et les eaux, celui du soufre, jusqu'à déstabiliser des écosystèmes forestiers entiers, comme par exemple la forêt vosgienne, etc. Notre obsession de la richesse à court terme débouche ainsi sur une perturbation au long terme du système Terre : dès la fin du siècle l'élévation de la température moyenne pourrait largement dépasser les dix degrés dans les latitudes les plus élevées ; les capacités d'absorption du carbone par les océans pourraient être altérées pour des milliers d'années ; l'érosion accélérée de la diversité du vivant risque de compromettre l'évolution des espèces pour les millions d'années à venir, etc. Ce que n'est pas le développement durable apparaît on ne peut plus clairement : par exemple ignorer ou dénier les effets à long terme de nos actions, s'en remettre cyniquement à la prétendue puissance des techniques de nos descendants pour résoudre les problèmes que nous créons, abandonner au seul marché la régulation de nos relations au milieu, etc. Quelles pourraient être, à l'opposé, les principales caractéristiques d'une société durable ? Une société dont les systèmes de production ne reposeraient plus sur une augmentation constante des flux de matière et d'énergie ; dont les modes de consommation seraient fondés sur la durée des services rendus et non sur l'obsolescence accélérée des objets ; dont les modalités d'échange ne seraient plus énergétiquement dispendieuses ; dont la recherche répondrait plus aux besoins de la société qu'aux sollicitations du marché. Les grands choix sociaux relèveraient de procédures participatives, fondées sur l'information et la participation du plus grand nombre. Le développement durable, c'est aussi une nouvelle compréhension de l'intérêt général, intégrant nos intérêts futurs, ceux des générations à venir comme des autres êtres vivants. En relève la préservation des systèmes naturels qui conditionnent notre existence : par exemple l'air, l'eau, les sols, la biodiversité ou le climat, et les services écologiques qu'ils nous rendent, comme la régulation de la température et du régime des pluies, la pollinisation, la régénération de la fertilité des sols, la purification de l'air et de l'eau, etc. L'universalité propre à l'intérêt général ainsi conçu n'exclut nullement une déclinaison plurielle du développement durable, au gré des héritages culturels et naturels, à la faveur des productions de l'imagination sociale. Revenons aux grandes orientations et choix collectifs qui constituent le socle d'une civilisation. Tout se passe dans nos sociétés comme si nous en avions aliéné la possibilité à deux automatismes : celui du marché et celui du progrès. Or, ils ne sont pas plus satisfaisants l'un que l'autre. En dehors de circonstances exceptionnelles, par exemple un référendum, il n'est guère, dans nos sociétés, d'expression concrète de la volonté collective. L'individu est censé décider directement et souverainement de ses fins propres, et au premier chef du bonheur, puis, indirectement, d'une foule d'autres choses par préférences cumulées, *via* le marché. Mais peut-on être heureux sous un climat menaçant, lorsque les choix d'autrui portent atteinte à votre santé, voire à la nature humaine ? Quant au progrès technique, il s'apparente de plus en plus à une course éperdue à la vitesse et à la puissance, désormais sans liens évidents avec l'amélioration de la condition du plus grand nombre. Certaines visions du progrès aujourd'hui n'ont plus rien à voir avec l'espérance que nourrissait le chancelier Bacon d'un retour à l'état de plénitude d'Adam et Ève avant la chute. L'idée, par exemple, d'une humanité dévastant l'univers dans sa quête d'énergie, ou celle de pouvoir vivre des siècles ne sont-elles pas plus effrayantes qu'enthousiasmantes ? Une société durable se devrait au contraire d'affronter les difficultés évoquées, et au premier chef les contradictions entre nos intérêts respectifs. Elle devrait nous permettre de décider ensemble de l'avenir que nous souhaitons, et surtout de refuser celui dont nous ne voulons à aucun prix. Elle devrait s'employer à ménager la possibilité de choix proprement individuels, sans récuser celle de choix qui ne peuvent être que collectifs, lesquels conditionnent pour une part la réalisation de nombre de nos choix personnels. L'environnement a toujours incarné cette part de la réalité où les libertés individuelles et collectives doivent nécessairement composer.

Dominique Bourg
Professeur à l'université de technologie de Troyes
Directeur du Centre de recherches et d'études
interdisciplinaires sur le développement durable

1er janvier

Cœur de Voh en 2002, Nouvelle-Calédonie, France (20°57' S – 164°41' E).

Non, cette clairière n'a pas été dessinée par l'homme ! La Nature seule est responsable de ce cœur tracé dans la mangrove, près de Voh, sur la côte ouest de l'île de Grande-Terre. Les mangroves sont formées d'arbres adaptés aux marées d'eau saumâtre, les palétuviers. Dans ces forêts apparaissent des surfaces de sol nu (les tannes) dont les formes naissent du hasard. Il s'agit de secteurs plus élevés, donc moins souvent inondés, où le sel se concentre par évaporation, provoquant la mort des palétuviers. C'est ce phénomène qui est à l'origine du cœur de Voh. Le survol du cœur en 2002 révèle son évolution depuis la prise de vue de 1990. La végétation a repoussé à l'intérieur du cœur, d'où le sel l'avait chassée sur 4 hectares, à la suite d'une baisse de la salinité provoquée par un changement des conditions d'inondation par les marées. La tache claire dans le feuillage résulte du souffle des pales du deuxième hélicoptère. Si la salinité continue à baisser, la mangrove se refermera complètement sur le cœur. Si la salinisation reprend, le cœur se reconstituera. La nature décidera. Peut-être faudra-t-il donc y retourner ?

2 janvier

Sommet enneigé du volcan Villarrica, Chili (39°25' S – 71°57' O).
Le Villarrica est l'un des volcans les plus actifs de la planète et les gaz sulfureux qui s'en échappent rappellent en permanence que son cratère abrite un lac de lave en ébullition. Ses dernières éruptions – en 1964, en 1971 et en 1984 – ont fait une trentaine de morts chacune. Les prochaines pourraient être plus meurtrières, les touristes étant de plus en plus nombreux à venir skier dans la région. Mais le Bureau régional de l'urgence surveille de près l'activité du volcan. La moindre explosion accompagnée d'un panache de fumée noire déclenche l'état d'alerte. Les skieurs sont alors invités à déserter les pistes, tandis que les habitants des villes voisines suivent le plan d'évacuation auquel ils ont été entraînés. Depuis une trentaine d'années, le Chili, menacé par ses 2 085 volcans et sujet à de fréquents séismes, a mis au point une gestion plus efficace des catastrophes naturelles grâce aux conseils d'experts internationaux (Banque mondiale, UNDP, etc.) et à l'étroite collaboration entre États sud-américains. Ensemble, ces derniers ont réussi à réduire des deux tiers le nombre de décès imputables à de tels événements sur leur continent.

3 janvier

Barque dans les marais du delta de l'Okavango, Botswana (18°45' S – 22°45' E).
Seul le *mokoro*, fine embarcation traditionnelle creusée dans un tronc d'arbre, permet aux populations locales de se déplacer dans le labyrinthe marécageux où vient se perdre le troisième fleuve d'Afrique australe. Après un périple de 1 300 km entamé en Angola, l'Okavango se termine ici, au nord du Botswana, par un vaste delta intérieur d'environ 15 000 km². Il n'atteindra jamais la mer, car ses 12 milliards de m³ d'eau sont peu à peu aspirés par le désert du Kalahari ou évaporés dans l'air desséché. Avant de disparaître, le fleuve forme une large zone humide peuplée d'un nombre prodigieux d'animaux sauvages. Mais l'invasion annuelle de quelque 45 000 touristes et un projet de drainage des rivières menacent aujourd'hui ces marais et leur faune. La réduction rapide de la surface des marais et des estuaires est un problème mondial puisque la moitié des zones humides de la planète a déjà disparu depuis 1990. Pourtant ces zones jouent un rôle central pour la communauté humaine, notamment en régulant les inondations et en préservant nos ressources en eau potable.

4 janvier

Toit-terrasse du Centre de Congrès Auditorium, quartier de Monte-Carlo, Monaco (43°42' N – 7°23' E).

Étonnante épopée que celle de ces blocs de lave de Volvic… Extraits des carrières du Massif central, débités en plaques, émaillés en Provence, on les retrouve découpés en 24 000 losanges de quatorze couleurs éclatantes, ornant sur 1 500 m² le toit du Centre de Congrès Auditorium de Monaco ! Sur ses inébranlables piles de béton, ce bâtiment hexagonal surplombe la Méditerranée devant le célèbre Casino, comme un bourgeonnement du très citadin front de mer de Monte-Carlo. La terrasse au carrelage géométrique lui servant de toiture, que traversent avec désinvolture ces deux promeneurs, est une composition de Victor Vasarely, réalisée en 1979 avec l'architecte Jean Ginsberg. Baptisée *Hexagrâce*, elle évoque une forme récurrente dans l'œuvre de Vasarely, et concrétise les idées maîtresses de l'artiste sur l'intégration de la beauté plastique dans l'environnement urbain quotidien. Le bâtiment avant-gardiste de la Fondation Vasarely, achevé en 1976 à Aix-en-Provence, l'illustre aussi remarquablement. Il expose l'œuvre de l'artiste (décédé en 1997 à 91 ans), maître de l'art abstrait géométrique et de l'art cinétique.

5 janvier

 Séchage de tissus pour saris, Jaipur, région du Rajasthan, Inde (26°24' N – 75°48' E). Au nord-ouest de l'Inde, dans la région du Rajasthan, le textile est un art ancestral, que maîtrise la communauté Chipa des peintres et teinturiers. Le curcuma ou l'écorce de grenade permettent de teindre les étoffes en jaune, par une technique de nouage. Elles sont ensuite étendues au soleil puis trempées dans une solution destinée à fixer la couleur. Après deux ou trois lavages et un dernier séchage, les saris sont prêts pour la vente. Derrière ce vêtement féminin traditionnel se cache un statut tout aussi « traditionnel » de la femme. Les mœurs s'assouplissent, mais une fois mariée, la femme rajpoute vit bien souvent encore « en pourdha », c'est-à-dire claquemurée chez elle pour raisons de convenances. Près de 90 % des mariages restent arrangés en Inde, et les annonces classées dans les pages du journal du dimanche le sont encore par caste. Enfin, il n'existe aucune statistique concernant la femme divorcée ou la mère célibataire, tant ces situations sont mal vues dans le pays.

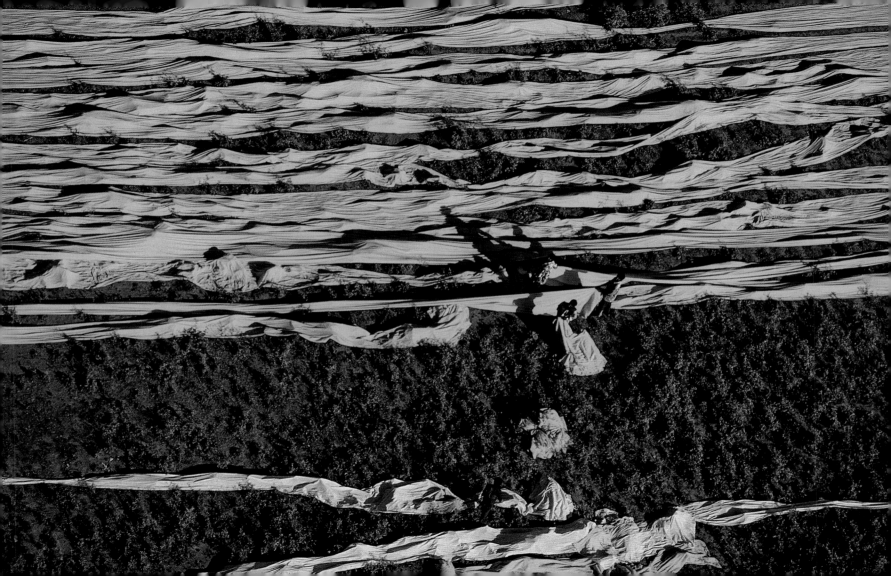

6 janvier

Catamaran dans les îles de la Société, Polynésie française, France (17°00' S – 150°00' O).

Dix-huit pour cent des coraux de la planète poussent dans les eaux indonésiennes. L'Australie en possède 17 %, les Philippines 9 %, et la France d'outre-mer 5 %, c'est-à-dire 14 280 km² de formations coralliennes comme celles qui tapissent les fonds limpides de l'archipel polynésien, dans l'océan Pacifique, au-dessus desquels semble voler ce catamaran. De petites algues vivent en symbiose avec les coraux et stimulent leur calcification. Mais le corail se retranche derrière un pan de son mystère, car si les protagonistes de la croissance corallienne sont connus, le mécanisme lui-même n'est pas encore élucidé. Pour la plupart des dégradations (pollution, destruction, envasement) qui menacent le corail, l'homme dispose de solutions locales, le défi consistant à les mettre en œuvre. Mais la concentration croissante de gaz carbonique (CO_2) dans l'atmosphère pourrait modifier l'équilibre chimique de l'eau de mer qui permet la formation du squelette des coraux. Après s'être adaptés à une augmentation de 120 m du niveau marin lors de la déglaciation, il y a 15 000 ans, trouveront-ils la parade à ces nouveaux changements ?

7 janvier

Massif du Spitzkop au coucher du soleil, région du Damaraland, Namibie (22°03' S – 17°02' E).

Dans la région sauvage et désertique du Damaraland, au nord-ouest de la Namibie, se dressent le Gross Spitzkoppe (1 728 m) et le Klein Spitzkoppe (1 584 m). Ces dômes granitiques furent dégagés des couches supérieures sédimentaires grâce à l'action conjuguée du vent, de la pluie et des laves qui érodèrent le plateau il y a 120 millions d'années. À cette époque, l'actuelle côte du Brésil embrassait celle de Namibie au sein d'un seul et même continent : le Gondwana. Beaucoup plus récents sont les sites préhistoriques, abondants dans cette région où ont été découvertes des peintures et des gravures rupestres âgées de 27 000 ans. Le Damaraland porte toujours le nom d'un des plus anciens groupes ethniques de Namibie : les Damaras, qui représentent encore 7 % de la population actuelle du pays et dont un quart vit toujours dans la région. Aujourd'hui très faiblement peuplée, cette enclave est l'un des derniers territoires d'Afrique où antilopes, girafes, éléphants et même rhinocéros noirs évoluent librement hors des parcs nationaux et des zones protégées.

8 janvier

Banquise en formation dans l'archipel de Turkü, Finlande (60°27' N – 22°00' E).
Tel un miroir brisé, la mince banquise de la mer Baltique se morcelle en fragments acérés réfléchissant la faible lumière de l'hiver finnois. Fragile, elle se casse pour mieux se reformer. Car la glace de mer flotte au gré des vagues et des courants marins. Soumise à des mouvements contraires, elle peut alors se disloquer. Mais les morceaux se rencontrent à nouveau et s'accumulent jusqu'à ce que la banquise atteigne son épaisseur maximale (50 à 65 cm en moyenne) au début du mois d'avril. Elle disparaîtra ensuite très vite au printemps pour libérer les îles de l'archipel de Turkü. En effet, en Finlande, la glace n'est pas permanente. Bien que ce pays soit à la même latitude que l'Alaska ou le Groenland, il bénéficie d'un climat relativement tempéré, influencé par le Gulf Stream. Ce grand courant marin chaud qui traverse l'océan Atlantique et qui réchauffe l'Europe occidentale risque cependant de disparaître avec le changement climatique et la fonte de la calotte glaciaire. Si cela survenait, le climat européen ressemblerait à celui du Canada, région qui se trouve aux mêmes latitudes.

9 janvier

Troupeau de vaches dans les plaines bordant la rivière Chimehuin, province du Neuquén, Argentine (40°03' S – 71°04' O).

Traversant les plaines, ce troupeau de vaches de race Hereford, encadré par des *gauchos*, rejoint son domaine d'origine (*campo*) après une transhumance saisonnière vers les pâturages d'altitude de la cordillère des Andes. En partie couvert de steppe épineuse, le Neuquén a privilégié, comme l'ensemble de la Patagonie, l'élevage des ovins par rapport à celui des bovins qui demeurent minoritaires dans cette région. C'est plus au nord, dans les vastes plaines herbeuses de la Pampa, que vit l'essentiel du cheptel bovin du pays, constitué de races originaires notamment de Grande-Bretagne et riche de près de 55 millions de têtes. Quatrième producteur mondial, l'Argentine exporte dans le monde entier sa viande de bœuf réputée savoureuse. Les Argentins, friands de *parillas* (assortiment de plats à base de bœuf), sont les plus gros consommateurs de viande bovine : près de 65 kg par habitant et par an. Caractéristique en Occident d'un régime alimentaire « riche », la consommation de viande bovine représente 45 kg par an pour un Américain, 38 kg pour un Australien, contre 6,5 kg pour un Philippin, 4,2 kg pour un Chinois (consommation doublée en cinq ans), 1,5 kg pour un Indien…

10 janvier

Forêt nationale de Prescott, près de Williams dans l'Arizona, États-Unis (35°14' N – 112°11' O).

Il reste de la neige sur le sol de la forêt nationale de Prescott. Des arbres aussi. Ces derniers auraient disparu aujourd'hui si le site n'avait pas bénéficié du statut d'aire protégée dès 1898. En effet, les chercheurs d'or, qui affluèrent en Arizona au milieu du XIXᵉ siècle, ne lésinaient pas sur leur consommation de bois de chauffe. Pour que les forêts ne se réduisent pas comme peau de chagrin, le gouvernement en a fait des réserves naturelles. Les premières ont été créées en 1891. Depuis, plus de 75 millions d'hectares de forêts américaines sur les 226 millions que compte ce pays ont ainsi été préservés des coupes illégales. Ces zones présentent un intérêt esthétique, touristique, mais aussi écologique pour la région, puisque la conservation des espèces passe d'abord par celle de leurs habitats. À l'échelle mondiale, 12 % des 3 866 millions d'hectares de forêts sont protégés. Mais la déforestation continue : 200 millions d'hectares ont été perdus ces quinze dernières années, ce qui équivaut à deux fois la surface de l'Afrique du Sud ou à quatre fois celle de l'Espagne.

11 janvier

Serre illuminée près de Sauvo, région de Varsinais-Suomi, Finlande (60°18' N – 22°36' E).

Avec un quart de son territoire situé au-delà du cercle polaire arctique, la Finlande occupe la position la plus septentrionale d'Europe. À d'aussi hautes latitudes, l'agriculture relève du défi lancé à la nature : en hiver, la nuit s'installe pour presque deux mois au nord, tandis que dans le sud, l'apparition quotidienne du soleil, timide, n'excède pas six heures. Avec ce crépuscule précoce se détachent sur la neige les lueurs des serres où l'on prolonge la durée quotidienne de la photosynthèse grâce à un éclairage artificiel, comme ici près de Sauvo, au sud-ouest du pays. Si la Finlande parvient ainsi à produire 35 500 tonnes de tomates par an, son domaine de prédilection demeure la sylviculture. Elle exploite les forêts de conifères et de bouleaux qui la recouvrent à 70 % et lui assurent plus du tiers de ses revenus d'exportations. Les résidus de l'industrie forestière et les déchets d'abattage servent de combustible et constituent une importante source d'énergie renouvelable qui a couvert 20 % de la consommation d'énergie et 10 % de celle d'électricité du pays en l'an 2000.

12 janvier

Cultures maraîchères sur le fleuve Sénégal aux environs de Kayes, Mali (14°34' N – 11°46' O).

À l'ouest du Mali, près des frontières sénégalaise et mauritanienne, la ville de Kayes est un important carrefour ethnique et commercial ; toute la région est traversée par le fleuve Sénégal, sur les berges duquel les cultures maraîchères sont nombreuses. Ressource providentielle dans cette zone sahélienne, l'eau du fleuve, collectée et transportée par les femmes, permet l'arrosage manuel des petites parcelles (ou casiers) où sont plantés les fruits et légumes destinés au marché local. Le fleuve Sénégal, qui ne porte ce nom qu'à partir du confluent du Bafing (« rivière noire ») et du Bakoy (« rivière blanche »), un peu en amont de Kayes, parcourt 1 600 km à travers quatre pays. Les aménagements hydrauliques installés sur son cours ne permettent d'irriguer que 600 km² de cultures, mais son bassin de 350 000 km² alimente en eau près de 10 millions de personnes.

13 janvier

Bateau à proximité de l'île de Bohol, archipel des Visayas, Philippines (9°50' N – 124°10' E).

Cette embarcation de fortune qui vogue dans l'archipel des Visayas offre un portrait suggestif des ressources locales. D'abord parce que les Philippins sont un peuple de marins – près d'un dixième des marins de la planète sont d'origine philippine. Ensuite parce que le textile, qu'illustre cette voile colorée, est une activité capitale dans la région. Le salago, dont on emploie la fibre pour le papier monnaie, mais aussi pour les cordages, les fils et filets de pêche ou encore les sacs, les écharpes et les chapeaux, est originaire d'Asie de l'Est, et notamment des îles Bohol et Cebu. Le bois, que transportent ici les marins, fait partie des principales ressources naturelles du pays. Auparavant principal exportateur, les Philippines ont suspendu leur production en raison des effets de la déforestation. Enfin, les eaux cristallines recèlent de véritables trésors aquatiques. Des bancs de thons, de maquereaux, de mérous et parfois différentes espèces de requins se cachent dans les récifs, tandis qu'évoluent au large des dauphins et des baleines.

14 janvier

Village Kirdi, sur les monts Mandara, Cameroun (10°55' N – 14°00' E).
Chaque famille a son *saré*, groupe de huttes accolées les unes aux autres dont le nombre varie avec le nombre de résidents. Le plan de ces habitations suit des règles très précises : six pièces pour le chef de famille (un salon, une chambre et quatre greniers), quatre pour chacune de ses femmes (une chambre, une cuisine, un grenier et un poulailler) et quelques-unes pour les enfants. Le tout entouré de gradins en courbes de niveaux, système anti-érosion qui permet de retenir les sols et de maintenir les rares surfaces cultivables des pentes des monts Mandara. Les Kirdis, animistes repoussés dans les reliefs par les Peuls musulmans du début du XIXe siècle, ont conservé leurs traditions et leur mode de vie. Mais ils sont aujourd'hui menacés par le tourisme de masse, nombre d'étrangers venant les voir comme ils vont observer les animaux du parc national voisin de Waza. L'attitude des touristes est souvent irrespectueuse et dévalorisante envers les croyances kirdis. Et leurs petits cadeaux (pièces, stylos et autres bricoles) suggèrent indirectement aux enfants qu'il est plus facile de ramasser cet argent « rapide » que d'aller à l'école.

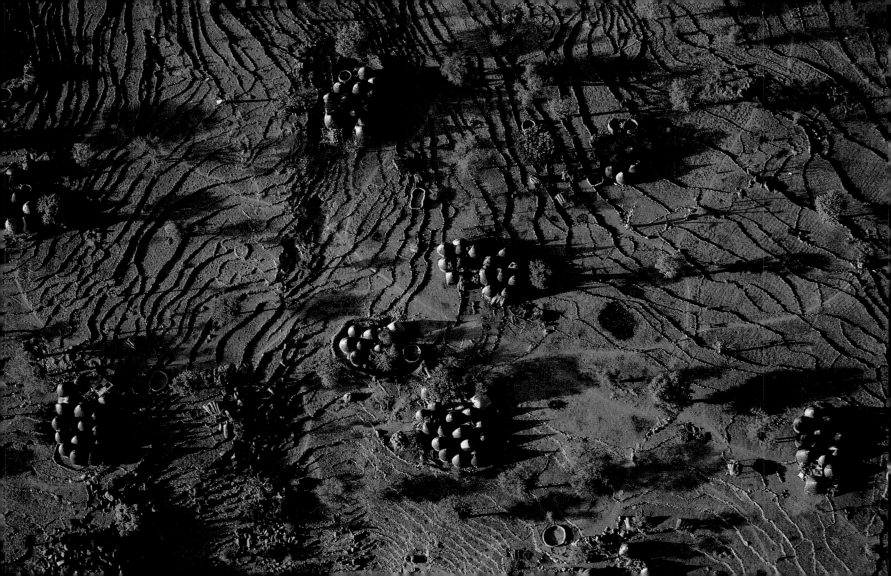

15 janvier

 Ferme piscicole, Boknafjorden, Norvège (59°10' N – 5°35' E).

Entre Stavanger et Bergen, au sud de la Norvège, Boknafjorden est le premier grand fjord. Ces profondes entailles de la côte ont été creusées par des glaciers. Comme le socle rocheux de la Scandinavie s'affaisse lentement, la mer les a progressivement envahies. Dans ces baies encaissées, la mer est beaucoup plus calme qu'au large. Le ruissellement des eaux de pluie fournit des sels minéraux qui permettent aux algues et au plancton de constituer l'un des écosystèmes les plus productifs de la planète. Le courant chaud du Gulf Stream est un facteur favorable supplémentaire pour l'aquaculture, c'est-à-dire l'élevage de poissons. La Norvège produit plus de 450 000 tonnes de saumons et de truites d'élevage par an. Aujourd'hui, pour environ 100 millions de tonnes de poissons sauvages pêchés dans les mers de la planète, 33 millions de tonnes proviennent de fermes piscicoles (soit un poisson sur quatre produit en élevage). Tous secteurs alimentaires confondus, c'est celui de l'aquaculture qui détient le record mondial de croissance : 11 % par an depuis 1984.

16 janvier

 L'astronaute de Nazca, Ica, Pérou (14°50' S – 74°60' O).

L'astronaute de Nazca est l'une de ces gigantesques figures énigmatiques tracées sur les pampas de San José et sur les flancs de quelques collines de la vallée du río Grande, entre Palpa et Nazca. Sur plus de 1 000 km², un désert rocailleux est encore habité par ces vestiges de la culture nazca, datant du Ier au VIe siècle de notre ère. Dessins zoomorphes, lignes parallèles ou entrecroisées, motifs géométriques : les géoglyphes nazcas sont formés par le contraste entre une surface en oxyde de fer de couleur marron et un sous-sol sableux jaunâtre. Le climat sec et l'absence de pluies ont permis leur conservation. L'ensemble graphique figure un calendrier, permettant d'observer quelques phénomènes astronomiques comme les solstices. Mais la signification des formes, prises isolément, reste mystérieuse. Elle revêt très certainement quelque caractère rituel ou cérémoniel. Peut-être s'agit-il, lors de la grande sécheresse de 550, d'une vaste prière, d'une invocation des dieux. Pour ce peuple ancien d'astronomes et d'ingénieurs hydrauliques, comme pour nous aujourd'hui, l'eau était plus précieuse que l'or.

17 janvier

Culture en terrasses au nord de Katmandou, région de Bagmati, Népal (28°20' N – 85°55' E).

Avec les plus hautes montagnes du monde et l'une des plus rapides croissances démographiques (2,6 % par an), la population népalaise, à 80 % agricole, doit gagner pente après pente les terres arables nécessaires à sa subsistance. L'ingéniosité des réseaux d'irrigation, la maîtrise de l'érosion, l'intensification des cultures qui permettent jusqu'à quatre récoltes par an au risque d'épuiser les sols, n'alimentent pas convenablement une population croissante. Nourrir les hommes et préserver les terres est un problème qui s'étend au-delà du seul Népal. Aujourd'hui dans le monde, 23 % des terres exploitables de la planète souffrent de dégradation. Surpâturage, déforestation, mauvaise gestion de l'irrigation, pollution chimique et urbanisation réduisent leur productivité. Pourtant, nos sols devront nourrir 8 milliards d'hommes en 2025.

18 janvier

« Barrios » de Caracas, Venezuela (10°30' N – 66°56' O).

Fondée en 1567 par le conquistador Diego de Lozada, Caracas (du nom des féroces Indiens caraïbes, Los Caracas, qui habitaient la région) a connu un formidable développement au cours des quarante dernières années. Foyer d'attraction pour de nombreux Sud-Américains, la ville a progressivement envahi l'étroite vallée avant de remonter sur les flancs abrupts des collines voisines. Ces nouveaux quartiers, les *barrios* ou les *ranchos* – deux mots utilisés pour désigner les bidonvilles –, concentrent plus de 50 % des 3,8 millions d'habitants de Caracas. Ces quartiers pauvres, comme à São Paulo ou à Bogotá, côtoient des zones d'habitations plus riches où l'on trouve des rues entières privatisées et contrôlées par des milices privées. L'écart entre les riches et les pauvres ne cesse de se creuser dans les grandes villes du tiers-monde mais également dans les pays industrialisés tels que les États-Unis ou le Royaume-Uni. En 1979, le revenu des 1 % de familles américaines les plus fortunées était dix fois plus élevé que celui de la famille médiane. En 1997, il était vingt-trois fois supérieur.

19 janvier

 Résidence hôtelière près d'Arrecife, Lanzarote, îles Canaries, Espagne (28°56' N – 13°35' O).

Dès les XVIIIᵉ et XIXᵉ siècles, les naturalistes européens se pressent à Lanzarote, fascinés par la flore et la géologie de cette île volcanique au large du Maroc. L'ensoleillement généreux et les paysages des Canaries deviennent ensuite le moteur d'un développement touristique qui s'emballe à partir de 1960. Aujourd'hui, 10 millions de touristes, majoritairement allemands (29 %) et anglais (37 %), séjournent chaque année dans l'archipel. Lieu d'invasions estivales ou de villégiatures prolongées, notamment pour les retraités qui s'y établissent à l'année, ses côtes ont subi une urbanisation massive en réponse à la fréquentation croissante. Consciente de l'impact paysager et écologique de telles infrastructures, Lanzarote a accueilli deux congrès mondiaux sur le tourisme durable. La maîtrise des conséquences environnementales de l'activité touristique s'avère d'autant plus nécessaire qu'au cours des vingt prochaines années le secteur mondial du tourisme devrait croître en moyenne de 4,3 % par an et le nombre des touristes augmenter de 300 %.

20 janvier

Marché de poissons à Saint-Louis, Sénégal (16°02' N – 16°30' O).

Dans l'économie sénégalaise, la pêche vient au premier rang des exportations (66 % des recettes) et tient une place primordiale pour l'alimentation locale. Si les traditionnelles pirogues suffisent aux besoins des pêcheurs du Sénégal, ces derniers sont néanmoins concurrencés par les chalutiers étrangers. Le pays vend en effet des licences de pêche aux flottes étrangères, en particulier à celles de l'Union européenne depuis la fin des années 1980. Victimes d'une exploitation effrénée, les ressources halieutiques se sont effondrées au point que le potentiel de prises aurait diminué de 75 % depuis la fin des années 1970. La pauvreté engendre aussi une certaine dilapidation des produits de la mer : 30 % des poissons rapportés pourrissent sur les quais de Saint-Louis, faute de moyens de conservation. De plus, certains pêcheurs ont recours à des méthodes radicales – comme l'utilisation d'explosifs – qui engendrent une dégradation physique de l'habitat. Face à l'ampleur du phénomène, la FAO (Organisation mondiale pour l'alimentation et l'agriculture) a organisé en 2001 la Déclaration de Reykjavik sur la pêche responsable dans l'écosystème marin.

21 janvier

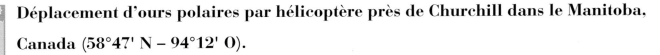

Déplacement d'ours polaires par hélicoptère près de Churchill dans le Manitoba, Canada (58°47' N – 94°12' O).

Sur les rivages de la baie d'Hudson, la ville de Churchill revendique son appellation de capitale de l'ours polaire *Ursus maritimus*. L'ouest de la baie héberge entre 1 000 et 1 200 spécimens de cette espèce, soit 5 % d'une population mondiale estimée à 25 000 individus. Attirés par les décharges de la ville, les ours polaires sont susceptibles de représenter un danger pour les habitants, qui préviennent alors les autorités chargées de déplacer les importuns. Ces rencontres seraient en augmentation et des scientifiques pointent du doigt les effets du changement climatique. La débâcle des glaces dans la baie commence deux semaines plus tôt qu'il y a vingt ans, et leur formation est retardée d'une semaine et demie. Les ours, dépendants de la banquise pour chasser le phoque, doivent prolonger leur jeûne et rechercher d'autres nourritures. Selon le Service canadien de la faune, ils pèsent entre 80 et 85 kg de moins qu'en 1985. En 2001, on estimait que la glace marine de l'hémisphère Nord avait perdu entre 10 % et 15 % de sa superficie estivale depuis 1950.

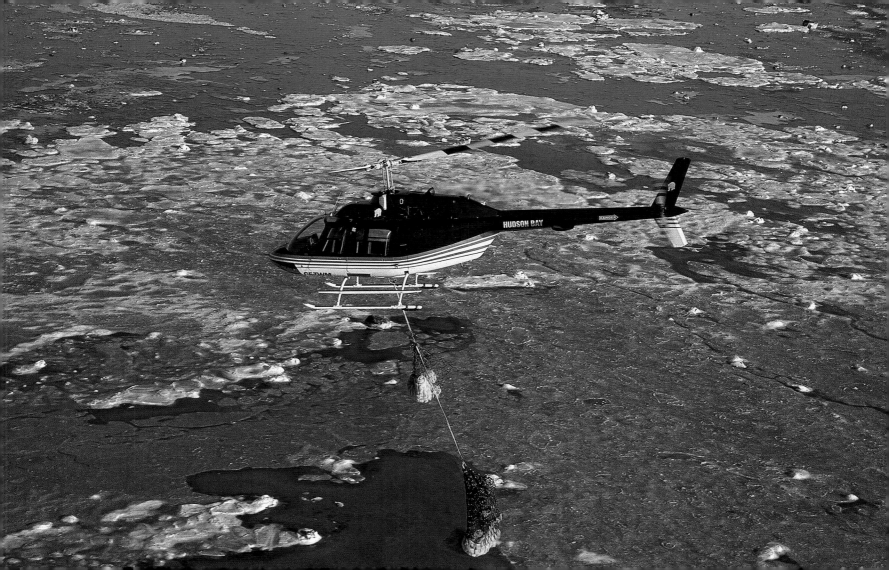

22 janvier

 Cimetière de bateaux de Kerhervy, Lanester, Morbihan, France (47°45' N – 3°20' O). Nichées au creux du dernier méandre où s'alanguit la rivière du Blavet avant de joindre son embouchure à celle du Scorff à Lorient, des dizaines d'épaves reposent au cimetière marin de Kerhervy. Les plus anciennes, celles de thoniers de l'île de Groix (portion de terre émergeant de l'Atlantique à quelques milles au large), gisent dans cette anse depuis les années 1920, et s'enlisent inexorablement dans la vase. La dernière immobilisation remonte à janvier 2001, lorsque l'*Ouragan*, un chalutier de Port-Louis, a rejoint, pour un ultime mouillage, les dundees échoués dans l'estuaire du Blavet au charme intemporel. Quantité de bateaux sillonnent les mers du globe sans connaître l'âge de la retraite. Les navires de plus de quinze ans représentent 40 % de la flotte mondiale, mais totalisent 80 % des naufrages accidentels. L'âge n'est toutefois pas une cause déterminante : les plus anciens bateaux sont surtout ceux grâce auxquels l'armateur cherche à réaliser des économies, tant sur le matériel que sur l'équipage (conditions de vie et de travail, formation). Aussi 80 % des naufrages procèdent-ils d'erreurs humaines.

23 janvier

 Forêt de Saint-Hyacinthe en Montérégie, Québec, Canada (45°37' N – 75°57' O).

La région de la Montérégie, baignée au nord par les eaux du Saint-Laurent et bordée au sud par les États-Unis, est couverte sur un tiers de son territoire d'une forêt mixte où les pins blancs et rouges, les épicéas, les sapins baumiers des forêts boréales du Nord côtoient les merisiers, les érables à sucre, les bouleaux et les trembles des régions tempérées. Occupant près des deux tiers de la province, la forêt québécoise contribue à la prospérité économique du Canada qui tient aujourd'hui le 1er rang mondial pour la production de papier journal, le 2e rang pour celle de la pâte à papier et le 3e pour celle de bois d'œuvre. Longtemps surexploitée, rongée par des insectes parasites et par les pluies acides, la forêt canadienne a vu sa superficie diminuer de manière considérable. Depuis 1992, le Canada s'efforce de mettre en œuvre des pratiques forestières durables, harmonisant les attentes environnementales, économiques, sociales et culturelles. Plus de 50 millions d'hectares, soit 12 % de la forêt canadienne, sont protégés.

24 janvier

Barges d'orpailleurs sur la rivière Caroni, État de Bolivar, Venezuela (5°20' N – 62°40' O).

Sur la rivière Caroni, au sud-est du Venezuela, des orpailleurs aspirent les fonds aurifères de la rivière avec un tuyau appelé « suceuse ». Le précieux métal est extrait par tamisage alors que sont rejetés graviers et sédiments qui forment une longue traînée de boue derrière les embarcations. Pour l'extraction et la purification du métal précieux, une grande majorité de ces chercheurs d'or utilisent le mercure. On estime par exemple qu'un million d'orpailleurs installés le long de la rivière Tapajós, au nord du Brésil, se servent ainsi du mercure et rejettent chaque année 130 tonnes de déchets contaminés dans le milieu environnant. Or ce métal lourd, extrêmement toxique, peut causer chez l'homme des troubles respiratoires, gastro-intestinaux ou neurologiques graves, notamment par ingestion de poissons ou de crustacés contaminés. Un quart de l'or offert sur le marché mondial est extrait par des méthodes artisanales qui utilisent le mercure et polluent ainsi les cours d'eau sur des centaines de kilomètres.

25 janvier

 Contours du lac salé Birket Maraqi dans l'oasis de Siwa, Égypte (29°12' N – 25°31' E).
Sous l'ardent soleil du Nord-Ouest égyptien, l'évaporation de l'eau des parties les moins profondes de ce lac salé a craquelé les fonds sablo-limoneux et formé ces rides rondes extrêmement dures. Çà et là, le sel sèche en croûte blanche et dessine les contours d'une mare bleutée. Les concentrations en sel des eaux y sont très élevées et n'y permettent l'épanouissement direct d'aucune vie. Pourtant, les berges de ces lacs s'abritent de palmiers et d'oliviers, abreuvés par les 230 sources naturelles d'eau douce que compte l'oasis. Les 15 000 habitants de Siwa cultivent ainsi 300 000 palmiers dattiers et 70 000 oliviers. L'eau douce est une des ressources naturelles les plus rares. Elle ne représente que 2,5 % du volume total des eaux sur la Terre, et plus des trois quarts de cette part sont emprisonnés sous forme solide dans les glaces de nos pôles et les glaciers de nos montagnes. Rare sous les tropiques, abondante à l'équateur et dans les zones tempérées, l'eau douce liquide est inégalement répartie. Même là où elle abonde, l'eau douce reste précieuse. Sa qualité ne cesse en effet de décroître du fait de contaminations par l'excès de matière organique, de fertilisants et autres produits chimiques rejetés par l'agriculture, l'industrie et la population.

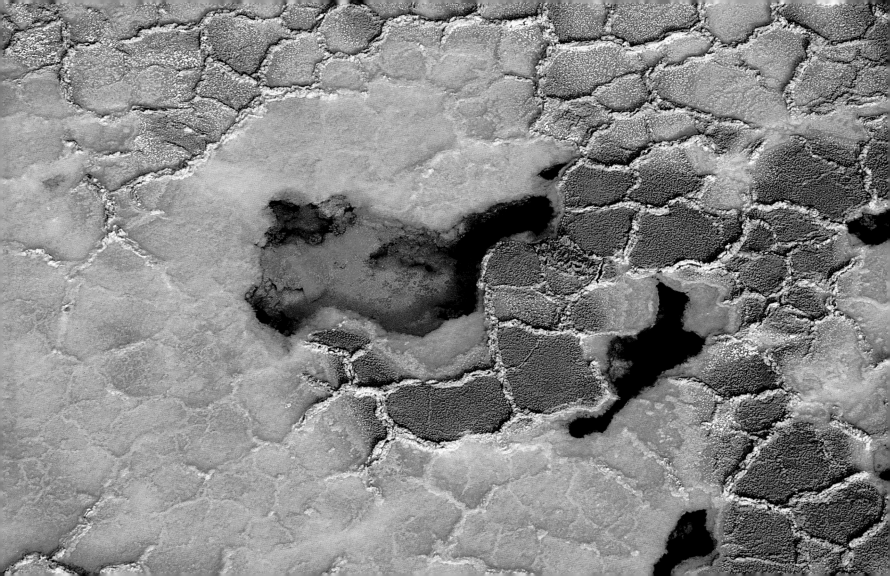

26 janvier

Highlands Ranch, banlieue de Denver, État du Colorado, États-Unis (39°44' N – 104°59' O).

Ces serpentins de maisons construites à l'identique ne viennent pas rompre la monotonie de l'asphalte. La banlieue de Denver illustre bien l'étalement galopant des zones suburbaines en Amérique du Nord. Le phénomène a suivi l'expansion économique de l'après-guerre qui a encouragé l'accession à la propriété privée, chère à la Constitution américaine, et stimulé les investissements dans les infrastructures routières. Depuis, la croissance démographique dans ces zones ne cesse d'augmenter (12 % entre 1990 et 1998), au détriment des centres-ville (4,7 % sur la même période). Qualifiées de « tentaculaires », ces nouvelles cités se caractérisent par un tissu de banlieues résidentielles à faible densité, totalement tributaires de l'automobile. Une telle dépendance à ce moyen de transport, l'une des principales sources d'émission de gaz à effet de serre, contribue à faire des Américains les plus grands pollueurs de la planète. Si les habitants d'Amérique du Nord ne représentent que 5 % de la population mondiale, ils ont produit en 1998 près d'un quart du CO_2 mondial d'origine humaine.

27 janvier

Corrida dans les arènes de Séville, Andalousie, Espagne (37°23' N – 5°59' O).

Dans la « Plaza de Toros de la Real Maestranza » à Séville, un taureau piétine l'*albero*, terre dure et jaunâtre extraite des carrières voisines d'Alcalá de Guadaira, hésitant entre le picador et le matador. La construction de ces arènes, commencée en 1761, s'étendit sur cent vingt ans. Les corridas s'y déroulent sur une aire légèrement ovale de 63 m de long, entourée de gradins où peuvent prendre place 14 000 spectateurs. Deux tracés rouges réglementaires, à 7 et 10 m de la barrière, en soulignent la courbe. Derrière cette palissade salvatrice, enjambée grâce au marchepied blanc, court le *callejón*, où se réfugient les toreros. Autour de cette tradition culturelle perpétuée depuis plusieurs siècles, appréciée comme un art par ses *aficionados*, perçue comme une cruelle boucherie par ses détracteurs, la polémique grandit, s'appuyant depuis 1997 sur le traité d'Amsterdam qui reconnaît les animaux comme des « êtres sensibles » et impose de respecter leur bien-être. Certaines pratiques agricoles (gavage des oies, conditions d'élevage industriel) soulèvent aussi l'indignation.

28 janvier

Culture de tomates près de Tepic, État du Nayarit, Mexique (21°30' N – 104°54' O). Espèce végétale aujourd'hui la plus cultivée au monde, la célèbre tomate est originaire du Mexique et présente une grande biodiversité avec 1 700 variétés connues. C'est au XVIe siècle que les grands navigateurs font connaître à l'Europe la précieuse « pomme d'or ». Alors que les Italiens l'ont intègrée assez vite dans leur cuisine, les Français ont cru pendant plus d'un siècle que le fruit rouge était toxique et l'ont utilisé plutôt comme plante ornementale. La tomate est aujourd'hui la quatrième exportation agricole du Mexique, d'une valeur de 300 millions de dollars environ. Ses voisins de l'accord de libre-échange américain (ALENA) disposent ainsi de tomates en toute saison et à faible prix. Mais l'habitude largement prise dans les pays occidentaux de consommer les fruits et légumes hors saison engendre une forte pollution liée au transport des marchandises ou à la production sous serre chauffée. Le surplus de gaz à effet de serre ainsi émis est considérable. Ainsi, on estime que l'achat en Europe d'un seul kilogramme de haricots verts frais en hiver coûte une émission de près de 13 kg de CO_2.

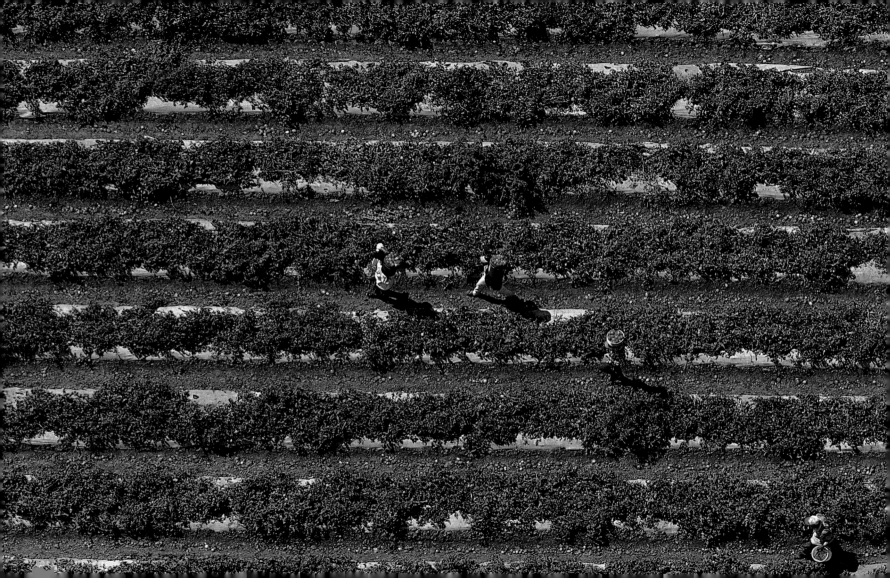

29 janvier

Plantation d'arbres près de Seix, Pyrénées, France (42°50' N – 1°30' E).

Cette plantation d'arbres dans les montagnes ariégeoises s'inscrit dans la gestion des ressources forestières et permet de lutter contre l'érosion des sols dénués de toute couverture végétale. Mais ces montagnes ont un secret : elles abritent deux femelles ours brun et deux de leurs oursons. Capturées en Slovénie, elles ont été les élues d'un programme de réintroduction de l'ours brun en Pyrénées. La chasse et l'empoisonnement, la fragmentation de l'habitat par la construction d'infrastructures routières notamment avaient eu raison de cette espèce, pourtant emblématique. La préservation de la biodiversité, et en particulier des espèces menacées ou vulnérables, a été définie comme l'un des objectifs prioritaires des Nations unies lors de la conférence de Rio en 1992. En 2002, on estimait que plus d'une espèce mammifère sur cinq était menacée ou vulnérable, un quart des reptiles, un tiers des poissons, près de 60 % des insectes et, aussi, plus de la moitié des espèces de plantes à fleurs vivant sur notre planète.

30 janvier

Dôme de la basilique de la Paix, Yamoussoukro, Côte-d'Ivoire (6°49' N – 5°17' O).
Yamoussoukro est devenue en 1983 la capitale officielle de la Côte-d'Ivoire à la place d'Abidjan. Le président Félix Houphouët-Boigny, décédé en 1993, a fait de son village natal une cité moderne quadrillée par de grandes voies routières – quasiment désertes – et où se multiplient les équipements monumentaux : aéroport international, hôtels de luxe, golf, grandes écoles supérieures, etc. Bien qu'en Côte-d'Ivoire le catholicisme ne soit que la deuxième religion après l'islam, Yamoussoukro arbore la plus grande basilique du monde, Notre-Dame-de-la-Paix, consacrée par le pape Jean-Paul II en 1990. L'ancien président, qui a fait don de l'édifice au Vatican, assure qu'il a lui-même financé le coût exorbitant de la basilique sur sa fortune personnelle. Considérée comme un grand gaspillage par une partie de la population ivoirienne, cette construction est des plus controversées dans un pays qui manque d'abord d'écoles et d'hôpitaux et où il y a seulement neuf médecins pour 100 000 habitants (contre 413 en Norvège).

31 janvier

Grande Barrière de corail, Queensland, Australie (16°55' S – 146°03' E).

Au nord-est des côtes australiennes, la Grande Barrière rassemble, sur 2 500 km, plus de 400 espèces de coraux, et constitue la plus grande formation corallienne au monde. Parc marin depuis 1979 (représentant 15 % de la surface marine protégée du globe), inscrit en 1981 sur la Liste du patrimoine mondial de l'Unesco, ce riche sanctuaire silencieux de vie sous-marine est le refuge de plus de 1 500 espèces de poissons et de 4 000 espèces de mollusques, du dugong, menacé d'extinction, et de six espèces de tortues marines, sur les sept que compte la planète. Seul relief d'origine biologique au monde, les coraux sont des polypes vivant en symbiose avec des algues photosensibles, les zooxanthelles, qui participent à l'élaboration du squelette calcaire de leurs hôtes. Essentiels pour la protection des côtes et la faune océanique, les récifs coralliens sont sensibles à une infime augmentation de la température de l'eau, qui provoque leur blan-chiment. Ce phénomène, particulièrement prononcé en 1998 (passage d'El Niño), a causé la perte de coraux millénaires. Nombre de colonies coralliennes touchées commencent à se régénérer, mais l'augmentation de fréquence des phénomènes de blanchiment, que pourrait entraîner le changement climatique, est préoccupante.

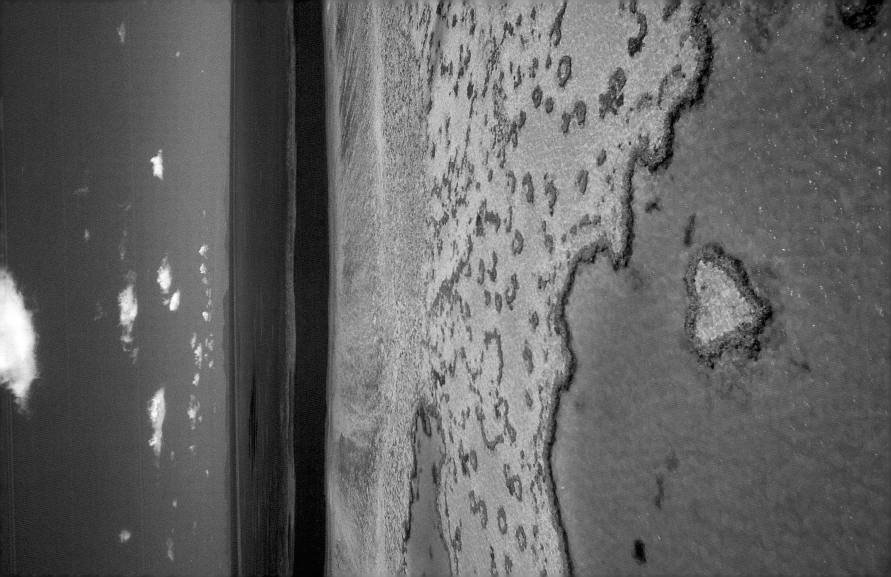

CHANGEMENT CLIMATIQUE... OU CHOC CLIMATIQUE ?

L'avenir climatique de nos ancêtres, il y a 10 000 ou 20 000 ans, pouvait leur apparaître incertain mais, à l'évidence, il ne dépendait pas de leur comportement : ils pouvaient bien sacrifier quelques mammouths en pensant amadouer les forces naturelles, cela ne changeait pas grand-chose à la manière dont le climat planétaire allait évoluer quelques siècles plus tard.

Ce pouvoir de modifier le climat qu'ils n'avaient pas, nous l'avons malheureusement acquis à nos dépens, et pour la première fois de son histoire l'homme est devenu un agent climatique. Comment ? En émettant beaucoup de gaz à effet de serre, qui sont venus significativement renforcer un effet (de serre) qui existe depuis plusieurs milliards d'années sur notre planète et sans lequel la température moyenne serait de - 15 °C, température à laquelle la vie telle que nous la connaissons n'existerait probablement pas. Les gaz à effet de serre, dont les principaux sont la vapeur d'eau (0,3 % de l'atmosphère), le gaz carbonique (0,04 %) et le méthane (0,000 2 %), sont transparents au rayonnement reçu par la terre, permettant ainsi à l'énergie provenant du soleil de parvenir jusqu'au sol. Ils sont en revanche opaques au rayonnement infrarouge émis par notre planète, empêchant alors l'énergie de repartir vers l'espace. Mais notre espèce a brutalement rompu l'équilibre : depuis 1850, nous avons augmenté la concentration atmosphérique de gaz carbonique de 30 %, et nous l'avons doublée pour le méthane, ces deux faits étant sans précédent depuis au moins 400 000 ans. La température moyenne de la planète, qui était stable depuis 10 000 ans, pourrait grimper de quelques degrés en un siècle si nous poursuivons des émissions sans cesse croissantes. Cet ordre de grandeur est connu depuis fort longtemps : c'est un savant suédois, Svante Arrhenius (prix Nobel de chimie 1903), qui l'a exposé le premier, en 1896. Quelques degrés de hausse de la moyenne planétaire, ce n'est pas une peccadille : c'est ce qui sépare une période « chaude », comme celle que nous connaissons aujourd'hui, d'une ère glaciaire, pendant laquelle le nord de l'Europe et le Canada étaient recouverts d'une couche de glace de plusieurs kilomètres d'épaisseur, la mer étant plus basse de 120 mètres, et la France ne portant qu'une maigre steppe gelée, bien incapable de nourrir quelques millions d'individus. En outre une déglaciation met environ 10 000 ans à se produire : s'il est impossible de savoir avec précision ce que donnerait une hausse de quelques degrés de la moyenne planétaire en un ou deux siècles, il est à craindre que cela se rapproche plus d'un « choc climatique » que d'une affaire de pulls en plus ou en moins l'hiver. Une évolution aussi rapide de la température du globe pourrait signifier un dérèglement important du cycle de l'eau, avec des inondations et des sécheresses de plus en plus sévères, l'accroissement de l'intensité des ouragans, la fonte possible du Groenland et d'une partie de l'Antarctique au bout de cinq à dix siècles (la mer monterait alors de 12 mètres), ou la disparition du Gulf Stream en quelques décennies, ce qui pourrait abaisser la température moyenne de l'Europe de l'Ouest de 5 à 6 °C, sonnant peut-être le glas de toute l'agriculture française. Nous risquons également la mort des coraux, la migration rapide en direction des pôles de maladies tropicales diverses (fièvre jaune, paludisme, dengue et autres amabilités), pouvant agresser aussi bien les plantes et les animaux que l'espèce humaine. Et nous n'avons bien sûr pas idée de toutes les mauvaises surprises possibles. Toutes ces éventualités ne sont pas des chimères de romancier de science-fiction, mais sont très sérieusement documentées dans la littérature scientifique et technique disponible. La réponse de nos sociétés à des troubles climatiques brusques reste aujourd'hui inconnue, mais il importe de se rappeler que tout ou presque, dans le monde qui nous entoure, est adapté aux conditions climatiques locales : c'est vrai de l'agriculture et des forêts, des bâtiments, des voies de communication, et même de notre garde-robe… Alors, si nous voulons réagir, que faire ? Les gaz à effet de serre ont une durée de vie qui dépasse le siècle une fois émis, alors qu'il ne faut que quelques mois pour qu'ils se répartissent de manière homogène dans l'atmosphère. Leur lieu d'émission étant sans importance pour la perturbation climatique, cela condamne l'humanité à se mettre d'accord autour d'une réduction effectuée de concert, faute de quoi un seul « mauvais élève » peut réduire à néant les efforts de tous les autres pays. Cela n'exclut pas, pour autant, la vertu de l'exemple, que l'on oublie trop souvent. Jusqu'où réduire ? Pour arrêter d'enrichir l'atmosphère en gaz carbonique, il faut diviser les émissions mondiales de ce gaz par deux au moins. Si chaque Terrien dispose du même « droit à émettre » dans un tel contexte (le monde est alors parfaitement équitable !), les Français devront diviser leurs émissions par 4, ce qui signifie diviser par le même facteur notre consommation de pétrole, de gaz et de charbon (le nucléaire et les renouvelables restant disponibles, avec des potentiels fort différents selon les voies envisagées). Les Américains devraient diviser leurs émissions par 12, et les Chinois ne pourraient guère les augmenter au-dessus du présent niveau. Avec les technologies en vigueur, il suffit, pour atteindre ce plafond, d'effectuer un seul vol transatlantique, ou de se chauffer quelques mois au gaz naturel, ou de faire 5 000 à 10 000 km en voiture, ou d'acheter quelques dizaines à quelques centaines de kilos de produits manufacturés (qu'il a fallu produire et transporter), ou de manger une centaine de kilos de viande de bœuf (le recours à l'agrochimie et aux engins agricoles fait que la fabrication d'à peu près tout ce que nous mangeons émet des gaz à effet de serre). C'est dire que stabiliser la perturbation climatique suppose un changement radical de notre projet de société et non quelques corrections mineures à la marge. Au « consommons toujours plus ! » il faudrait substituer un « Émettons toujours moins ! ». La croissance perpétuelle de notre consommation matérielle, en particulier, n'y survivrait probablement pas. Mais si nous voulons être sûrs de guider nos propres enfants vers un monde accueillant, avons-nous vraiment le choix ?

Jean-Marc Jancovici
Ingénieur conseil sur les problèmes
d'énergie et sur l'effet de serre

1er février

Massada, désert de Judée, Israël (31°18' N – 35°20' E).

Entre 37 et 31 avant J.-C., Massada – « forteresse » en hébreu – est édifiée sous Hérode sur la bordure occidentale du désert de Judée. *La Guerre des Juifs*, de l'historien Flavius Josèphe, reste la seule source écrite concernant la place forte. En 66 de l'ère chrétienne, Flavius prend part à la révolte nationaliste des Juifs contre Rome. Quelques années plus tard, après s'être rendu, il relate la rébellion et donne à la forteresse la dimension d'un lieu mythique : en 70 de l'ère chrétienne, Jérusalem tombe. Mais trois années durant, Massada résiste. Il faudra plus de 10 000 légionnaires pour venir à bout des 967 zélotes assiégés. Se sachant perdus, les rebelles doivent choisir : l'honneur ou la vie. Les derniers défenseurs de la citadelle tirent alors au sort dix d'entre eux, chargés de tuer les autres avant de se suicider. Il y a peu, les fouilles archéologiques ont confirmé cette histoire dans ses grandes lignes. « Massada ne tombera plus jamais » est le serment que prêtent aujourd'hui les cadets des unités blindées, dans ce haut lieu devenu le symbole de la résistance juive.

2 février

 Village flottant sur le lac Tonle Sap, Cambodge (13°00' N – 104°00' E).

Installés sur des maisons flottantes, les habitants du Tonle Sap dérivent au gré des crues du lac et des migrations de poissons. Conjointement à la pêche, ils pratiquent une pisciculture traditionnelle en disposant un maillage de cages et de parcs à ciel ouvert, érigés avec des tiges de bambou. Le lac Tonle Sap, quatrième plus grande pêcherie d'eau douce au monde, procure environ 60 % des prises de la pêche nationale. Capturés, les poissons sont généralement consommés sous forme de *prahok*, une pâte fermentée que l'on trouve partout au Cambodge. L'apport nutritif du poisson est fondamental puisqu'il fournit plus de 75 % des protéines animales du régime de base. Paradoxalement, dans ce pays presque amphibie (les zones humides recouvrent un tiers du territoire), on estime que 70 % des Cambodgiens – la plus grande proportion de toute l'Asie – n'ont pas accès à l'eau potable. À l'échelle mondiale, les diarrhées provoquées par l'ingestion d'eau malsaine tuent 4,5 millions de personnes chaque année.

3 février

Ruines de la citadelle médiévale de Shali, dans la ville de Siwa, Égypte (29°12' N – 25°31' E).

Fondée au XIIIᵉ siècle, la citadelle de Shali a longtemps protégé ses habitants des pillards. Mais ses murs en *kershef*, briques de sel recouvertes de terre glaise et de plâtre, n'ont pas résisté à l'assaut des pluies violentes de 1926. Trois jours diluviens n'ont laissé que des ruines pour témoigner d'une architecture en voie de disparition. Si certaines maisons de la forteresse sont encore habitées, Siwa la moderne s'est surtout développée en béton autour de sa vieille cité. Depuis 1998, le Programme des Nations unies pour les établissements humains encourage les jeunes entrepreneurs issiwannes à redécouvrir leur patrimoine culturel et architectural. Souhaitant lui aussi préserver cet héritage, le gouverneur de la région impose aujourd'hui l'utilisation des techniques traditionnelles de construction pour tous les nouveaux bâtiments situés autour de la citadelle de Shali.

4 février

Château d'Osaka, Honshu, Japon (34°40' N – 135°30' E).

Honshu se creuse, au sud, en une vaste échancrure où loge l'île de Shikoku. Lové entre ces deux éléments de l'archipel nippon, l'océan Pacifique devient une paisible mer intérieure où se jette la rivière Yodo. À son embouchure, Osaka, la troisième agglomération du Japon, héberge 11 millions d'habitants. La ville portuaire à l'économie florissante, qui atteignit son apogée sous le règne de Toyotomi Hideyoshi (1582-1598) lorsque fut édifié le château, est aujourd'hui une cité d'affaires industrielle où les commerçants manient avec dextérité le *soroban*, boulier de calcul traditionnel. Niché au cœur d'un vaste parc à l'est de la ville, le château actuel n'est qu'une réplique en béton de l'original, datant de 1931 et rafraîchie en 1970 pour l'Exposition internationale qui vit affluer 65 millions de visiteurs. Depuis celle de Londres en 1851, de nombreuses Expositions universelles, vitrines des progrès techniques et lieux d'échanges, ont jalonné le XXe siècle. Aujourd'hui se pose la question de leur bien-fondé, de leur impact réel et de leur coût devenu prohibitif. Hanovre a ainsi déboursé 1,7 milliard d'euros pour accueillir l'Expo 2000 et ses 18 millions de visiteurs (au lieu des 40 millions prévus).

5 février

Oiseau survolant la lagune près de la mangrove de San Blas, État du Nayarit, Mexique (21°60' N – 105°30' O).

Le Mexique présente une grande diversité de paysages et de climats, où se succèdent déserts, montagnes, forêts de feuillus ou, comme ici, lagunes bordant des forêts subtropicales humides typiques des côtes alluvionnaires, les mangroves. Si l'on trouve au Mexique plus de 900 espèces de cactus, 1 000 espèces d'orchidées, et autant de mammifères, c'est la diversité ornithologique qui est la plus saisissante : le pays ne compte en effet pas moins de 10 000 espèces, dont le célèbre quetzal, ou « oiseau des Aztèques ». La mangrove est un lieu privilégié de passage pour les oiseaux. Ils y trouvent une abondante nourriture : insectes, mais aussi mollusques, coquillages, crevettes, petits poissons, qui viennent se reproduire au pied des palétuviers, arbres caractéristiques de cet écosystème mixte, terrestre et marin. Indispensables à la vie marine, les mangroves stabilisent également les bords côtiers en permettant à la fois de fixer les sédiments terrigènes apportés par les fleuves et de lutter contre le pouvoir érosif de l'océan en brisant la force des vagues.

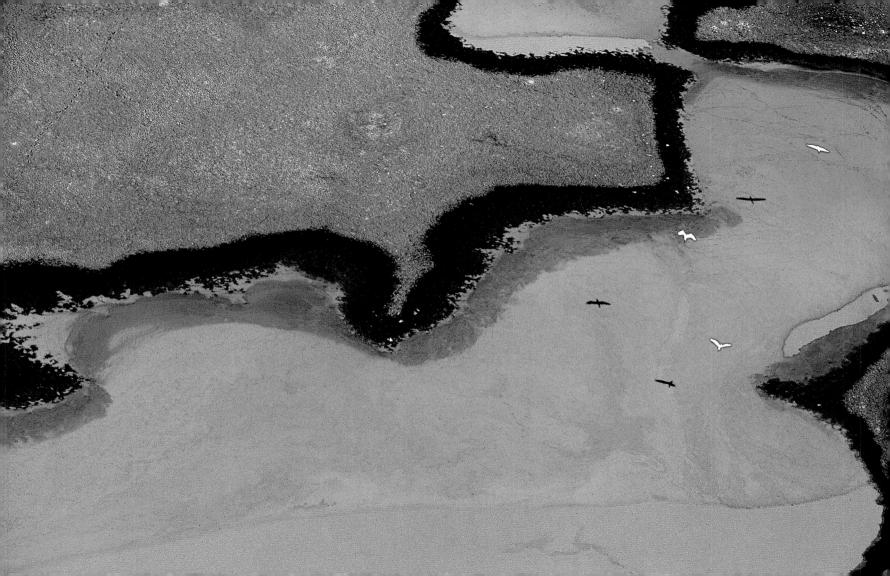

6 février

Détails du tarmac de l'aérodrome de Gibraltar, territoire britannique de Gibraltar (36°08' N – 5°21' O).

Sur le tarmac de la piste de l'aérodrome de Gibraltar, à la pointe sud de la péninsule Ibérique, les tracés géométriques de la signalisation et les rapiéçages du macadam créent cette curieuse œuvre d'art abstrait. Avec 28 millions d'emplois et une valeur estimée à 1 400 milliards de dollars, le secteur du transport aérien pèse lourd dans l'économie mondiale. Il n'en demeure pas moins sensible à l'insécurité internationale, comme l'ont montré les répercussions accablantes des événements de la fin de l'année 2001 (faillite de plusieurs compagnies, suppression de 120 000 emplois). Le trafic aérien affiche depuis dix ans une croissance régulière moyenne de 6 % par an (1,5 milliard de passagers en 2000). Si cette tendance se poursuit, en 2010 quelque 20 000 avions se presseront dans le ciel pour transporter 2,3 milliards de voyageurs. Pour éviter la saturation de l'espace aérien, les avions géants (jusqu'à 600 sièges) s'apprêtent à décoller.

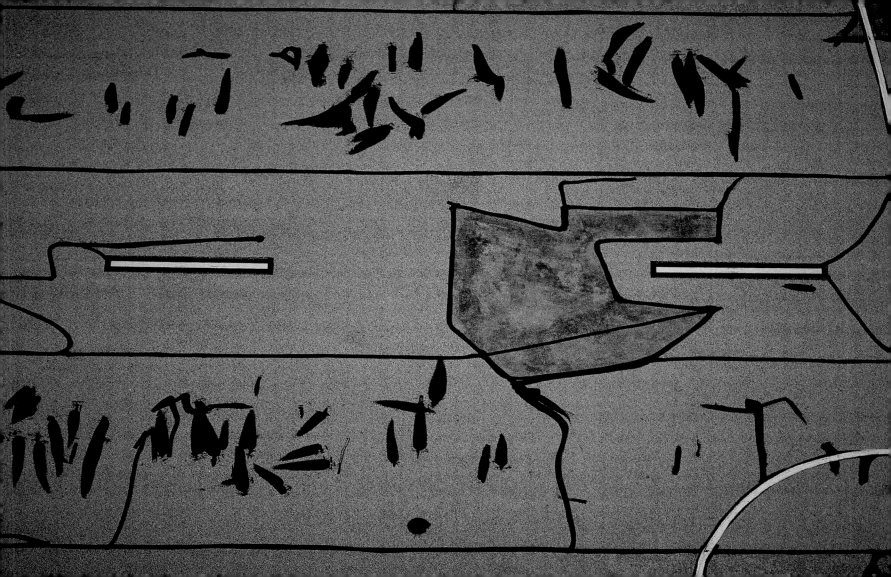

7 février

Champs du plateau d'Anta dans la région de Cuzco, Pérou (13°29' S – 72°07' O).
À 3 600 m d'altitude, au centre de la cordillère des Andes, la région de Cuzco concentre les meilleures terres du pays. On y cultive le blé et l'orge dans les dépressions du relief tandis que les collines portent la luzerne et les pommes de terre. Il y a 500 ans, ce territoire nourrissait déjà l'Empire inca. Pour assurer de bons rendements, le régime répartissait la terre de manière équitable en procédant régulièrement à des recensements sur la composition des familles, la possession des animaux domestiques et des lopins de terre. Aujourd'hui, l'agriculture péruvienne est marquée par les inégalités entre petits et grands propriétaires terriens : 0,1 % des exploitations (de plus de 1 000 hectares chacune) réquisitionnent les deux tiers de la surface arable totale. Pour survivre, des dizaines de milliers de paysans andins se sont tournés vers la culture illicite de coca. Si la production de cocaïne a diminué de 68 % entre 1995 et 2000, le Pérou reste toujours à la deuxième place derrière la Colombie, et les narcotrafiquants ont repris le contrôle de certaines vallées amazoniennes au nord du pays.

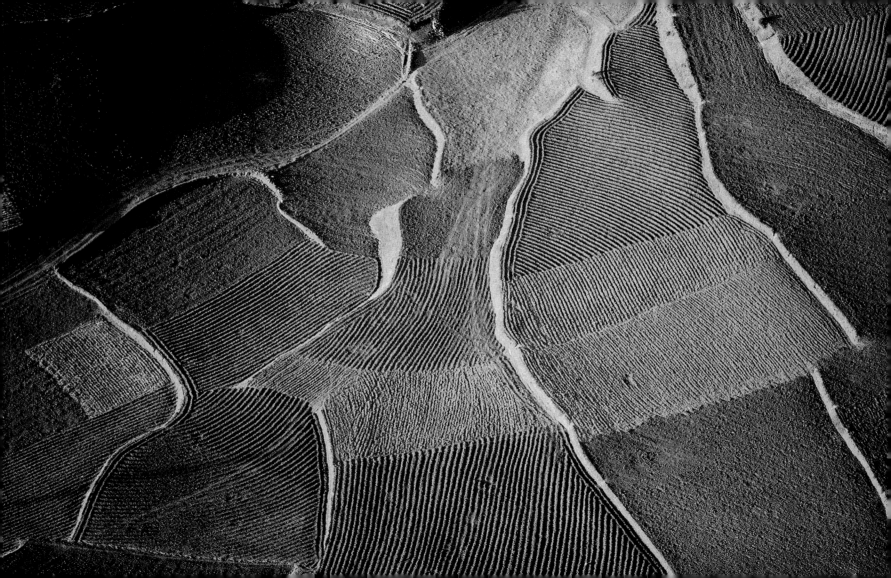

8 février

Récif corallien de Neuika, Nouvelle-Calédonie, France (22°50' S – 167°25' E). Le chapelet de récifs coralliens qui ceinture le lagon bleu azur de la Nouvelle-Calédonie est menacé. Il blanchit et se meurt, attaqué par la pollution qu'engendre notamment l'exploitation du nickel sur Grande Terre, l'île principale du territoire. Chaque année, 118 000 tonnes de ce métal, soit un dixième de la production mondiale, sortent des mines à ciel ouvert calédoniennes. Cette activité constitue la première ressource économique de l'archipel, mais elle menace le lagon. En effet, les eaux de pluie, en ruisselant des mines vers la mer, entraînent avec elles les déchets d'extraction qui vont se déposer sur les coraux alentour. Quant aux usines de traitement du nickel, nombre de Calédoniens les soupçonnent de rejeter dans le lagon des produits toxiques ou des métaux en suspension qui empoisonnent les récifs coralliens. Ces derniers sont précieux. S'ils ne couvrent que 0,09 % des mers et des océans de la planète, ils abritent 2 millions d'espèces animales et végétales. Pourtant, plus de la moitié souffrent de l'activité humaine : pollution, prélèvements, pêche à la dynamite, etc.

9 février

Vue générale sur un enclos de village Himbas, région du Kaokoland, Namibie (18°15' S – 13°00' E).

Depuis la hutte principale, le chef veille sur le feu sacré qui jouxte le *kraal*, l'enclos à bétail. Les autres villageois occupent des cases plus petites, constituées d'une charpente de branches recouverte d'un mélange de boue et de bouse de vache. Les 10 000 à 15 000 Himbas du Kaokoland sont ainsi disséminés en petits clans pour assurer la survie des troupeaux dans une région désertique. Mais la dispersion de ces éleveurs semi-nomades n'a pas toujours été un atout. Au XIXe siècle, d'autres ethnies ont profité de cette faiblesse pour les piller, ce qui les a conduits à vivre de la chasse et de la cueillette, mais aussi de la mendicité, comme en témoigne leur nom Himbas, « Ceux qui demandent les choses ». Aujourd'hui, ces bergers ont retrouvé leurs troupeaux. Victimes du tourisme, ils prennent conscience de leur attrait exotique, refusant d'abandonner leur mode de vie ancestral tout en vendant des bijoux ou en s'improvisant guides. De même, leurs chefs utilisent les médias pour défendre leurs droits. Une façon de concilier monde moderne et traditions.

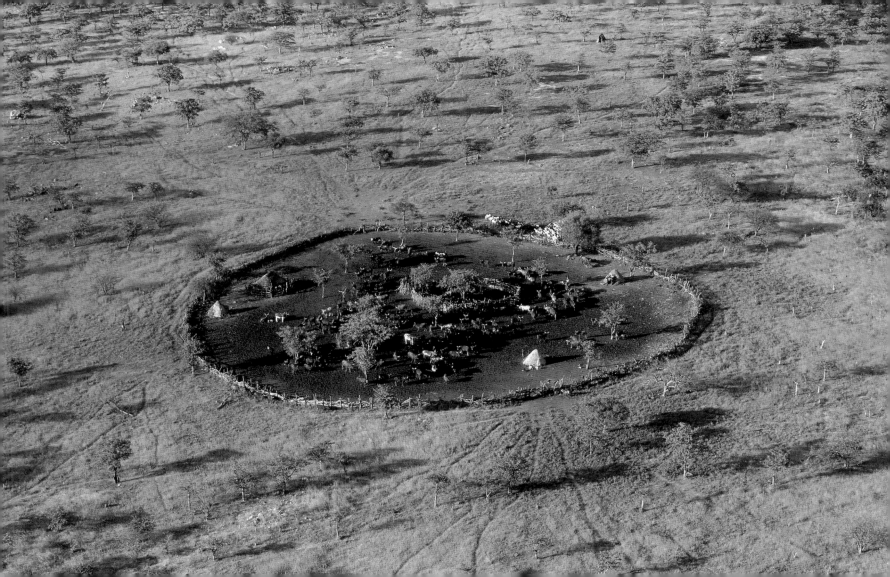

10 février

Séchage du sel sur la côte de Quemaro, État du Jalisco, Mexique (19°63' N – 105°18' O).

Présent dans l'eau de mer à raison de 30 g/l et dans les gisements de sel gemme d'origine marine, le sel est très répandu sur Terre et son obtention est facile, par évaporation solaire ou extraction. Les échanges internationaux ne concernent donc que 20 % de la production mondiale, qui atteint 200 millions de tonnes. Les États-Unis assurent 20 % de ce tonnage, la Chine 15 %. Le Mexique, au septième rang mondial, produit 8 millions de tonnes de sel par an, qu'il exporte au Japon et en Amérique du Nord. Établie sur le littoral pacifique, l'industrie mexicaine du sel est très mécanisée, mais quelques unités artisanales subsistent. La récolte des cristaux s'y fait à la main, comme ici. La chimie accapare 60 % du sel consommé chaque année dans le monde, tandis que 10 % servent au déglaçage des routes. Le reste approvisionne les industries de la pêche (conservation) et de l'alimentation, et remplit les salières de table. Un individu ingère 7 à 8 g de sel par jour. En excès, le sel est néfaste pour la santé et favorise l'hypertension artérielle. Or les aliments industriels en contiennent beaucoup. Vingt pour cent de la population française absorbe ainsi trop de sel : plus de 12 g par jour.

11 février

Cotonnades séchant au soleil à Jaipur, Rajasthan, Inde (26°55' N – 75°49' O).

Important centre de production textile, l'État du Rajasthan, au nord-ouest de l'Inde, est réputé depuis des siècles pour son artisanat de teinture et d'impression sur coton et sur soie, pratiqué par la communauté Chhipa. Les techniques traditionnelles de décoration à la cire et d'impression au tampon sont aujourd'hui concurrencées par la sérigraphie qui permet une production à grande échelle, tandis que les pigments naturels sont peu à peu délaissés au profit de colorants chimiques. En revanche, les multiples trempages destinés à fixer la couleur et le séchage des tissus au soleil, comme ici à Jaipur, capitale de l'État, sont toujours pratiqués. Les femmes chhipa qui exécutent ce travail font partie des 32 % qui représentent la part féminine de la population active en Inde, et cette participation des femmes à l'activité économique s'accroît. Si depuis quelques décennies on assiste à une meilleure reconnaissance de leurs droits et de leurs aspirations à travers le monde, du chemin reste à parcourir pour nombre de pays où les inégalités entre les sexes demeurent criantes…

12 février

Marché près du quartier de Xochimilco, Mexico, Mexique (19°20' N – 99°05' O).
Sous cette mosaïque de parasols colorés se dissimule un marché populaire animé et bruyant, établi pour la journée dans une rue de la capitale. Ainsi protégés du soleil, les étals de fruits et légumes, de plantes médicinales ou d'épices jouxtent ceux des tissus et produits artisanaux. Véritable institution au Mexique, les marchés fleurissent quotidiennement dans tout le pays. Comme l'artisanat, les traditions vestimentaires ou les façades des habitations, ils traduisent l'attachement des Mexicains aux couleurs éclatantes et gaies, telles que ce rose vif dénommé *rosa mexican*. Sur la scène internationale, le Mexique est le champion mondial de l'essor commercial, avec des exportations en croissance de 18 % par an, en direction des États-Unis pour plus de 85 %. Mais cette libéralisation économique, si elle a entraîné le doublement du PIB par habitant entre 1985 et 1999, a en revanche aggravé les inégalités dans la distribution du revenu. Dans les campagnes, où l'agriculture ne peut faire face à la concurrence des productions importées, le revenu moyen est jusqu'à quatre fois inférieur au revenu national. Les troubles sociaux qui agitent l'État du Chiapas depuis 1994 sont en partie liés à cette situation.

13 février

 Campement nomade, région du lac Tchad, Tchad (13°15' N – 15°12' E).

Le lac Tchad offre ses marécages et terres alluviales fertiles au bétail des pasteurs nomades kanembous, peuls et foulbés, et des Boudouma, habitants des îles du lac. Au crépuscule, les éleveurs allument des feux, comme dans ce campement, sur la rive nord-est. Le cheptel se réfugie spontanément dans l'épaisse fumée, échappant aux assauts des moustiques qui infestent la région et colportent de redoutables maladies. Mais une autre menace pèse sur la survie de la race kouri, qui compterait aujourd'hui 400 000 têtes. Dotée de cornes majestueuses qui lui servent de flotteurs, elle est confinée aux îles du lac Tchad, et son destin est intimement lié à celui du plan d'eau. Or en trente ans, son espace vital a considérablement rétréci : la superficie du quatrième plus grand lac africain est passée de 25 000 km² à 2 500 km², en raison des sécheresses de 1972 et 1982 que la faible pluviométrie (210 mm par an) n'a pu compenser, et d'une baisse du débit des fleuves (le Chari et la Komadougou) alimentant le lac, en partie détournés pour l'irrigation. Pour sauver le lac de l'assèchement, le Tchad, le Niger, le Nigeria et le Cameroun, qui se partagent ses eaux, envisagent de dévier à son profit un cours d'eau centrafricain.

14 février

Troupeau de zébus sur une route près de Cáceres, Mato Grosso do Norte, Brésil (16°05' S – 57°40' O).

Le Mato Grosso est l'une des régions agricoles les plus riches du Brésil. Élevage et culture s'y pratiquent sur d'immenses propriétés exploitées de façon extensive, les *fazendas*. Près des deux tiers des surfaces cultivables du pays appartiennent ainsi à moins de 3 % de la population. La moitié reste inexploitée, tandis que plus de 25 millions de paysans sans terre survivent grâce à des emplois agricoles précaires. Cette situation entraîne de violents conflits, qui ont fait plus de mille morts ces dix dernières années. Moteur de la lutte, le « Movimento dos sem terra » (le Mouvement des sans-terre) cherche à imposer un partage plus équitable des surfaces agricoles. Depuis 1985, les actions d'occupation des terres ont contraint l'État à accorder des titres de propriété à plus de 250 000 familles. Mais seule une réforme agraire pourrait améliorer les choses. Aucun gouvernement n'a encore osé s'y atteler, de peur de contrarier les intérêts des riches propriétaires et des multinationales installées au Brésil.

15 février

Bateau échoué sur une plage dans la région de Lüderitz, Namibie (26°42' S – 15°14' E).

Le courant de Benguela, issu de l'Antarctique, longe la côte de Namibie, où alternent plages, récifs et hauts-fonds. Il provoque une forte houle, de violents courants, et un épais brouillard qui dissimule les contours de la côte. Aussi cette dernière constitue-t-elle un passage redouté par les navigateurs qui croisent au large pour rejoindre le cap de Bonne-Espérance, à la pointe sud du continent africain. Dès 1846, les marins portugais la qualifièrent de « sables de l'enfer » et, dans sa partie nord, elle porte depuis 1933 le nom évocateur de côte des Squelettes. D'innombrables épaves rouillées de bateaux, mais aussi d'avions et de véhicules tout-terrain, ainsi que des vestiges osseux de cétacés échoués et même d'hommes parsèment ce mélancolique littoral. Certaines épaves sont parfois ensablées à plusieurs centaines de mètres du rivage, comme ici près de la ville de Lüderitz, témoignant de la violence des naufrages. Si l'amélioration des techniques de sauvetage permet d'épargner plus de vies qu'il y a cinquante ans, le tribut payé aux mers du globe demeure lourd : au moins soixante-cinq marins pêcheurs disparaissent quotidiennement dans le monde, et chaque semaine deux gros navires font naufrage.

16 février

 Convoi de charrettes au sud-ouest d'Antananarivo, Madagascar (18°55' S – 47°31' E). Les chemins tortueux et boueux qui mènent à la capitale de Madagascar, Antananarivo, sont chaque jour empruntés par de nombreux convois de charrettes tirées par des zébus. Sous l'effet de l'exode rural, Antananarivo a fini par déborder de son enceinte pour s'étendre sur les plaines marécageuses environnantes. Avec un produit intérieur brut d'environ 250 dollars par habitant (contre 21 300 dollars en moyenne pour un citoyen de l'Union européenne), Madagascar se classe parmi les quinze pays les plus pauvres du monde. Cette pauvreté est essentiellement rurale et concerne surtout les petits cultivateurs : sur les 70 % de Malgaches qui vivent en dessous du seuil de pauvreté, 85 % travaillent dans l'agriculture. Différents facteurs tendent à aggraver cette situation : une mauvaise répartition de la terre, une natalité élevée chez les ruraux, l'absence de qualification de la main-d'œuvre et le faible accès aux services de santé. Les femmes sont les plus défavorisées, elles n'ont accès ni à la propriété de la terre ni au crédit.

17 février

Les îlots Nokanhui au sud de l'île des Pins, Nouvelle-Calédonie, France (22°43' S – 167°30' E).

En 1774, le capitaine Cook aborda une longue île qu'il nomma Nouvelle-Calédonie en référence à sa province écossaise natale. L'aspect sauvage et la végétation luxuriante des îles et îlots alentour donnaient alors une impression d'Éden océanien. Mais cette image paradisiaque prit fin lorsqu'en 1863 la France transforma plusieurs de ces îlots en bagne. Vingt-deux mille personnes y furent « transportées », parmi lesquelles des déportés de la Commune de Paris en 1871. À l'expiration de leur peine, nombre d'entre eux restèrent sur place, mais le gouverneur d'alors jugea ce premier peuplement colonial insuffisant. À partir de 1894, il fit donc venir plus de cinq cents familles à qui il distribua 25 000 hectares de terres. Jusqu'à l'abolition du Code de l'indigénat en 1946, qui attribua la citoyenneté française aux Mélanésiens, seuls les bagnards et les colons étaient reconnus par la France. Aujourd'hui, les Kanaks ont gagné en autonomie. Depuis les accords de Matignon de 1998, ils partagent dans l'île la souveraineté avec le gouvernement français.

18 février

Marécage dans le parc national de Kakadu, territoire du Nord, Australie (13°00' S – 132°30' E).

Avec ses 20 000 km², le parc national de Kakadu est l'un des plus grands parcs naturels d'Australie. Son inscription sur la Liste du patrimoine mondial de l'Unesco en 1981 s'explique tant par son attrait naturel que par son intérêt culturel. Habitées depuis 40 000 ans, ses terres constituent une réserve archéologique et ethnologique unique au monde. On y trouve des vestiges de chasseurs et pêcheurs du néolithique, et des peintures rupestres aborigènes. Par ailleurs, les plaines marécageuses de Kakadu abritent une riche biodiversité. On y dénombre près de 1 700 espèces de plantes, 10 000 de poissons, 117 de reptiles, 280 d'oiseaux et 60 de mammifères. Séparée de tout autre continent depuis 150 millions d'années, l'Australie a vu se développer des espèces originales qui n'existent dans aucune autre région du monde. C'est par exemple le cas des marsupiaux comme le koala et le kangourou.

19 février

Parc éolien offshore de Middelgrunden, au large de Copenhague, Danemark (55°40' N – 12°38' E).

C'est dans le détroit de l'Øresund qui sépare le Danemark de la Suède, à 2 km à l'est du port de Copenhague, par 3 à 5 m de fond, que s'élève depuis fin 2000 le plus grand parc éolien offshore à ce jour. Ses vingt aérogénérateurs, munis d'un rotor de 76 m de diamètre juché à 64 m au-dessus de l'eau, dessinent un arc de 3,4 km. Avec 40 MW de puissance, ce parc produit 89 millions de kWh par an (environ 3 % de la consommation d'électricité de la ville). En 2030, le Danemark entend satisfaire 50 % de ses besoins en électricité au moyen de l'énergie du vent (10 % aujourd'hui). Si les énergies renouvelables ne constituent encore que 2 % de l'énergie primaire utilisée dans le monde, leurs avantages écologiques suscitent un intérêt certain. Grâce aux progrès techniques, qui ont considérablement réduit les nuisances sonores des éoliennes, les réticences s'estompent. Et avec 30 % de croissance annuelle en moyenne sur les quatre dernières années, la filière éolienne s'envole.

20 février

Château d'eau de Kizuminami au sud de Kyoto, Honshu, Japon (34°41' N – 135°47' E).

Édifié en 1999 à Kizu, au sud de Kyoto, ce château d'eau de 47 m de haut peut approvisionner 16 000 personnes. Son architecture cylindrique s'inspire du bambou, très répandu dans la région. Cette graminée géante, qui peut atteindre 40 m de hauteur et 60 cm de diamètre, déjà broutée par les dinosaures il y a 200 millions d'années, compte 1 250 espèces. Sa croissance rapide (de 75 mm à 400 mm par jour, le record étant détenu par une espèce poussant sur le sol japonais à raison de 1,2 m en 24 heures) assure une récolte tous les deux ans. Un même pied de bambou peut ainsi produire, en 35 ans d'exploitation, plus de 15 km de tige ligneuse. De la construction (échafaudages, habitations, ponts) à la maison (mobilier, ustensiles), en passant par l'alimentation (jeunes pousses) et la médecine, on lui connaît plus de 1 500 utilisations. Ses racines retiennent le sol en le protégeant contre l'érosion, et les potentialités des bambouseraies en remplacement des produits dérivés du bois sont à l'étude. Elles pourraient contribuer, dans les pays en développement, à enrayer la surexploitation des forêts tropicales.

21 février

Vacanciers nageant avec les dauphins, Puerto Vallarta, État de Jalisco, Mexique (20°37' N – 105°15' O).

Sur la côte ouest pacifique, baignée par les eaux de la baie Banderas, la ville de Puerto Vallarta est depuis quelques décennies un haut lieu du tourisme mexicain. Ici, dans le parc d'attraction de la ville, des vacanciers se baignent avec les dauphins. Aussi séduisante que paraisse cette pratique, elle est sévèrement condamnée par diverses associations, notamment celles de protection des cétacés. La succession des visiteurs et les contacts rapprochés avec les animaux augmentent les risques de transmission de maladies entre les dauphins et les hommes. De façon plus générale, on observe dans les parcs où l'on peut nourrir et toucher les dauphins que ces derniers sont stressés, souvent obèses, fréquemment blessés. Les visiteurs n'y sont pas toujours en sécurité et s'exposent à des morsures ou à des coups involontaires. Des associations de conservation de la nature demandent régulièrement la fermeture de ces *petting pools*.

22 février

Feuillages d'automne dans la province de Neuquén, Argentine (40°55' S – 71°37' O).

Au sud de la province de Neuquén, les Andes sont surnommées la « Suisse argentine » pour leurs paysages rappelant les Alpes. Cette forêt tempérée, unique en Amérique latine, s'étend plus particulièrement sur le Chili voisin. Enchâssée entre le désert d'Atacama au nord et la pampa à l'est, bordée par l'océan à l'ouest, c'est une île végétale qui présente un endémisme exceptionnel : près de 90 % des espèces de plantes qu'on y trouve ne poussent nulle part ailleurs. À la diversité des essences s'ajoute la beauté des compositions automnales, où le rouge flamboyant des hêtres tranche avec le vert sombre des résineux. Mais les deux pays du cône américain ont déjà perdu près de la moitié de ces boisements. En Argentine, la forêt naturelle est souvent remplacée par des monocultures de pin ou d'eucalyptus. Fortement appauvries sur le plan biologique, les forêts plantées sont alors plus fragiles aux maladies et autres perturbations. Dans certains pays, ce type de sylviculture contribue néanmoins à freiner la déforestation sauvage, et également à protéger les sols de l'érosion.

23 février

 Punta Cancún, Cancún, Quintana Roo, Mexique (21°05' N – 86°46' O).

À la pointe nord-est de la péninsule du Yucatán, une étroite bande de terre s'intercale entre une vaste lagune côtière et la mer des Caraïbes. Ce n'est qu'en 1972 que les premiers bâtiments sont apparus sur ce site exceptionnel, aujourd'hui devenu la première destination touristique du Mexique, et l'une des plus vastes stations balnéaires du monde, reliée aux États-Unis et à l'Europe par des vols directs. De luxueux complexes hôteliers s'enchaînent sur 15 km de front de mer, et cet essor touristique se poursuit sur 70 km au sud de Cancún, baptisés Riviera Maya. Le secteur touristique, qui a généré 8,3 milliards de dollars de recettes en l'an 2000, représente une importante ressource économique pour le pays. Haut lieu du tourisme de masse (3 millions de visiteurs par an, dont 74 % d'étrangers), Cancún a également accueilli, en 1999, un atelier nord-américain sur le « tourisme durable ». Cette voie d'avenir s'attache à préserver les ressources naturelles et les attraits locaux, souvent altérés par l'impact écologique de l'expansion touristique, et à assurer une répartition équitable des retombées économiques.

24 février

 Quadrillage de murets sur l'île de Dugi Otok, Croatie (43°58' N – 15°04' E).

Les croupes dégarnies de l'île de Dugi Otok sont cannelées par des kilomètres de pierres sèches. Ces alignements de murets renseignent sur l'activité pastorale et agricole des îles de la mer Adriatique. L'élevage de moutons y demeura intense jusqu'au début du XXe siècle, entraînant une forte déforestation. Les murets furent ainsi érigés non seulement pour délimiter des zones de pacage (ou des parcelles agricoles où poussent encore vignes et oliviers), mais aussi pour protéger les pentes de l'érosion éolienne et réduire le lessivage des sols par la pluie. Depuis la réduction de l'élevage ovin et du secteur agricole en général, la végétation colonise à nouveau les rases pelouses. Mais cette fermeture du milieu entraîne la disparition d'espèces végétales adaptées à ces zones « steppiques » dégradées, habitat typique de la région méditerranéenne où les écosystèmes sont façonnés par une occupation humaine très ancienne. Des organismes ont ainsi évolué de concert avec les modifications du milieu naturel au sein de l'écosystème agricole, parfois qualifié d'agrosystème.

25 février

Dune de sable au cœur de la végétation sur l'île Fraser, Queensland, Australie (25°15' S – 153°10' E).

Au large des côtes australiennes du Queensland, l'île Fraser porte le nom d'une femme qui y trouva refuge en 1836 après le naufrage du navire à bord duquel elle se trouvait. Avec 120 km de long sur 15 km de large, elle est la plus grande île de sable au monde. Curieusement, sur ce substrat peu fertile s'est développée une forêt tropicale humide au milieu de laquelle s'insinuent de larges dunes progressant au gré du vent. L'île Fraser dispose d'importantes ressources hydriques, avec près de deux cents lacs d'eau douce, et abrite une faune variée de marsupiaux, d'oiseaux et de reptiles. Exploitée dès 1860 pour son bois, notamment utilisé pour la construction du canal de Suez, l'île fut convoitée par des compagnies sablières dans les années 1970. C'est aujourd'hui une zone protégée, inscrite depuis 1992 sur la Liste du patrimoine mondial de l'Unesco.

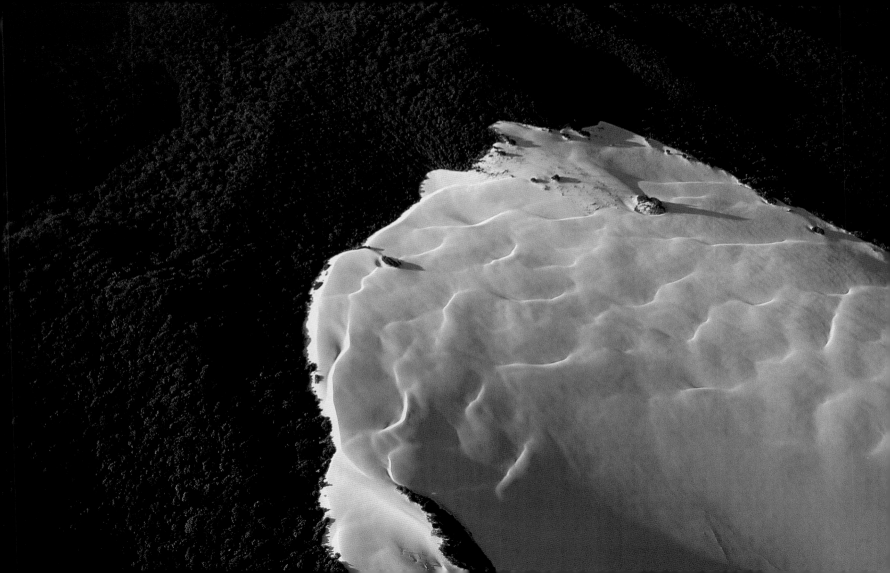

26 février

Pêcheurs sur les rochers, Ras Beyrouth, Beyrouth, Liban (33°53' N – 35°30' E).
Le cap rocheux de Ras Beyrouth, à la pointe nord-ouest de la ville, se prolonge par une étroite jetée où s'aventurent des pêcheurs, indifférents à l'écume tumultueuse. Outre cette activité de loisir, le Liban pratique une pêche artisanale le long de ses 210 km de côtes où s'égrènent de nombreux petits ports. Malgré la concurrence turque (la Turquie capture 30 % des 1,3 million de tonnes de poisson prélevées chaque année en Méditerranée), la pêche garde un important rôle social et culturel au Liban. À la différence de l'Atlantique nord, le secteur artisanal est largement développé sur le pourtour méditerranéen ; en atteste la composition de la flotte, qui compte 85 % d'unités de pêche côtière pour 10 % de chalutiers et 3 % de senneurs. Plusieurs espèces commerciales (merlus, soles, bars, baudroies) sont cependant exploitées au-delà de leurs capacités naturelles de renouvellement. De récents accords internationaux témoignent des efforts entrepris pour améliorer la gestion conjointe des ressources halieutiques de la Méditerranée.

27 février

Zone géothermale de Wai-o-tapu sur l'île du Nord, Nouvelle-Zélande (38°20' S – 176°21' E).

Des fumerolles s'élèvent constamment de la surface bouillonnante du « bain de champagne » et de « la palette du peintre ». En langue maori, *Wai-o-tapu* signifie « les eaux sacrées », peut-être une marque de respect pour ces eaux atteignant plus de 300 °C. Haut lieu touristique, le site est au centre d'une zone d'intense activité volcanique, à l'aplomb d'une chambre de magma de 17 km² qui repose à 4 km de profondeur et chauffe en permanence l'eau souterraine. En remontant, l'eau et les vapeurs se chargent d'éléments chimiques et minéraux qui viennent colorer les bassins de surface. Le jaune indique la présence de soufre, le rouge celle d'oxyde de fer, et le vert tendre prévient de la dangereuse concentration d'arsenic. Située sur la fameuse ceinture de feu du Pacifique, la Nouvelle-Zélande, particulièrement l'île du Nord, encore baptisée île Fumante, met à profit cette énergie. En 1999, le pays occupait le septième rang mondial en matière de production électrique par géothermie.

28 février

Vallée des Ksour, entre Matmata et Tataouine, Gouvernorat de Tataouine, Tunisie (33°00' N – 10°15' E).

Les *ksour* ou *ksar* désignent des forteresses berbères typiques du sud de la Tunisie. Repliées sur une cour intérieure et protégées par un mur d'enceinte parfois haut de 10 m, elles étaient bâties sur les reliefs pour se protéger des assaillants. Elles témoignent en effet de la longue résistance des Berbères à l'invasion arabe entre le VIIe et le XIIe siècle. La plupart de ces *ksour* étaient des greniers collectifs pour le stockage en toute sécurité des céréales, de l'huile et du fourrage. C'est pourquoi ces forteresses sont divisées en *ghorfas*, alvéoles de 4 à 5 m de profondeur et de 2 m de haut superposées sur plusieurs étages. D'autres ont servi d'habitations avant que ces sites aient été délaissés au profit des plaines une fois le calme revenu dans la vallée. Vides, ces « greniers des crêtes » dominent encore le paysage, rappelant par leur taille qu'un climat plus humide permettait autrefois de nourrir une population importante dans une région qui est aujourd'hui aux franges du désert du Sahara.

29 février

Chevaux dans un pré aux environs de Zelzate, Belgique (51°12' N – 3°49' E).

Au nord de Gand, non loin de la frontière néerlandaise, des chevaux somnolent dans la fraîcheur matinale, composant un paysage fidèle à la représentation traditionnelle de l'espace rural. La population belge compte 97 % d'urbains et 3 % de ruraux. À l'échelle de l'Union européenne, 20 % de la population vit dans l'espace rural et cette part diminue régulièrement, suite à la baisse des actifs agricoles (21 % de la population active européenne en 1960, 5 % en 1996) et à l'exode des jeunes vers les villes. La tendance s'accentue dans les régions désavantagées, mais s'atténue et s'inverse parfois dans les zones rurales moins enclavées, où s'établissent des retraités et de jeunes ménages attirés par les prix du foncier. La campagne s'est défaite de l'image morose qu'elle véhiculait dans les années 1960 pour devenir synonyme d'authenticité, de nature, de calme et de sécurité. Dans toute l'Europe et notamment en France, les nouveaux ruraux sont légion. Entre 1990 et 2000, 500 000 citadins ont quitté la région parisienne, tandis qu'un million d'individus s'installaient entre Nice et Montpellier. Les « néoruraux » représentent désormais 23 % de la population rurale française.

GESTION, CONSERVATION ET VALORISATION DURABLE DES FORÊTS

Les forêts sont des écosystèmes complexes et requièrent une gestion durable et équilibrée. Elles occupent un tiers des surfaces émergées du globe mais leur surperficie décline et leurs écosystèmes se dégradent. Leur rôle est pourtant essentiel dans la gestion des grands problèmes que nous avons à résoudre au cours de ce siècle, notamment en ce qui concerne les causes et effets du changement climatique, la résorption de la pauvreté dans le monde, la préservation de nos ressources en eau douce et la conservation de la biodiversité. L'un des plus grands défis contemporains consiste à concilier les priorités souvent conflictuelles de ceux qui en dépendent pour toute une gamme de biens et de services, ce qui sera impossible sans une avancée déterminante des progrès scientifiques et techniques. La perte des surfaces boisées a atteint 94 millions d'hectares au cours des années 1990, soit 0,2 % de leur superficie. Leur déclin est particulièrement alarmant dans les pays en développement et touche en priorité les forêts tropicales – soit près de la moitié des surfaces forestières –, dont le rythme de déboisement atteint près de 1 % par an. Dans les pays développés en revanche, les forêts sont plutôt en expansion, exception faite de celles du bassin méditerranéen qui souffrent d'incendies (au nord-est) ou de déforestation et de dégradation (au sud-est). La *Situation des forêts du monde 2003* de la FAO (Organisation des Nations unies pour l'alimentation et l'agriculture) met en évidence le rôle essentiel des forêts dans le contexte du changement climatique, comme sources de l'un des principaux gaz à effet de serre, le dioxyde de carbone (CO$_2$), lorsqu'elles sont détruites ou dégradées, comme sources de biocombustibles susceptibles de remplacer les combustibles fossiles, ou encore comme piège à carbone lorsqu'elles sont gérées de manière durable. En effet les arbres, comme tous les végétaux, élaborent leur matière organique à partir du CO$_2$ de l'air, et en absorbent d'autant plus qu'ils sont jeunes. Les forêts contiennent ainsi plus de la moitié des stocks de carbone de la planète. Leur gestion relève également des nombreuses autres questions auxquelles il conviendra de répondre en prévision des négociations pour la prochaine période d'engagement au titre du Protocole de Kyoto concernant le changement climatique, qui débutera en 2005. La capacité des forêts à contribuer à la lutte contre la pauvreté, notamment celle des populations rurales des pays en développement, a obtenu un regain d'attention ces dernières années. Souvent, le soutien qu'en retirent les ménages pauvres – combustibles, ressources alimentaires, économiques, etc. – n'est pas pris en compte dans les statistiques nationales. L'élaboration de programmes efficaces dépendra d'une meilleure connaissance des rapports entre les forêts et les moyens d'existence ruraux, des solutions permettant d'accroître les revenus tirés des forêts qui s'appuient tant sur les entreprises que sur l'État et les populations locales. Tributaires des forêts naturelles, ces populations seront aussi celles qui souffriront le plus de leur disparition et de leur dégradation, et peuvent de ce fait jouer un rôle majeur sur le plan de la mobilisation des efforts de conservation si elles accèdent à un certain niveau d'influence politique. Les mises en garde concernant la raréfaction des ressources en eau douce lancées à la fin du XXe siècle se révèlent exactes, à tel point que le manque d'eau en vient à menacer la sécurité alimentaire, la santé humaine et les moyens d'existence. Sans être une panacée, les forêts présentent des avantages économiques et environnementaux, qui se manifestent surtout dans le cadre du bassin versant d'un cours d'eau. Mais leur gestion doit compléter celle de l'eau, notamment dans les bassins versants boisés de montagne, zones de production d'eau douce parmi les plus importantes de la planète, et où glissements de terrain, torrents et inondations trouvent leur origine. Considérer l'eau comme un produit économique et non plus comme un bien gratuit peut conduire les politiques générales et les institutions à lancer des incitations et à fournir des moyens pour préserver la ressource en eau douce, tels que la modification de l'utilisation des terres d'une région donnée. Cette nouvelle économie de l'eau, associée à une coopération intersectorielle, et un élargissement de l'analyse économique pourraient résorber les inégalités entre les payeurs et les bénéficiaires, en rétribuant comme il se doit les habitants qui améliorent les forêts ou qui réduisent les pertes en aval. On estime que la moitié de la biodiversité du monde se trouve dans les forêts, en particulier tropicales. L'éventail exact de biens et de services qu'une région boisée donnée fournirait doit prendre en considération une utilisation équilibrée des ressources sur le plan national et reposer sur le dialogue entre les autorités, le secteur privé, les institutions universitaires, les ONG et les communautés locales. Une étude menée dans trente-neuf sites en Asie et dans le Pacifique montre que la réunion des forces de chacun de ces acteurs dans une stratégie commune peut garantir la conservation des forêts si elle est liée à des facteurs extérieurs tels que l'accès aux marchés et si les actions menées s'adaptent à l'évolution de la situation. Mais pour améliorer les pratiques courantes de gestion des forêts, il est primordial d'élaborer des indicateurs mesurant les effets des interventions humaines sur la biodiversité. Cela est extrêmement difficile car il n'existe pas de mesure unique de la diversité et les écosystèmes sont très variables. En outre, les pratiques forestières n'ont pas nécessairement la même incidence sur les divers éléments de la diversité biologique, puisqu'elles peuvent profiter à certains et nuire à d'autres. Ainsi, la gestion durable des forêts et leur capacité à satisfaire la demande de biens et de services dépendront des progrès scientifiques et technologiques. Cependant, les ressources ne suffisent pas

à préserver et à renforcer la recherche, et l'on constate d'importantes disparités entre pays développés et pays en développement, entre secteur public et secteur privé, ainsi qu'entre les différentes branches du secteur forestier. Dans beaucoup de pays tropicaux, la plupart des activités forestières concernant un grand nombre de personnes relèvent du secteur non structuré de l'économie, dans lequel on investit très peu pour la recherche. Si les faiblesses actuelles des activités scientifiques et technologiques du secteur forestier persistent, il est probable que l'on verra se creuser le fossé entre pays développés et pays en développement.

Hosny El-Lakany
Sous-directeur général du département forêt
de la FAO (Food and Agriculture Organization)

1er mars

 L'Œil des Maldives, atoll de Male Nord, Maldives (4°16' N – 73°28' E).

L'Œil des Maldives est un faro, formation corallienne développée sur un support rocheux qui s'est affaissé au cours du temps, ne laissant apparaître qu'un récif annulaire entourant une lagune peu profonde. L'archipel des Maldives, qui culmine à 2,50 m au cœur de l'océan Indien, serait le premier territoire englouti si le niveau des mers venait à s'élever. Des travaux d'endiguement ont d'ailleurs commencé. Ses 26 grands atolls regroupent 1190 îles, dont près de 300 sont habitées de façon permanente ou saisonnière. Après la construction d'une première structure d'accueil (*resort*) sur l'île de Kurumba en 1972, le tourisme aux Maldives a connu une rapide expansion (80 *resorts* aujourd'hui et 300 000 visiteurs par an), tout comme le tourisme international. Devenu la première industrie au monde, il représentait en l'an 2000 près de 700 millions de touristes, et 476 milliards de dollars de recettes. Face à cet essor, il est nécessaire de s'assurer que les communautés hôtes tirent du tourisme un avantage économique, sans toutefois détruire leur patrimoine naturel et culturel. Le comportement des visiteurs est souvent déterminant.

2 mars

Quartier populaire de Belfast, province d'Antrim, Irlande du Nord (Ulster), Royaume-Uni (54°35' N – 5°55' O).

Envahie au XIIe siècle par l'Angleterre protestante, l'Irlande catholique se soulève en 1916 et se voit octroyer l'indépendance en 1921 par la Couronne britannique qui attribue toutefois à la minorité protestante une enclave appelée Ulster, au nord de l'île. Depuis 1972, des affrontements, à plusieurs reprises meurtriers, opposent protestants et catholiques qui se sentent en position d'infériorité sur ce territoire. Sur 14 000 km², l'Ulster compte 1,6 million d'habitants, dont 500 000 à Belfast, ville à majorité protestante mais catholique dans ses banlieues industrielles où les alignements de maisonnettes identiques ne sont pas sans évoquer les corons du nord de la France. Chaque année, environ 2 millions de logements sont construits en Europe occidentale. Pour moitié, il s'agit d'habitats individuels. L'Irlande (Eire) détient le record des ménages habitant des maisons individuelles : 92 %, contre 52 % en moyenne dans l'Union européenne. La proportion des ménages propriétaires de leur résidence s'élève à 75 % (derrière l'Espagne, 82 %). En queue de peloton, l'Allemagne est le seul pays de l'Union où moins d'un ménage sur deux est propriétaire de son logement.

3 mars

 La patinoire de Central Park, New York, États-Unis (40°45' N – 74°00' O).

L'un des plus grands plaisirs des New-Yorkais est d'aller oublier leurs soucis à Central Park. Étendant ses 341 hectares de verdure entre la 59ᵉ et la 110ᵉ Avenue, Central Park est au service de New York depuis 1859, après que la ville eut dépensé plus de 5 millions de dollars pour ce qui n'était alors qu'une étendue vierge marécageuse et boueuse. Si en été le parc est un havre de détente pour les adeptes du patin à roulettes et du vélo, en hiver il offre en son cœur une patinoire pour les amoureux de la glisse. Une oasis dans le paysage des sommets bétonnés des immeubles new-yorkais. Le parc est à ce point devenu une figure naturelle de Manhattan que peu de personnes se rendent compte qu'il est entièrement dû à la main de l'homme. Lors de sa conception, les architectes, Frederick Law Olmsted et Calvert Vaux, ne pouvaient guère imaginer la place que Central Park allait prendre dans l'identité new-yorkaise ni que ses allées verraient déambuler un flot de plus de 250 000 personnes les week-ends de printemps. À cette époque, ils lançaient une démocratisation des loisirs de la plus haute portée, au-delà de toute barrière sociale.

4 mars

Invasion de criquets près de Ranohira, région de Fianarantsoa, Madagascar (22°27' S – 45°21' E).

Depuis des siècles, les cultures céréalières et les pâturages de Madagascar sont dévastés de manière chronique par des invasions de criquets migrateurs ou nomades. Les essaims de plusieurs kilomètres de long, qui peuvent atteindre 50 milliards d'insectes, progressent au rythme de 40 km par jour, anéantissant toute végétation. Pour enrayer ce fléau, le recours à l'épandage d'insecticides par avion est nécessaire. Mais la nocivité pour l'homme et l'environnement et l'apparition de résistances chez ces insectes ont montré les limites de ce procédé. Récemment découvert, un pesticide naturel à base d'un champignon pourrait permettre d'éliminer, par des méthodes de lutte biologique, ces myriades de criquets.

5 mars

 Village de Gullholmen au nord de Göteborg, Suède (58°10' N – 11°24' E).

La kyrielle d'îles de la côte ouest suédoise est renommée pour son climat ensoleillé et ses villages de pêcheurs. Gullholmen, qui abritait déjà une communauté de pêcheurs au XIIIᵉ siècle, conserve un habitat traditionnel avec ses petites maisons rouges blotties les unes contre les autres. À la fin du XIXᵉ siècle, cette bourgade connut son âge d'or : c'était la grande période du hareng, exporté vers les États-Unis. De riches entrepreneurs en profitèrent pour s'installer, marquant leur position sociale par la construction de vastes et blanches villas, toujours visibles sur l'îlot. Ce fossé de classes n'est plus d'actualité dans ce pays qui, depuis la crise de 1930, a fondé son système de société sur le contrôle et le rééquilibrage des chances. État social-démocrate par excellence, la Suède offre l'une des meilleures couvertures sociales au monde, moyennant des impôts très élevés. En 2002, le taux de chômage n'était que de 3,9 %, et l'on considère que la Suède est le pays le plus avancé d'un point de vue social et humain, juste après son voisin la Norvège.

6 mars

Lessive dans un marigot, quartier d'Adjamé à Abidjan, Côte-d'Ivoire (5°19' N – 4°02' O).

Dans le quartier d'Adjamé, au nord d'Abidjan, des centaines de laveurs de linge professionnels, les *fanicos*, font chaque jour la lessive dans le marigot situé à l'entrée de la forêt du Banco (classée parc national en 1953). Utilisant les rochers et des pneus remplis de sable pour frotter et essorer le linge, ils lavent à la main les milliers de vêtements qui leur sont confiés. Quartier populaire dépourvu d'eau courante et d'électricité, Adjamé, qui était naguère un petit village de pêcheurs, a été peu à peu englobé dans l'agglomération abidjanaise. Dans cette ville de 3,5 millions d'habitants, qui a connu l'une des plus fortes croissances urbaines d'Afrique de l'Ouest (elle a été multipliée par trente en quarante ans), se sont développés des dizaines de petits métiers du secteur informel, comme les *fanicos*, qui constituent l'unique moyen de subsistance des couches les moins favorisées de la population.

7 mars

 Agriculture près de Pullman, État de Washington, États-Unis (46°42' N – 117°12' O).
Surnommé *Evergreen State*, « État toujours vert », l'État de Washington développe depuis des décennies la culture du blé, s'efforçant aujourd'hui de l'adapter à la topographie du terrain afin de ménager un sol fragilisé par d'anciennes pratiques agricoles érosives. L'« agro-business », qui allie agriculture, industrie, recherche et investissements financiers, maintient les États-Unis au premier rang mondial pour les exportations de céréales (environ 35 % du total mondial), la production de maïs (40 %) et de soja (près de la moitié de la récolte planétaire). Des modifications génétiques effectuées notamment sur des semences de maïs et de soja ont permis de créer des variétés résistantes aux parasites ou tolérantes aux herbicides, censées augmenter les rendements. Alors que ces organismes génétiquement modifiés (OGM) sont encore l'objet d'interdictions et de vives controverses à travers le monde, notamment en raison du peu de connaissances relatives à leurs effets sur l'environnement et la santé, leur mise en culture est déjà largement répandue en Argentine, au Canada et surtout aux États-Unis, où la moitié du soja est génétiquement modifiée.

8 mars

Le Dachau KZ en Bavière, Allemagne (48°15' N – 11°27' E).

À une vingtaine de kilomètres de Munich, la petite ville de Dachau étend au pied de son château ses vastes maisons bavaroises dans lesquelles peintres et écrivains allemands venaient volontiers séjourner jusqu'en 1933. Le 22 mars de cette année-là, quelques jours après son élection au pouvoir, le parti nazi inaugurait son premier centre de concentration, le Dachau KZ. Dès le lendemain arrivaient les premiers internés : adversaires du régime socialiste, communistes, monarchistes, nazis dissidents ou ennemis personnels de la nouvelle classe dirigeante puis, de plus en plus nombreux par la suite, des juifs, des tziganes ou encore des homosexuels. Au total, Dachau compta plus de 200 000 détenus condamnés au travail forcé – 76 000 y trouvèrent la mort. Il ne reste plus parmi les cyprès que les traces des trente-quatre interminables blocks. Dans le monde, cette dernière décennie a fait encore 3 600 000 victimes de conflits internes parce qu'elles affichaient une pensée divergente ou, plus simplement encore, étaient nées d'une ethnie différente. C'est un nombre nettement supérieur à celui des victimes des guerres entre nations.

9 mars

Gratte-ciel de Benidorm sur la Costa Blanca, Communauté valencienne, Espagne (38°32' N – 0°08' O).

L'Europe, première destination pour les voyages, reçoit annuellement 58 % des 700 millions de touristes recensés dans le monde. La mer Méditerranée contribue à sa notoriété en offrant les charmes variés de ses rivages à quelque 250 millions de vacanciers chaque année. Les tours de Benidorm, « Manhattan » balnéaire aux innombrables distractions, en illustrent un aspect. Surgis sur le front de mer derrière deux longues plages dorées, les gratte-ciel ont phagocyté ce qui était encore, dans les années 1950, un village de pêcheurs. L'ensoleillement exceptionnel (plus de 300 jours par an) du sud-est de l'Espagne bénéficie largement à la Costa Blanca, dont le littoral, baigné par le golfe d'Alicante, est densément peuplé. Benidorm héberge à elle seule jusqu'à un million d'âmes en haute saison ! L'homme s'établit de plus en plus au bord de la mer, et treize des dix-neuf villes de plus de 10 millions d'habitants que porte la planète sont des cités côtières. Cette pression urbaine sur le littoral croît beaucoup plus vite que ne se développent les solutions pour le traitement des eaux usées : une ville sur dix dans le monde dispose, comme Benidorm, d'une station d'épuration.

10 mars

 Village inondé au sud de Dacca, Bangladesh (23°43' N – 90°25' E).

Situé dans l'immense delta du Gange et du Brahmapoutre, le Bangladesh voit chaque année la moitié de son territoire inondée par la mousson. Mais, pour boire, les 135 millions de Bangladais doivent puiser dans le sous-sol. Dans les années 1970, des organisations internationales, dont l'Unicef, ont financé le forage de milliers de puits, censés procurer de l'eau « saine » à la population. Pourtant, ces opérations préfiguraient le « plus grand empoisonnement collectif de l'histoire », selon les termes de l'Organisation mondiale de la santé. Plus du quart des puits est en effet contaminé par une forte teneur en arsenic, atteignant jusqu'à soixante-dix fois la norme nationale pour l'eau de boisson. Précédant la construction des ouvrages, les prospecteurs n'avaient pas recherché ce métal lourd, qui repose spontanément dans les couches alluviales du delta depuis des millénaires. Cette pollution « naturelle » exposerait 75 millions de personnes à l'empoisonnement, celui-ci pouvant provoquer des cancers du sein, des maladies des reins et du foie, des problèmes respiratoires et la mort. Des chercheurs de l'ONU prévoient 20 000 décès par an.

11 mars

« Cropcircle » **dans le comté de Wiltshire, Angleterre, Royaume-Uni (51°15' N – 1°50' O).**

Land art ou signe extraterrestre ? La question semble extravagante, mais elle revient tous les printemps nourrir un vieux débat qui amuse la presse anglaise. Dans les plaines agricoles du Wiltshire, les figures graphiques, baptisées *cropcircles*, sont chaque année plus nombreuses et plus complexes : en 2002, cent huit spirales, ellipses, rosaces, fractales et même portraits de vedettes ont rendu la campagne anglaise énigmatique. Pour expliquer ces formations, qui naissent en une nuit et atteignent de grandes dimensions, chacun y va de sa conviction. De présumés scientifiques invoquent des forces telluriques, électriques ou magnétiques, d'autres pointent une activité secrète des satellites de l'armée, et nombreux sont ceux qui y voient une communication extraterrestre. C'est surtout à de jeunes et talentueux artistes, qui font des émules à travers le monde, que l'on doit ces œuvres. Quant aux agriculteurs victimes de ces folles nuits, certains en sortent moins fauchés que leurs blés : en 1996, un *cropcircle* attira plus de touristes que le site de Stonehenge tout proche, et rapporta 50 000 euros à l'heureux locataire.

12 mars

Geyser du Grand Prismatic, parc national de Yellowstone, Wyoming, États-Unis (44°26' N – 110°39' O).

Situé sur un plateau volcanique qui chevauche les États du Montana, de l'Idaho et du Wyoming, Yellowstone est le plus ancien parc national du monde. Créé en 1872, il s'étend sur 9 000 km² et présente la plus grande concentration de sites géothermiques du globe, avec plus de 10 000 geysers, fumerolles et sources chaudes. D'un diamètre de 112 m, le Grand Prismatic Spring est le bassin thermal le plus vaste du parc, et le troisième au monde par sa taille. Le spectre de couleurs qui lui a valu son nom est dû à la présence d'algues microscopiques dont la croissance dans l'eau chaude, au cœur de la vasque, diffère de celle de la périphérie où la température est moins élevée. Réserve de la biosphère depuis 1976, inscrit sur la Liste du patrimoine mondial de l'Unesco en 1978, le parc national de Yellowstone reçoit en moyenne 3 millions de visiteurs chaque année. Le continent nord-américain, où sont situés les cinq sites naturels les plus fréquentés du monde, accueille annuellement plus de 70 millions de touristes (1/10 du tourisme mondial), qui lui apportent 1/5 des recettes mondiales de l'activité touristique.

13 mars

Le stûpa de Bodnath, sanctuaire bouddhiste, Katmandou, Népal (27°43' N – 85°22' E).

La ville de Bodnath abrite l'un des sanctuaires bouddhistes les plus vénérés du Népal, notamment par les milliers de Tibétains exilés dans ce pays voisin. Ce stûpa, monument reliquaire en forme de tumulus surmonté d'une tour, recélerait un fragment d'os du Bouddha. Avec 40 m de hauteur et de diamètre, il est le plus grand du Népal. Dans l'architecture de ce sanctuaire, tout est allégorie : le cosmos et les éléments de l'univers (terre, eau, feu, air, éther) y sont symbolisés ; les yeux du Bouddha fixent les quatre points cardinaux ; les divers stades d'accès à la connaissance suprême, le nirvâna, sont représentés par les treize marches de la tour. Lors des fêtes religieuses, le monument est décoré d'argile jaune et orné de drapeaux de prière. Par le nombre d'adeptes (350 millions, dont 99 % en Asie), le bouddhisme se place après le christianisme, l'islam et l'hindouisme. En Europe, le bouddhisme rassemble aujourd'hui 2,5 millions de pratiquants, à la suite d'un succès fulgurant, particulièrement prononcé en France où le nombre d'adeptes est passé de 200 000 en 1976 à 700 000 vingt ans plus tard.

14 mars

Exploitation aurifère près de Davao, île de Mindanao, Philippines (7°04' N – 125°36' E).

Installés sur les sites d'exploitation des filons aurifères de l'île de Mindanao, les chercheurs d'or philippins occupent des abris précaires de branchages et de bâches accrochés aux flancs des montagnes. Creusés sans répit, les versants sont fragilisés par le réseau de galeries qui s'effondrent fréquemment sous les pluies torrentielles des moussons, causant la mort de dizaines de mineurs. Souvent extrait au moyen d'un outillage rudimentaire tel que marteaux ou ciseaux, le métal précieux serait ici prélevé à raison de 40 kg par jour. Depuis la préhistoire, 150 000 tonnes d'or auraient été exploitées sur l'ensemble du globe, un tiers étant utilisé pour la fabrication d'objets, un tiers thésaurisé par les États, et le reste perdu notamment par usure. Actuellement, près de 2 500 tonnes sont extraites chaque année dans le monde, principalement en Afrique du Sud (20 %), aux États-Unis (15 %) et en Australie (13 %).

15 mars

 Logements INFONAVIT, Toluca, État de Mexico, Mexique (19°17' N – 99°40' O).

Avec 103 millions d'habitants contre 70 millions il y a vingt ans, le Mexique est en pleine expansion démographique et en pénurie cruciale de logements. Le seul État de Mexico s'accroît de mille nouveaux habitants chaque jour. Pour permettre aux familles d'acquérir un habitat à un prix modéré, le système INFONAVIT propose des prêts subventionnés pour ces maisons construites en série aux alentours des grandes villes. Mais pour nombre de Mexicains INFONAVIT reste un rêve lointain. À Toluca, grand centre industriel, 79 % des personnes actives ne bénéficient pas d'un emploi parfaitement stable, et dans l'ensemble du pays 40 % de la population vit sous le seuil de pauvreté. Malgré les grandes disparités internes, la situation générale tend cependant à s'améliorer : en vingt ans, l'espérance de vie moyenne est passée de 66 à 73 ans et le taux d'analphabétisme a été divisé par deux.

16 mars

 Troupeau de chèvres cachemire dans la réserve de Khustaïn Nuruu, Mongolie (45°50' N – 106°50' E).

La Mongolie compte 2,5 millions d'hommes et autant de chevaux. Juchés sur la selle dès leur plus jeune âge, les éleveurs nomades mènent paître leurs troupeaux constitués à plus d'un tiers de chèvres cachemire, sur le dos desquelles la précieuse laine est peignée pour être exportée. L'élevage pastoral est une des formes les plus durables de gestion des ressources agricoles des steppes arides où l'immensité des espaces compense la maigreur des herbes rases et des bosquets. Mais en 2003, après trois années consécutives de dzud, alliant sécheresses estivales et automnales à une extrême rigueur hivernale, près de 64 % des 24 000 puits du pays sont devenus inutilisables et la plupart des cours d'eau sont à sec. Le couvert végétal devenant de plus en plus grêle et rare, le surpâturage guette ces plaines pourtant vastes, et déjà le dixième du cheptel mongol, soit 2 à 3 millions de bêtes, a péri épuisé avant de trouver eau et nourriture.

17 mars

 Bateau en construction à Larache, Maroc (35°12' N – 6°10' O).

La coupe du bois destiné à l'industrie ne représente que 50 % de la production mondiale et se fait à près de 80 % dans les pays développés. En effet, pour plus de la moitié de la population de notre planète, le bois est la seule source d'énergie disponible pour se chauffer et cuire les aliments. Son usage reste associé aux populations pauvres comme celles de certains pays africains tels que la Tanzanie, l'Ouganda ou le Rwanda, où 80 % de l'énergie consommée proviennent du bois. Le ramassage de bois consumable est ainsi l'une des causes principales du déboisement en Asie, en Afrique et en Amérique latine. Le problème est critique dans les pays en développement où les sources d'énergie alternatives au bois de feu restent peu accessibles aux ruraux comme aux populations les plus pauvres des milieux urbains. À l'échelle mondiale et tenant compte des reboisements, les pertes de surfaces forestières atteignent aujourd'hui 9 millions d'hectares par an.

18 mars

Village et champs dans la vallée du Rhéris, Maroc (31°35' N – 4°40' O).
Le Rhéris coule au sud du Haut Atlas, près de la frontière algérienne. De nombreux villages fortifiés se nichent dans sa vallée à l'abri de la chaleur et de la poussière. Cette région du Sud marocain, très aride, a développé pour son agriculture une irrigation des plus anciennes s'appuyant sur la technique des *rhettaras*, canaux souterrains qui drainent l'eau des sources et des nappes phréatiques vers les cultures vivrières ou les jardins. Nécessitant une grande main-d'œuvre, elles ont peu à peu été abandonnées au profit de nouvelles méthodes qui peuvent provoquer l'engorgement et la salinisation des sols et qui en outre sont beaucoup plus consommatrices en eau. La généralisation de ces techniques a conduit l'agriculture à prélever 70 % de l'eau douce consommée au niveau mondial et à perdre chaque année 2 % des terres irriguées, devenues trop salines. Ainsi, après avoir été marginalisées, les méthodes telles que les *rhettaras* ou le goutte-à-goutte sont de nouveau à l'étude pour limiter le gaspillage. L'irrigation reste essentielle, car dans le monde les 20 % des terres agricoles irriguées produisent 40 % de notre alimentation.

19 mars

Troupeau de vaches traversant le lac Kissimmee en Floride, États-Unis (27°55' N – 81°16' O).

Il arrive que des vaches se baladent sur les marges peu profondes du lac Kissimmee, en Floride. Leurs pâturages jouxtent les terres inondables de cette étendue d'eau, et leurs enclos, souvent mal entretenus, ne sont pas toujours en assez bon état pour les en tenir éloignées. Par leur nombre, ces animaux y sont source de pollution. Leurs déjections contiennent du phosphore. Or ce fertilisant naturel encourage la prolifération des micro-algues, végétaux qui nuisent aux plantes et aux poissons en consommant l'oxygène disponible dans l'eau. Face à ce phénomène d'eutrophisation, des mesures visent, depuis les années 1980, à éloigner le bétail des cours d'eau de Floride. Elles limitent également l'utilisation des engrais enrichis en phosphore, qui sont acheminés des champs jusqu'aux bassins d'eau douce par le ruissellement des eaux de pluie. La restauration des marais, programmée depuis 1993, pourrait grandement améliorer la situation, car les zones humides, mieux que les stations d'épuration, retiennent le phosphore provenant des eaux de ruissellement.

20 mars

Crocodile des estuaires, archipel des Boucaniers dans le West Kimberley, Australie (16°17' S – 123°20' E).

Au nord-ouest de l'Australie, les quelque mille îles et îlots de l'archipel des Boucaniers ferment la mer de King Sound. Largement inhabitées à l'exception de rares communautés aborigènes, ces îles sont couvertes de forêts tropicales humides ou de mangroves, écosystèmes mi-aquatiques mi-continentaux où eau salée et eaux douces se rencontrent au gré des reflux. L'amplitude des marées, qui atteint ici 12 m, est la plus élevée du continent australien. Le crocodile des estuaires, encore appelé *saltwater crocodile*, est l'hôte de marque de l'archipel. Ce redoutable carnivore naît en eau douce puis est progressivement chassé par les mâles adultes vers les eaux plus salées où il peut survivre — fait assez rare chez les reptiles — parce qu'il possède des glandes excrétrices de sel. Particulièrement recherché pour la qualité de son cuir, ce crocodile se porte néanmoins très bien en Australie où la préservation des habitats sauvages se conjugue avec la mise en place de fermes d'élevage.

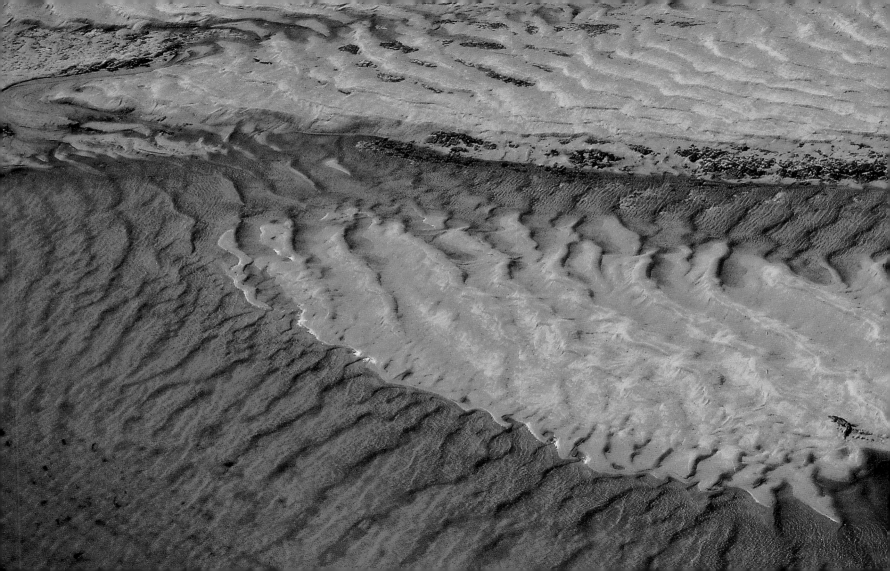

21 mars

Haram al-Sharif, Jérusalem, Israël (31°45' N – 35°15' E).

Le Haram al-Sharif, ou esplanade des mosquées, est le sanctuaire musulman qui fait de Jérusalem la troisième ville sainte de l'islam, après La Mecque et Médine. Mais il est également construit sur les ruines du mont du temple juif, qui abritait les Tables de la Loi. Du mur occidental du Temple, il ne subsiste que des vestiges dont seul le mur des Lamentations est apparent. Ce lieu sacré, tant pour les musulmans que pour les juifs, illustre avec force la difficulté de résoudre le conflit israélo-palestinien. En juillet 2000, les négociations de Camp David II, qui visaient un accord de paix sous la tutelle des États-Unis, ont buté sur la question du statut de Jérusalem en général, et du Haram al-Sharif en particulier. Le président américain Bill Clinton proposait une souveraineté aux Palestiniens sur les quartiers dits chrétien et musulman, incluant l'esplanade, Israël maintenant toutefois une souveraineté du sous-sol. La délégation palestinienne a jugé tout à fait illégitime cette souveraineté symbolique.

22 mars

Dôme de Genbaku (épicentre de la bombe A en 1945) à Hiroshima, Honshu, Japon (34°24' N – 132°27' E).

Le dôme de Genbaku, squelette de l'ancien Office de promotion industrielle, est le seul édifice du centre-ville à avoir partiellement résisté à l'explosion de la première bombe atomique larguée par l'aviation américaine le 6 août 1945 sur Hiroshima. Il a été conservé en l'état pour témoigner de la brutalité de cet acte de guerre, et figure depuis 1996 sur la Liste du patrimoine mondial de l'Unesco. Le jour même de l'explosion, 200 000 personnes ont péri. Ce quartier de Hiroshima, dédié à la mémoire de cette tragédie, abrite notamment la cathédrale de la Paix, le parc mémorial de la Paix et le musée du Souvenir et de la Paix qui, parmi d'autres témoignages de l'horreur, conserve des tuiles vitrifiées et des montres arrêtées sur 8 h 16, l'instant de l'explosion. Trois jours après Hiroshima, le 9 août, les Américains ont lâché une seconde bombe A qui détruisit totalement la ville de Nagasaki et entraîna la capitulation du Japon. L'arme nucléaire a transformé les relations internationales : l'utiliser en 1945 a été un acte de barbarie, mais la crainte qu'elle a ensuite inspirée a permis de contenir l'affrontement idéologique entre l'URSS et les États-Unis en guerre froide, de 1945 à la perestroïka de 1989.

23 mars

Surfeur devant la plage de Copacabana, Rio de Janeiro, Brésil (22°58' S – 43°11' O).

De part et d'autre de l'ouverture de la baie de Rio sur l'Atlantique se déploient plusieurs kilomètres de plages où déferlent des vagues de 1 à 3 m de hauteur. Scintillant sous un soleil omniprésent, elles lancent une invitation irrésistible aux milliers de surfeurs qui viennent profiter des rouleaux du littoral carioca. Observé par le capitaine Cook dès 1770 sur les îles Sandwich (aujourd'hui îles Hawaï), où sa pratique constituait un rite initiatique pour jeunes guerriers, le surf s'impose comme sport nautique en Californie au début du XXe siècle pour devenir, dans les années 1960, le symbole mythique d'un autre style de vie faisant la part belle aux loisirs. L'augmentation du temps libre a d'ailleurs été l'un des principaux phénomènes socio-économiques du siècle passé dans les pays développés (en France, les congés payés sont progressivement passés de deux semaines en 1936 à cinq semaines depuis 1982). La durée annuelle du travail accuse cependant de larges écarts selon les pays : elle est de 2 100 heures au Japon, de 1 800 heures aux États-Unis et de 1 500 heures en Suède.

24 mars

 Pétrolier le *Prestige*, au large de la Galicie, Espagne (43°00' N – 11°50' O).

Le 19 novembre 2002, le *Prestige*, navire âgé de vingt-six ans, sombrait au large de la côte ouest espagnole, répandant 77 000 tonnes de fioul lourd, dont des milliers de bénévoles ont ramassé les « galettes » sur les plages. Cette catastrophe rappelle tristement que plus du tiers des 40 000 gros navires actuellement en activité ne sont pas aux normes, que nos océans sont victimes d'un important naufrage tous les trois jours, et enfin qu'au moins un grand pétrolier sur deux a plus de vingt ans – or on sait que leur taux de perte est dix fois supérieur à celui des navires plus récents. Et bien qu'elle soit spectaculaire, la pollution par les naufrages n'est que le sommet de l'iceberg : les dégazages illicites libèrent dix fois plus d'hydrocarbures, et la pollution des mers provient aux deux tiers des continents. Ainsi, dans le bassin méditerranéen, 85 % des eaux usées des grandes villes sont rejetées dans la mer sans traitement préalable.

25 mars

 Pince de Crabe d'Arakaou, à l'ouest du désert du Ténéré, Niger (18°96' N – 9°57' E). Hautes de plus de 200 m, les dunes du désert du Ténéré montent à l'assaut des montagnes de l'Aïr. Poussées par les vents, elles s'engouffrent dans la pince ouverte de l'Arakaou, ancien volcan effondré de 10 km de diamètre. Le contraste est alors saisissant entre le relief sombre et le sable lumineux. Le paysage est entièrement minéral. Pourtant, il y a 20 000 ans, la région était verdoyante et ses prairies étaient peuplées d'antilopes et de rhinocéros. Mais depuis, le climat sahélien s'est asséché et le désert s'est installé. Cela s'explique par des fluctuations climatiques naturelles, mais aussi par les activités humaines (surpâturage, déboisement, etc.) qui ont contribué et contribuent encore à accélérer le processus. Depuis cinquante ans, le désert du Sahara, auquel appartient l'erg du Ténéré, a ainsi gagné 650 000 km^2 – la surface de la France – sur les terres fertiles de l'Afrique.

26 mars

 Flancs enneigés du volcan Kronotskaya, Kamtchatka, Russie (56°00' N – 160°00' E).
À l'extrémité orientale de la Sibérie, la presqu'île du Kamtchatka s'étend sur près de
370 000 km². Dans cette région de la Fédération de Russie, la nature est reine et l'homme
peu présent (moins d'un habitant par km²). Avec moins d'un million d'années d'existence, la péninsule
du Kamtchatka abrite 160 volcans, dont 30 sont encore actifs, inscrits sur la Liste du patrimoine mondial
de l'Unesco depuis 1996. Dans cette partie de la « ceinture de feu » du Pacifique, le cône parfait du
volcan Kronotskaya, l'un des plus élevés, culmine à 3 528 m. La région comprend aussi de nombreuses
sources thermales chaudes, des chutes d'eau, des geysers et des fleuves violents. Elle abrite sur
9 000 km² la réserve naturelle de Kronotski où vivent, protégés, les ours bruns du Kamtchatka, des
lynx, des zibelines et des renards. En face, séparé par le détroit de Behring, l'Alaska américain présente
le même aspect. Il y a 26 000 ans, de petits groupes d'hommes franchirent le détroit alors à sec et
peuplèrent progressivement toute l'Amérique. Les Sioux, les Incas, les Guarani sont leurs descendants.

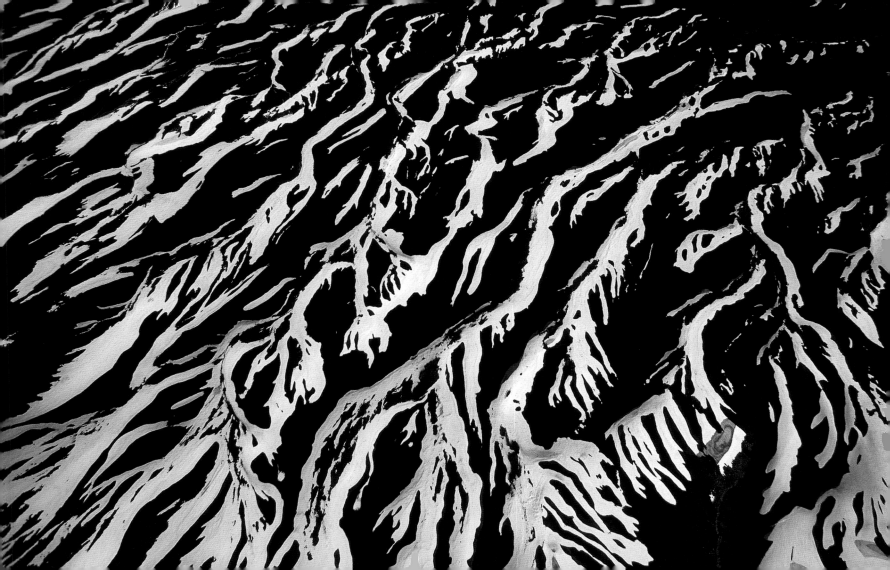

27 mars

Chemin Hiram Bingham menant au Machu Picchu, région de Cuzco, Pérou (13°05' S – 72°35' O).

En 1911, l'historien américain Hiram Bingham découvrait le Machu Picchu, cité inca préservée de l'invasion espagnole du XVIᵉ siècle. En 1948 fut inaugurée une voie moderne portant son nom, le « chemin Hiram Bingham ». Cette route vertigineuse, large de moins de 5 m, s'élève en lacets serrés sur 8 km, grimpant ainsi 800 m d'à-pic au flanc abrupt du Salcantay, vers l'incomparable « gratte-ciel » des Incas. Cette voie d'accès à la culture inca a conduit à redécouvrir un peu ce que la conquête espagnole avait plongé dans l'oubli, bien que l'étendue de ce qui a disparu ne puisse jamais être mesurée. Certains Indiens restent nostalgiques de la structure sociale perdue, organisée notamment autour des principes incas d'entraide mutuelle (l'*ayni*) mais aussi de communauté de vie et de travail (l'*ayllu*). En 2001, un pas de plus vers cette culture a été accompli par le gouvernement péruvien dirigé par Alejandro Toledo. Le président, Indien Quechua formé aux États-Unis, a fait de la réintroduction des langues incas l'une des mesures clés de son mandat.

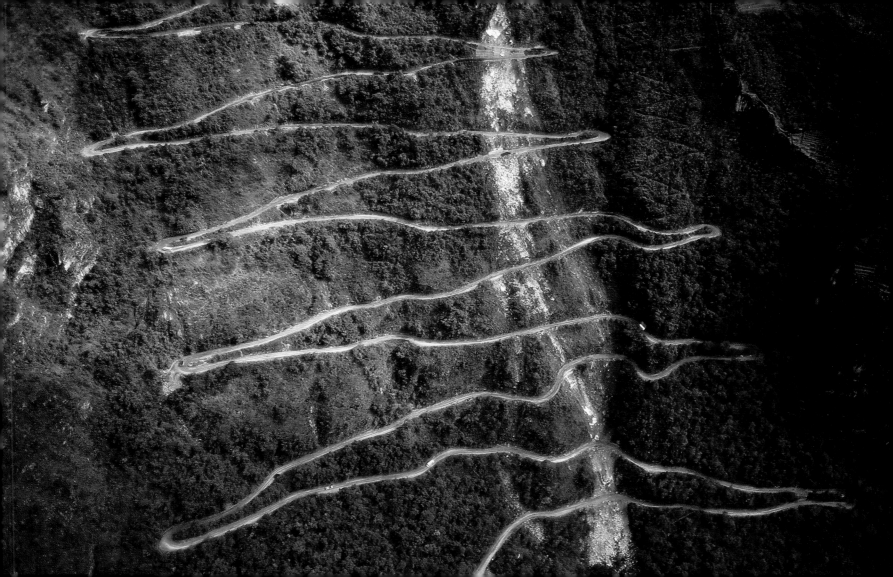

28 mars

 Vignes, région de Geria, Lanzarote, îles Canaries, Espagne (28°48' N – 13°41' O).
Des sept îles de l'archipel espagnol des Canaries, Lanzarote est la plus proche du continent africain. Son climat désertique et l'absence totale de source et de rivière sur ce territoire de 813 km² rendent toute pratique agricole difficile. Cependant, en raison de son origine volcanique, l'île bénéficie d'un sol noir fertile constitué de cendres et de lapilli, sur un sous-sol argileux peu perméable. S'adaptant parfaitement à ces conditions naturelles originales, une technique viticole singulière a été adoptée : les ceps de vigne sont plantés individuellement au milieu d'entonnoirs creusés dans les lapilli, afin d'y puiser l'humidité recueillie, et ils sont protégés des vents secs du nord-est et du Sahara par des murets de pierre édifiés en demi-cercle. Le vignoble de Geria produit un vin rouge doux de Malvoisie. L'ensemble de la production vinicole espagnole représente environ 13 % des quelque 275 millions d'hectolitres de vin produits annuellement dans le monde, et se situe ainsi au troisième rang des pays producteurs – et des pays exportateurs –, derrière la France et l'Italie.

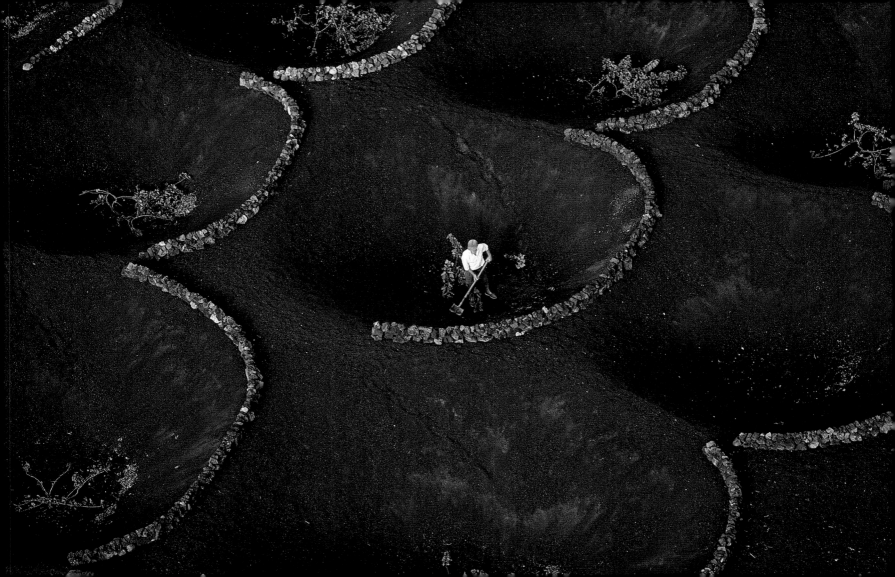

29 mars

Paysage agricole entre Ankara et Hattousa, Anatolie, Turquie (37°34' N – 38°13' E).

Berceau de la civilisation turque, les grands plateaux et les steppes arides de l'Anatolie furent pendant des siècles un haut lieu de tradition nomade. Baignée par le Tigre et l'Euphrate, cette région est depuis 1977 le siège du Grand Projet d'Anatolie (GAP), qui prévoit la construction de vingt-deux barrages et de dix-neuf centrales hydroélectriques avant 2010. La surface des terres turques irriguées s'accroîtrait ainsi de 50 %, tandis que la production nationale d'électricité doublerait. Le détournement des eaux des deux fleuves est une source de tensions importantes entre la Turquie et ses voisins du bassin mésopotamien, la Syrie, l'Iran et l'Irak. En 2001, le Programme des Nations unies pour l'environnement lançait un cri d'alarme pour cet écosystème d'importance mondiale : il se voit en effet inondé à la source sur des centaines de kilomètres de vallées montagnardes et asséché à l'aval par de massifs plans de drainage, la diminution du débit des fleuves et les dommages de guerre. On risque ainsi d'assister à la disparition d'un des plus grands écosystèmes marécageux au monde, le marais mésopotamien, partagé entre l'Irak et l'Iran.

30 mars

Monument des Découvertes en bordure du Tage, Lisbonne, Portugal (38°43' N – 9°08' O).

Inauguré en 1960 pour le 500ᵉ anniversaire de la mort d'Henri le Navigateur (1394-1460), le monument des Découvertes, œuvre voulue par Salazar, se dresse fièrement au bord de l'estuaire du Tage, qu'il surplombe de 50 m. Le célèbre navigateur se tient à la proue, une caravelle dans la main, et dans son sillage se pressent les conquérants des mers des XVᵉ et XVIᵉ siècles, tels Vasco de Gama, qui en 1498 doubla le cap de Bonne-Espérance à la pointe de l'Afrique, Magellan, qui franchit le Pacifique en 1521, et Pedro Álvares Cabral, découvreur du Brésil. Libéré le premier de la colonisation maure, le Portugal s'est lancé à la conquête du monde avec un demi-siècle d'avance sur son voisin espagnol et a tenu un rôle majeur dans les voyages de découvertes. Les marins portugais, pionniers sur toutes les mers du globe, ont permis l'expansion de l'Empire portugais jusqu'aux Indes au début du XVIᵉ siècle. Lors de leurs expéditions lointaines, les conquérants portugais, puis espagnols, hollandais, anglais et français, ont diffusé ce qu'on appelait les lumières de la foi chrétienne et de la science, souvent sur fond de guerre et d'esclavage.

31 mars

Casiers de bouteilles près de Braunschweig, Allemagne (52°20' N – 10°20' E).

Non loin de Braunschweig, au nord de l'Allemagne, une avalanche d'eaux minérales, de bières, de jus de fruits et de boissons gazeuses en tout genre déferle sur l'aire de stockage d'un grossiste. Dans l'industrie mondiale de la boisson, le marché de l'eau en bouteille devance tous ses concurrents. La plus élémentaire des boissons, une fois embouteillée, connaît un succès croissant : la consommation mondiale augmente de 7 % par an. Pour contenir les 89 milliards de litres d'eau minérale distribués chaque année dans le monde, 1,5 million de tonnes de plastique sont utilisées. Quant aux boissons alcoolisées, leur abus entretient l'alcoolisme, symptôme de désespoir et de malaise social. En Russie, il fait plafonner l'espérance de vie masculine à cinquante-neuf ans contre soixante-douze ans pour celle des femmes.

LA BIODIVERSITÉ ET LA BIOSPHÈRE

La biosphère est l'enveloppe relativement mince qui entoure la surface de la Terre, et dans laquelle évoluent tous les organismes vivants. Elle s'étend sur quelques kilomètres seulement, ce qui est très peu comparé aux 6 300 kilomètres du rayon de la Terre. Bien que certaines bactéries vivent dans des rochers à de grandes profondeurs, et que des spores bactériennes circulent à des altitudes élevées dans l'atmosphère, la plupart des organismes se concentrent dans les régions bénéficiant du rayonnement solaire, entre la surface des océans et le niveau alpin des massifs montagneux. L'énergie du soleil y est captée par les végétaux et autres formes de vie photosynthétiques, et elle entre dans l'élaboration des composés organiques qui participent à la formation de tous les organismes. La diversité biologique, ou biodiversité, désigne la variété de ces organismes, ainsi que leurs gènes et les écosystèmes dans lesquels ils évoluent. La biodiversité est essentielle à différents niveaux. Sur un plan concret, des produits comme les aliments ou les médicaments sont issus de la biodiversité sauvage ou domestiquée. La diversité au niveau génétique, particulièrement importante dans ce contexte, permet d'obtenir les variétés et races utilisées en agriculture. La biodiversité constitue la base des services pourvoyeurs de vie fournis par les écosystèmes, comme la pollinisation, la purification de l'eau et le recyclage des matériaux morts et autres déchets. Le maintien de la diversité représente une préoccupation majeure pour beaucoup d'entre nous, soucieux que nous sommes de préserver sur Terre des écosystèmes sains, comportant une diversité d'espèces. Indissociable de la biodiversité, l'espèce humaine est liée par l'évolution aux singes et aux précédentes lignées remontant aux débuts de la vie. Elle est liée physiologiquement aux végétaux et autres organismes qui produisent les aliments que les hommes ne peuvent fabriquer eux-mêmes. La Terre existe depuis plus de 4 500 millions d'années, et les témoignages fossiles attestent la présence d'organismes vivants datant de 3 500 millions d'années ; pendant les 3 000 millions d'années qui ont suivi son apparition, la vie se réduisait, semble-t-il, à des organismes microscopiques. Des invertébrés et des végétaux ont fait une apparition relativement soudaine dans les témoignages fossiles il y a 550 à 500 millions d'années. Toutes les espèces semblent vouées à l'extinction. Selon les témoignages fossiles, la durée de vie moyenne des espèces est de 4 millions d'années, celles qui vivent actuellement représentant à peine 5 % de toutes celles ayant existé. Le taux d'extinction a considérablement varié au fil du temps, atteignant un niveau maximal à certaines périodes pendant lesquelles la plupart des lignées disparaissaient. Néanmoins, de nouvelles espèces se sont toujours développées, qui ont comblé les vides écologiques plutôt que compensé les pertes. Malgré des extinctions régulières, la masse totale de la biodiversité semble avoir augmenté ; les espèces ont survécu en s'adaptant aux ressources écologiques disponibles, et ont permis à d'autres de vivre à leurs dépens. La biodiversité aurait atteint son seuil maximal avant le début des glaciations du pléistocène, il y a 1,8 million d'années. Les premiers hominidés sont apparus en Afrique à la fin du pliocène, il y a un peu plus de 2 millions d'années. L'homme moderne, du point de vue anatomique, est connu en Afrique depuis environ 100 000 ans ; il a atteint l'Eurasie il y a au moins 40 000 ans. À la fin du pléistocène, il y a 10 000 ans, il avait gagné tous les continents, sauf l'Antarctique. Cette évolution allait avoir des conséquences importantes sur les espèces et les écosystèmes du monde entier. L'arrivée de l'homme sur de nouveaux territoires a entraîné l'extinction des grandes espèces d'animaux sauvages, ou mégafaune.

Une quarantaine d'espèces de gros mammifères, oiseaux et reptiles ont disparu d'Australie il y a environ 46 000 ans, quelques milliers d'années après sa découverte par l'homme. Les félins à dents en sabres, les paresseux, les mammouths et d'autres espèces se sont éteints en Amérique tandis que l'homme se propageait sur le continent. De même, des oiseaux et des mammifères géants ont disparu peu après l'arrivée de l'homme en Nouvelle-Zélande, à Madagascar et dans les principales îles des Caraïbes. Une chasse intensive serait la principale cause de ces extinctions, et cette menace pèse encore gravement sur beaucoup d'espèces actuelles. Le faible taux de reproduction de nombreuses grandes espèces les rend vulnérables même à une chasse réduite par les peuples indigènes. Jusqu'à la fin du pléistocène, les hommes se sont nourris des produits de la chasse, de la pêche et de la collecte des végétaux. À cette époque, il y a 10 000 ans, l'agriculture est apparue en Eurasie, en Afrique et en Amérique. L'agriculture consiste en un ensemble de techniques destinées à détourner une partie de la production de la biosphère pour nourrir le corps humain. À cette fin, de nombreux habitats naturels, souvent riches en biodiversité, ont été transformés en terres agricoles, pauvres en biodiversité. Les besoins croissants de l'homme nécessitent de convertir de vastes superficies en terres agricoles ; ainsi, les cultures et les pâturages remplacent les forêts et atteignent des habitats fragiles, situés en montagne. Associées au développement des routes et des centres urbains, les pertes et les fragmentations des habitats provoquées par l'expansion agricole constituent désormais un facteur majeur contribuant au déclin progressif de la biodiversité. Nombre de spécialistes estiment que le taux d'extinction actuel des espèces est dix à cent fois supérieur à celui induit par les témoignages fossiles. Les connaissances, bien qu'incomplètes, montrent une progression irrégulière dans la disparition des espèces aux XVIIIᵉ et XIXᵉ siècles, correspondant aux conquêtes des régions reculées du monde. Au moins seize espèces de mammifères et vingt-cinq d'oiseaux se sont éteintes pendant le dernier tiers du XIXᵉ siècle, et environ autant au début du XXᵉ siècle. La plupart des espèces avaient de petites aires de répartition, limitées à des îles. Si le nombre d'espèces disparues semble avoir diminué, notamment grâce aux programmes de préservation, celui des espèces menacées a augmenté – il est estimé actuellement à 24 % des mammifères et à 12 % des oiseaux. À de nombreux points de vue, la disparition généralisée des populations et l'érosion progressive de la diversité génétique est plus grave que l'extinction d'espèces localisées. Cette régression de la biodiversité, qui contribue largement à la dégradation des écosystèmes, menace en priorité les moyens d'existence des populations rurales les plus démunies. Un accord international majeur, la Convention sur la diversité biologique, est en application depuis dix ans. Les objectifs et actions définis, ainsi que le système de subventions mis en place, visent à aider les pays à limiter le déclin de la biodiversité, en œuvrant dans le sens d'un développement durable. Les nations présentes au Sommet mondial sur le développement durable de 2002 se sont engagées à réduire de manière significative, avant 2010, le taux actuel de la perte de biodiversité – volonté qui autorise tous les espoirs. Toutefois, pour beaucoup d'observateurs, la pérennité de la diversité biologique actuelle sur la Terre et de l'intégrité de la biosphère comme source de nourriture et autres richesses implique un changement sans précédent dans l'utilisation des ressources mondiales par l'homme.

Brian Groombridge
Chargé du programme « Forêts, zones arides et eau douce » du Programme des Nations unies pour l'environnement

1er avril

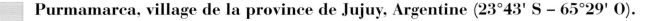

Purmamarca, village de la province de Jujuy, Argentine (23°43' S – 65°29' O).

Le nord-ouest de l'Argentine est le domaine de la *puna*, un immense désert froid de hautes vallées et de hauts plateaux qui préfigure l'Altiplano bolivien. Dans ce royaume minéral aux multiples gammes chromatiques, le village indien de Purmamarca se blottit au pied du *cierro de los siete colores*, « la montagne aux sept couleurs ». Sa population, issue de métissages entre les Indiens et les colons espagnols, vit principalement de l'élevage et de petites cultures maraîchères installées dans le fond des vallées. Exposés à des conditions de vie particulièrement difficiles, les habitants de la province de Jujuy (dont la moitié des terres appartiennent à quatre grandes familles de propriétaires terriens) se sont révoltés contre le pouvoir fédéral dès le début des années 1990. Le marasme économique que traverse le pays depuis 2001 a envenimé la situation : en 2002, 63 % de la population de Jujuy vivait dans la pauvreté et presque 30 % dans l'indigence. Durant la même année, l'hôpital public de cette région admettait chaque jour plus de sept cents enfants affichant des symptômes de dénutrition.

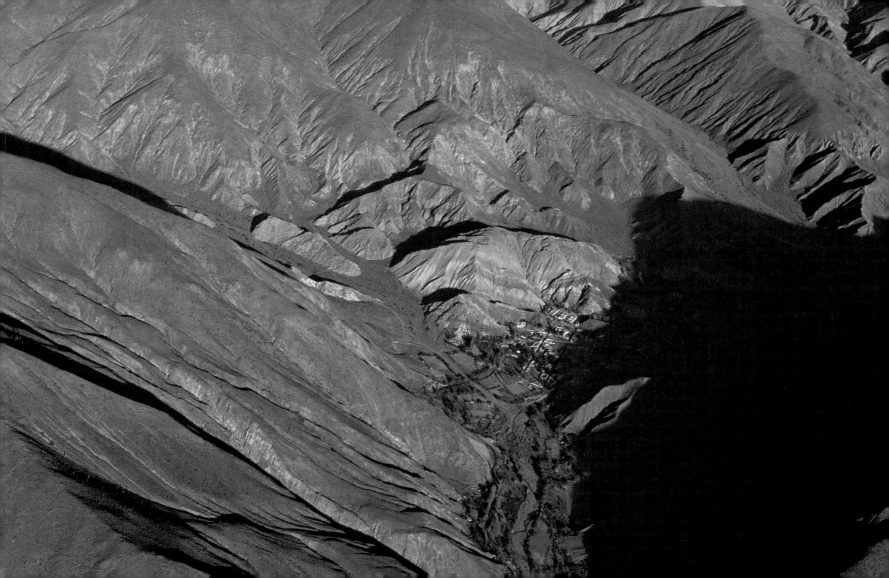

2 avril

Fort de Dun Moher sur l'île Inishmaan, comté de Clare, Irlande (53°04' N – 9°34' O).

Au large des côtes irlandaises, le fort de Dun Moher domine les pelouses rases des îles d'Aran, sur lesquelles il côtoie certains des plus beaux vestiges préhistoriques d'Europe. Ce trio d'îles – Inishmore, Inishmaan et Inisheer –, dont les falaises atteignent 90 m de hauteur, protège la baie de Galway des vents et des courants violents de l'Atlantique. Depuis des siècles, les populations ont elles-mêmes contribué à fertiliser le sol de ces îles en épandant régulièrement sur la roche un mélange de sable et d'algues destiné à constituer la mince couche d'humus nécessaire à l'agriculture. Afin de protéger leurs parcelles de l'érosion éolienne, les îliens ont construit un vaste réseau de murets brise-vent, s'étendant au total sur près de 12 000 km, qui donne à ces terres l'apparence d'une gigantesque mosaïque. Tirant l'essentiel de leurs ressources de la pêche, de l'agriculture et de l'élevage, les îles d'Aran accueillent un nombre croissant de touristes, attirés notamment par leurs richesses archéologiques.

3 avril

Église au pied du volcan Paricutín, San Juan Parangaricutiro, Michoacán, Mexique (19°27' N – 102°14' O).

L'axe volcanique transmexicain qui longe la côte sud-ouest du pays compte plus de trois cents volcans, dont le dernier-né, le Paricutín, culmine à 2 800 m. En février 1943, un paysan du Michoacán aperçut des volutes de fumée s'élever d'un champ de maïs. Quelques mois plus tard, se dressait en ce lieu un cône de cendres de 450 m, et des coulées de lave avaient englouti les habitations alentour. Le jeune volcan demeura en activité durant neuf années, et épargna toute vie humaine. Cependant, du hameau de Paricutín, il ne subsiste aujourd'hui que le nom, donné au volcan, et du village de San Juan Parangaricutiro seuls le clocher et la nef de l'église émergent d'un lit de lave noire solidifiée. Des visiteurs, touristes ou pèlerins religieux, comme ici, à la veille de Pâques, viennent égayer de leur présence ce paysage lunaire. Au Mexique, où 90 % de la population est catholique, les fêtes et rites religieux tiennent une place prépondérante dans la culture. La Vierge de Guadalupe, sainte patronne du Mexique, célébrée le 12 décembre, suscite ainsi environ 1 500 processions à travers le pays, dont les plus grandes rassemblent jusqu'à 100 000 pèlerins.

4 avril

Station de télécommunications de Raisting, Bavière, Allemagne (47°80' N – 11°07' E). Sur la rive sud du paisible lac d'Ammersee, au sud-est de Munich, la capitale bavaroise, la station de Raisting braque ses puissantes antennes paraboliques sur les satellites de télécommunications qui jalonnent les invisibles « autoroutes de l'information ». L'accès aux réseaux de communication est inégalement réparti sur la planète : les 20 % d'individus vivant dans les pays les plus riches disposent de 74 % des lignes téléphoniques (contre 1,5 % pour les 20 % les plus pauvres), et 95 % des ordinateurs reliés à Internet se trouvent dans les pays riches. La Finlande compte désormais plus de téléphones cellulaires (572 pour 1 000 habitants) que de lignes fixes. Le nombre d'ordinateurs personnels croît de 10 % par an dans l'Union européenne, mais reste inférieur à celui des États-Unis, où l'on recense 460 ordinateurs pour 1 000 habitants. Dans les pays pauvres, le nombre de téléviseurs est aujourd'hui de 162 pour 1 000 habitants (95 en 1990), et l'essor d'Internet se poursuit. L'avènement de ce mode de communication a créé de nouvelles occasions d'information et d'échange entre les peuples de la planète.

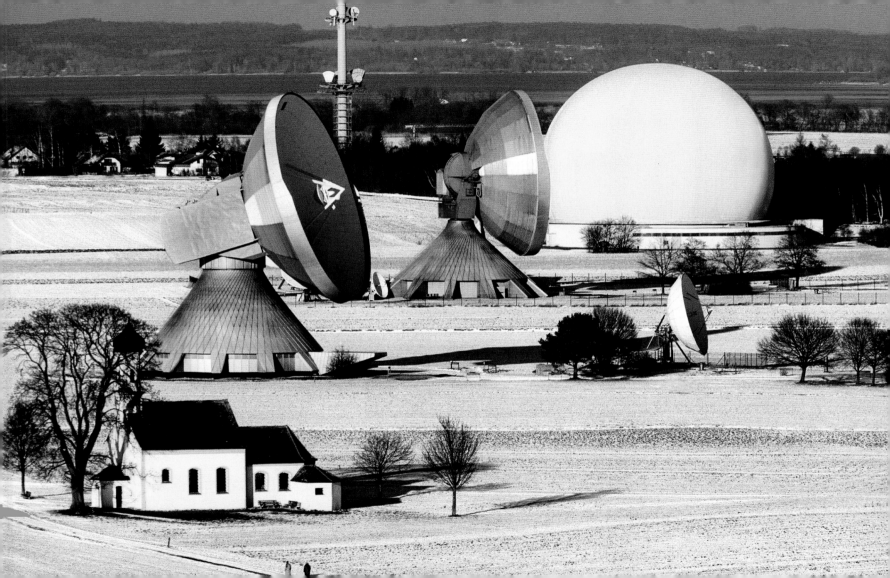

5 avril

 Récolte des algues, Bali, Indonésie (8°17' S – 115°06' E).

L'eau étant susceptible, comme la terre ferme, de fournir des produits commercialisables, il suffit de remplacer l'*ager* (ou *agri*, le champ) par l'*aqua* (l'eau) pour passer d'une agriculture à une aquaculture, d'un élevage de volailles à une exploitation piscicole. De même, les cultures d'algues finissent par ressembler, jusque dans la constitution de rangées et de sillons, à des champs de céréales. Manière habile de rentabiliser les espaces réputés difficiles à aménager d'une île dominée par les volcans et bordée d'une étroite plaine côtière. L'algoculture permet en outre d'apporter, à bon compte, des éléments nutritifs supplémentaires aux Indonésiens, dont 27 % sont encore sous le seuil de pauvreté. La richesse moyenne créée chaque année par chaque habitant de ce pays équivaut à moins de 10 % de celle que produit un Suisse.

6 avril

 L'Obélisque inachevé, Assouan, Égypte (24°01' N – 32°58' E).

Figé sur son lit de taille, cet obélisque condamné à l'horizontalité n'atteindra jamais sa pleine signification de symbole grandiose des sociétés humaines. Il se brisa au moment de son extraction, ce qui lui valut d'être abandonné dans sa gangue de granit. Le destin insolite du plus grand de tous les obélisques, avec 1 200 tonnes et 42 m de longueur, s'est ainsi achevé dans sa carrière d'Assouan, où il n'en contribue pas moins au tourisme, principale source de devises pour l'Égypte. Malgré deux baisses d'activité majeures provoquées par la guerre du Golfe en 1991 puis par un attentat à Louxor (62 morts dont 58 touristes) en 1997, le secteur touristique affichait en l'an 2000 4,3 milliards de dollars de recettes (5 millions de visiteurs). Pour les nations dont l'économie dépend largement du tourisme, notamment nombre de pays en développement où son importance va croissant, les répercussions de tels événements, comme de plus lointains (nouvelle chute de fréquentation à la suite des attentats perpétrés aux États-Unis en septembre 2001) peuvent être sévères (2 milliards de dollars de pertes pour l'Égypte en 1998).

7 avril

 Moulin parmi les champs, province de Hollande-Septentrionale, Pays-Bas (52°57' N – 4°45' E).

Les Pays-Bas portent bien leur nom, avec un tiers de leurs terres, les polders, se trouvant entre 1 m et 4,5 m au-dessous du niveau de la mer. Ces sols, conquis depuis le XIVe siècle sur la mer, les lacs et les marais, sont asséchés grâce à un système complexe de digues, d'écluses et de canaux le long desquels s'alignent les moulins utilisés pour pomper l'eau. À partir du XIXe siècle, les moulins ont été remplacés par des machines à vapeur puis par des pompes électriques. Les polders fournissent une excellente terre agricole et sont largement habités. Cependant, le climat se réchauffant, certaines de ces terres sont menacées par une probable montée du niveau de la mer, que l'on évalue en moyenne à 50 cm. Ainsi, 6 % des terres des Pays-Bas pourraient disparaître. Dans le monde, d'autres pays sont très menacés. Le Bangladesh pourrait perdre 17 % de son territoire. Les gouvernements de ces pays travaillent d'ores et déjà à la recherche de solutions permettant d'endiguer le danger.

8 avril

Dune de sable marquant l'entrée de la vallée de la Lune, Chili (22°52' S – 68°19' O). Couverte d'une croûte de sel blanc étincelant, la vallée de la Lune reflète si bien l'astre nocturne qu'elle semble lui faire concurrence. Pour ses célèbres couchers de soleil, les touristes n'hésitent pas à faire un détour dans le désert de l'Atacama – région la plus aride du monde après l'Antarctique – pour les contempler du haut de l'immense dune de sable gris qui traverse la vallée. L'écotourisme est en vogue. Malheureusement, dans certaines régions du monde, il a des effets négatifs pour l'environnement : exploitation excessive des ressources hydriques et énergétiques pour l'accueil des voyageurs, dégradation des sites naturels, abandon de déchets sur les lieux visités, etc. L'Organisation mondiale du tourisme prône donc un tourisme durable qui prend en compte les facteurs économiques, mais aussi écologiques et humains. Un tel engagement profiterait notamment aux pays du Sud. Ces derniers accueillent de nombreux clubs de vacances, mais ne perçoivent même pas 30 % de leurs recettes, car les équipements et les personnels de ces centres viennent souvent du Nord.

9 avril

Détail du château de Himeji à l'ouest d'Osaka, Honshu, Japon (34°49' N – 134°42' E).

Littéralement, c'est le temple « de la fille du soleil », mais les 500 000 habitants de la cité qui s'étend au pied le nomment aussi château du Héron blanc à cause de son élégance et de ses murs immaculés. Ses quatre-vingt-trois bâtiments et son dédale de coursives, venelles et passages secrets figurent depuis 1993 sur la Liste du patrimoine mondial de l'Unesco. Bien qu'il soit le plus grand château féodal du Japon, il n'appartient déjà plus à la catégorie des forteresses. Commencée dans les années 1570 par Toyotomi Hideyoshi, général tout-puissant de l'empire, sa construction fut achevée au début du XVIIe siècle par Ikeda Terumasa, gendre du shogun Tokugawa Ieyasu. Il combine l'efficacité militaire à une esthétique raffinée qui annonce les châteaux de cour. Au dernier étage du donjon sont par exemple sculptés des *shachinoko*, dauphins de fantaisie qui protègent du feu les toitures. En Occident, les forteresses médiévales ont depuis déjà près d'un sièclecédé la place aux beaux châteaux de la Renaissance. La guerre se mène désormais au canon, auquel les murailles des châteaux forts ne peuvent plus résister. D'instrument défensif, le château se transforme alors en objet d'art et de loisir.

10 avril

 Bateau échoué, mer d'Aral, région d'Aralsk, Kazakhstan (46°39' N – 61°11' E).
Lorsque la mer d'Aral, au Kazakhstan, était encore le quatrième plus grand lac endoréique (ou mer intérieure) du globe, sa superficie atteignait 66 500 km². Après la construction, dans les années 1960, d'un vaste réseau d'irrigation destiné à la monoculture du coton de la région, le débit des cours d'eau Amou Daria et Syr Daria, qui alimentaient cette mer, a diminué de manière inquiétante ; la mer d'Aral a perdu 50 % de sa superficie, 75 % de son volume en eau, et ses bords se sont retirés de 60 km à 80 km, abandonnant sur place les carcasses des chalutiers qui pêchaient autrefois dans ses eaux. Conséquence directe de la diminution hydrique, sa salinité n'a cessé d'augmenter au cours des trente dernières années, pour atteindre aujourd'hui 30 g/l, soit trois fois sa concentration originelle en sel, entraînant la disparition de plus d'une vingtaine d'espèces de poissons. Les poussières salées, portées par les vents, contribuent à la désertification en brûlant toute végétation sur plusieurs centaines de kilomètres alentour. S'il est l'un des plus connus, l'exemple de la mer d'Aral n'est pas unique : 600 000 km² de terres irriguées dans le monde, dont 75 % en Asie, seraient touchés par un excès de sel réduisant leur productivité agricole.

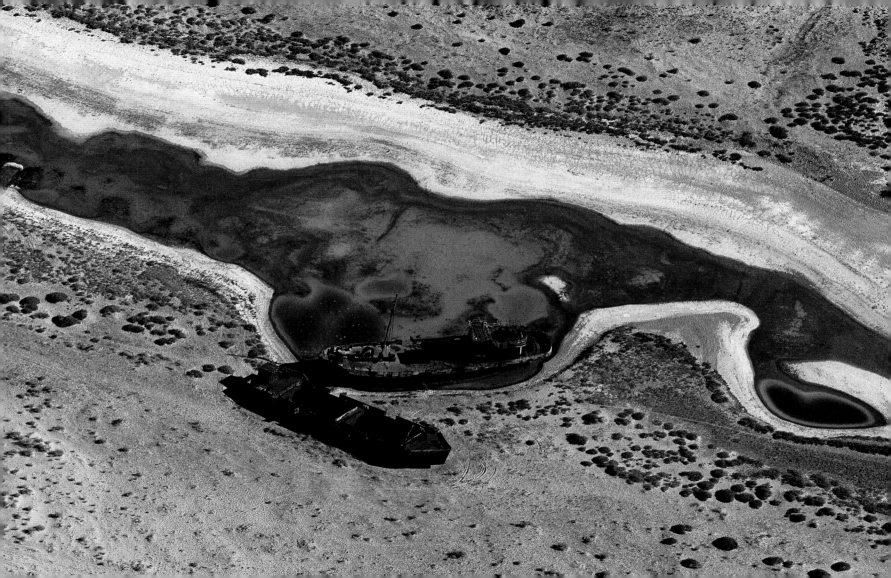

11 avril

Lac Argentino dans la province de Santa Cruz, Argentine (50°13' S – 72°25' O). Au cœur des Andes de Patagonie, le lac Argentino est le plus vaste du pays avec 1 560 km² d'eau libre. C'est sur ses rives que viennent mourir quelques-uns des quarante-sept glaciers du parc national de Los Glaciares créé en 1937, et inscrit depuis 1981 sur la Liste du patrimoine mondial de l'Unesco. Lorsqu'ils se disloquent, ces géants donnent naissance à des icebergs d'une glace légèrement turquoise, parce qu'elle est ancienne et très dense. En fondant, ces blocs gelés confèrent aux eaux du lac une couleur d'un bleu laiteux caractéristique que les Argentins nomment *dulce de glaciar*, « crème de glacier ». Après l'Antarctique et le Groenland, le manteau glaciaire de Patagonie est le troisième plus important au monde. Cette étendue polaire a régressé de 500 km² durant les cinquante dernières années, marquées par un réchauffement global de 0,6 °C. Upsala, le principal glacier du parc national, aurait reculé en moyenne de 60 m par an depuis soixante ans et le phénomène s'accélère. Le retrait des glaciers pourrait notamment avoir des effets néfastes sur l'approvisionnement en eau dans les régions arides.

12 avril

 Cité romaine de Baalbek, Liban (34°00' N – 36°13' E).

C'est au centre de la Bekaa, plaine fertile écrasée de chaleur, qu'apparaissent la ville de Baalbek et ses remarquables vestiges romains, inscrits sur la Liste du patrimoine mondial de l'Unesco en 1984. L'ancienne cité phénicienne dédiée à Baal, dieu de l'Orage, devint sous l'Empire romain un sanctuaire voué au culte de Jupiter Héliopolitain, le dieu du Soleil. Aujourd'hui encore, les six colonnes isolées ressuscitent le temple de Jupiter qui, par ses dimensions respectables (88 m de long sur 48 m de large), fut le plus monumental édifice sacré du monde romain. Sa construction, ordonnée sous le règne d'Auguste (27 av. J.-C.-14 apr. J.-C.), ne s'achèvera qu'en l'an 60 de notre ère. Cet imposant lieu de culte révélait la volonté de Rome d'afficher la suprématie de sa religion athée près du berceau de la chrétienté. La ville est devenue depuis le quartier général du Hezbollah, l'organisation de fondamentalistes chiites, ce qui envenime des relations déjà tendues avec Israël.

13 avril

Formation cristalline sur le lac Magadi, Kenya (1°50' S – 36°15' E).

Née d'une déchirure de la croûte terrestre survenue il y a 40 millions d'années, la grande fracture du rift est-africain s'étend sur près de 7 000 km. Bordé de hauts plateaux volcaniques, ce vaste fossé d'effondrement a créé un chapelet de grands lacs (Turkana, Victoria, Tanganyika...) et d'étendues d'eau de moindre superficie, comme le lac Magadi, le plus méridional du Kenya. Alimenté par les eaux de pluie qui lessivent les pentes volcaniques avoisinantes et en drainent les sels minéraux, ce lac contient une eau à forte teneur en carbonate de sodium. Les dépôts salins cristallisés, ou licks, ainsi formés ont permis l'installation de la plus ancienne exploitation minière du Kenya. Par endroits, la surface très sombre du lac tranche avec le chatoiement des cristaux qui dessinent des figures colorées en se mêlant à l'eau saumâtre. Bien qu'il soit inhospitalier, ce milieu n'est pas exempt de vie : des millions de petits flamants viennent se nourrir des microalgues, crevettes et autres crustacés qui prolifèrent dans les eaux du lac.

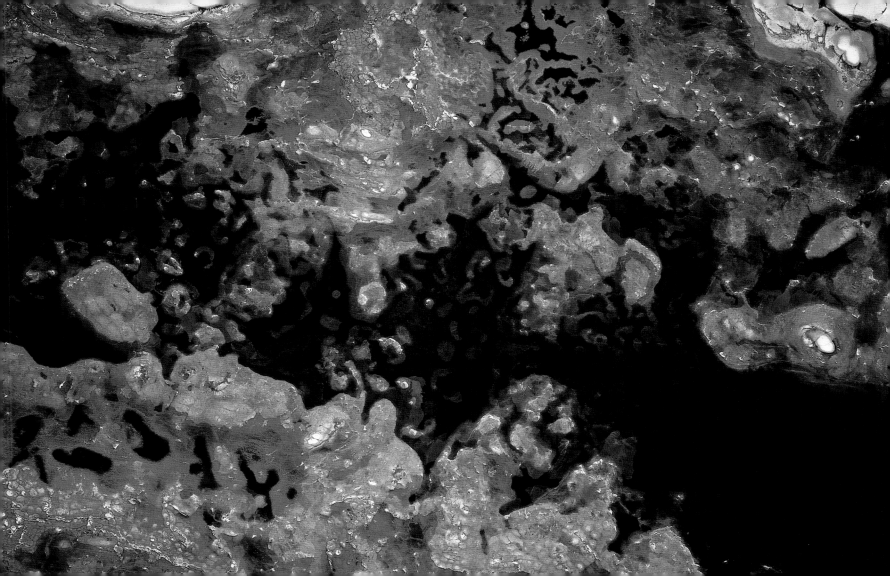

14 avril

Femmes dans une rizière de la province de Siem Reap, Cambodge (13°22' N – 103°51' E).

À gauche, la jeune fille porte le *krama*, coiffe traditionnelle khmer, et récolte les tiges de riz. En 2002, les rizières s'étendaient sur presque 20 000 km², soit 11 % de la superficie du pays. Après une régression dramatique sous le régime des Khmers rouges, responsable d'au moins un million de morts, ce secteur économique s'est redressé, passant de 538 000 tonnes de riz produites en 1979 à plus de 4 millions de tonnes aujourd'hui. Un tel rétablissement était capital pour une population étroitement dépendante de l'agriculture – 85 % des Cambodgiens cultivent le riz comme source de subsistance. Mais les inondations de 2001 ont anéanti 15 % des terres dédiées à la précieuse céréale et les 8 millions de mines antipersonnel, potentiellement disséminées sur le territoire, freinent gravement le développement agraire et continuent de mutiler soixante personnes chaque mois.

15 avril

Peaux étalées dans un cimetière abandonné de la région de Fès, Maroc (33°55' N – 4°57' O).

Au Moyen Âge, la ville de Fès fournissait déjà l'Europe en maroquin, c'est-à-dire en cuir de chèvre et de mouton. Si le tannage traditionnel avec des produits végétaux naturels y est toujours pratiqué, il tend cependant à être remplacé par un procédé plus industriel, au chrome. Ce métal, toxique, pollue les eaux usées souvent rejetées directement dans les égouts. Pour remédier à ce problème, l'État marocain et la communauté urbaine de Fès construisent, à la périphérie de la cité, un nouveau quartier doté de stations de traitement des eaux et de recyclage du chrome. Destiné à accueillir les tanneries polluantes, il permettra de préserver l'environnement tout en augmentant la productivité des industries. La création d'une telle zone s'intègre dans un vaste programme de réhabilitation de la ville. En effet, inscrite sur la Liste du patrimoine mondial de l'Unesco en 1981, la capitale culturelle du Maroc est en mauvais état, avec la moitié de ses bâtisses dégradées, ses monuments historiques et religieux lézardés, et ses cimetières abandonnés.

16 avril

Aire de stockage de l'usine Daimler-Benz à Wörth am Rhein, à côté de Karlsruhe, Rhénanie-Palatinat, Allemagne (49°03' N – 8°16' E).

Sur le parking d'une usine automobile à Wolfsburg, ville accolée à la frontière orientale du Land de Basse-Saxe au nord de Braunschweig, des camions rutilants s'apprêtent à prendre la route. En Europe, 44 % des marchandises circulent aujourd'hui en poids lourd, contre 31 % en 1970. Durant la même période, la part de marché du rail a chuté de 21 % à 8,4 %. Le secteur du transport routier, qui a progressé de 35 % au cours de la dernière décennie, ne cesse de croître malgré les incidences sur l'aggravation de l'effet de serre. En outre, le nombre de véhicules à moteur a doublé en Europe occidentale au cours des trente dernières années. Voitures moins polluantes, transports en commun et bicyclette en ville, fret ferroviaire, fluvial et maritime offrent pourtant des possibilités de transports durables.

17 avril

Champs de canne à sucre, plaine du Gharb, Maroc (34°45' N – 6°00' O).

Chaque année, il est consommé près de 125 millions de tonnes de sucre de canne ou de betterave dans le monde. En l'an 2000, le Maroc a produit environ 4 millions de tonnes de sucre, ce qui en fait un petit producteur face aux mastodontes comme le Brésil, l'Inde, la Chine, mais aussi les États-Unis, la France et l'Allemagne. Pour certains pays industrialisés, la part importante de la production de sucre dans leur économie les incite à protéger leur marché intérieur en taxant fortement les importations ou en subventionnant leurs producteurs. Ce protectionnisme tend à faire baisser le cours du sucre, pénalisant les pays en développement dont l'économie dépend fortement des cultures d'exportation. Cette chute du prix du sucre s'accompagne en général d'une diminution des salaires et d'une dégradation des conditions de vie et de travail des ouvriers. Dans certains pays, la durée de vie moyenne d'un coupeur de canne à sucre n'excède pas trente ans.

18 avril

Practice **de golf de Chelsea Piers, New York, États-Unis (40°43' N – 74°01' O).**

Inauguré il y a quelques années, Chelsea Piers est le plus grand complexe sportif de New York. Il est situé en plein cœur de Chelsea, un quartier empreint du passé industriel de la ville avec son métro aérien, ses façades en fonte et sa population composée de descendants d'immigrés arrivés au XIXᵉ siècle. À Chelsea Piers, tous les sports peuvent être pratiqués, du basket-ball à la boxe en passant par le volley-ball. Le golf, loin d'être l'apanage des classes aisées, a depuis longtemps séduit les couches moyennes et populaires, ce qui fait des États-Unis le pays du monde comptant le plus grand nombre de licenciés en golf – d'où une multiplication de terrains de taille réduite, les *practices*, réservés à l'entraînement. Cette passion a pourtant un prix écologique et humain. Dans les pays en développement, la construction d'un terrain de golf entraîne le plus souvent un déplacement des villages et une confiscation des terres. Plus généralement, la forme moderne d'entretien des pelouses est très dispendieuse en eau, en fertilisants et surtout en pesticides : le *green* détient le triste record d'en être le plus grand consommateur au mètre carré.

19 avril

Cimetière traditionnel près de Pingtung, Taïwan (22°40' N – 120°29' E).

Selon la tradition chinoise, le monde des morts influe sur le monde des vivants. Mieux vaut donc s'occuper du bien-être d'un ancêtre défunt si l'on veut assurer le bonheur de sa famille. Comment ? En construisant sa dernière demeure suivant les règles du feng shui. Ainsi, les tombes taïwanaises, adossées à une colline protectrice, doivent plutôt s'ouvrir sur un paysage dégagé (mer, lac, etc.). Il est aussi conseillé de les ériger en forme de « fauteuil », recouvertes d'une pelouse embrassant la pierre tombale. Cette configuration, synonyme de confort et de dignité mais aussi de pouvoir et de richesse, ménage une plate-forme sur laquelle on peut se recueillir. Chaque année, lors de la fête du Qingming, les familles s'y réunissent pour entretenir la tombe et partager un pique-nique avec leurs ancêtres. Mais aujourd'hui les Taïwanais sont confrontés à un manque d'espace et les cimetières traditionnels coûtent cher. Beaucoup optent donc pour la crémation, ce qui n'empêche pas les familles de se réunir sur les grandes pelouses aménagées devant les columbariums.

20 avril

Tsingy de Bemaraha, région de Morondava, Madagascar (18°47' S – 45°03' E).
L'insolite forêt minérale des Tsingy de Bemaraha surgit à l'ouest de Madagascar. Cette formation géologique, appelée karst, est le résultat de l'érosion, l'acidité des pluies ayant peu à peu dissous la pierre du plateau calcaire et ciselé ces arêtes tranchantes d'une trentaine de mètres. Classé réserve naturelle intégrale dès 1927 et inscrit sur la Liste du patrimoine mondial de l'Unesco en 1990, ce labyrinthe quasiment impénétrable (d'où son nom, *tsingy* signifiant en langue malgache « marcher sur la pointe des pieds ») abrite une flore et une faune spécifiques, encore mal inventoriées. Sur la « Grande Île », fragment de terre de 587 000 km² issu de la dérive des continents, isolé depuis 100 millions d'années dans l'océan Indien au large de l'Afrique australe, s'est développée une vie animale et végétale singulière et diversifiée, aux caractères parfois archaïques. Elle présente un taux d'endémisme exceptionnel : plus de 80 % des quelque 12 000 espèces végétales et presque 1 200 espèces animales répertoriées dans l'île ne se sont développées nulle part ailleurs. Près de 300 espèces de Madagascar seraient cependant menacées d'extinction.

21 avril

Atomium, Bruxelles, Belgique (50°50' N – 4°20' E).

Édifié à l'occasion de l'Exposition universelle de 1958, l'Atomium domine de ses 102 m le plateau du Heysel à Bruxelles. Symbole de la maîtrise de l'atome et de la course au progrès scientifique caractéristique des années 1950-1960, l'ouvrage représente une molécule de cristal de fer agrandie 165 milliards de fois. Sa structure en acier revêtue d'aluminium est formée de neuf sphères de 18 m de diamètre (abritant notamment un restaurant et une salle d'exposition) reliées entre elles par des tubes de 29 m de long dans lesquels le visiteur peut circuler. Depuis les années 1970, les Expositions universelles invitent davantage à mener une réflexion sur le devenir de l'humanité. En juin 2000, à Hanovre (Allemagne), 190 nations participèrent à la 21e Exposition universelle axée sur le thème « Homme, nature, technologie, un monde nouveau se fait jour ». La manifestation, également placée sous le signe du « développement durable », précepte abordé lors du Sommet de la Terre organisé à Rio de Janeiro en 1992, a attiré près de 25 millions de visiteurs.

22 avril

Icebergs et manchots Adélie, terre Adélie, Antarctique (pôle Sud) (66°00' S – 141°00' E).

L'Antarctique s'étend sur 16,5 millions de km² (trente fois la France), que prolongent sur la mer 1,5 million de km² de glaciers. Le sixième continent est un point d'observation unique des phénomènes atmosphériques et climatiques car ses glaces, en emprisonnant l'air lors de leur formation, ont retenu des millions d'années d'histoire du climat de la Terre. Phénomène naturel probablement aggravé par le réchauffement planétaire, les banquises polaires ont tendance à fondre. L'épaisseur moyenne de la banquise arctique est passée de 3,12 m dans les années 1960 à 1,8 m dans les années 1990. Le danger touche aussi les écosystèmes montagneux, victimes directes des hausses de température. La fonte des glaciers – le Kilimandjaro a perdu 55 % de ses glaciers en quarante ans – menace de nombreuses zones habitées. En 1970, au Pérou, des chutes de séracs et de rochers détachés du glacier du Huascarane ont fait au moins 15 000 morts. Si les tendances actuelles se confirment, un grand nombre de glaciers de montagne, y compris ceux du parc national des Glaciers au États-Unis, auront entièrement disparu avant cent ans.

23 avril

 Temple de Ed-Deir, Petra, région de Ma'an, Jordanie (30°20' N – 35°26' E).

La Jordanie occupe une position stratégique entre Méditerranée et mer Rouge. Au VII siècle avant notre ère, les Nabatéens, peuple de marchands nomades, s'y sédentarisèrent. Ils taillèrent dans le grès rose et jaune des falaises du sud du pays, au confluent de six routes caravanières, leur capitale Petra, qui signifie « pierre » en grec. La civilisation nabatéenne domina le commerce de produits rares (encens d'Arabie, épices d'Inde, or d'Égypte, soies de Chine, ivoire de Nubie…) et s'enrichit de la taxation des routes caravanières, avant de tomber sous le joug de Rome en 106 après J.-C. Sur les hauteurs, le temple de Ed-Deir, construit entre le Ier et le IIIe siècle avant J.-C., domine de sa stature imposante (42 m de haut et 45 m de large) les quelque huit cents monuments de Petra. Après le déclin de la civilisation nabatéenne, il fut occupé par des religieux chrétiens byzantins, d'où son nom de Ed-Deir : « le monastère ». Inscrite sur la Liste du patrimoine mondial de l'Unesco en 1985, Petra est confrontée depuis quelques années à une menace inquiétante : les sels minéraux dissous dans la nappe phréatique atteignent la base des monuments par capillarité, s'incrustent dans la pierre et la fragilisent. Le vent complète leur dégradation progressive.

24 avril

 Îlot et fond marin, Exuma Cays, Bahamas (24°00' N – 76°10' O).
Deux des films de James Bond, *Opération tonnerre* et *Jamais plus jamais*, ont été tournés dans les Exuma Cays. Le sable blanc, la mer émeraude et les profondes grottes sous-marines de cette chaîne insulaire des Bahamas constituent en effet un décor idéal. Composée de 365 îles et îlots rocheux coralliens – les cayes ou *cays* en anglais –, la région attire aussi bien les voyageurs à la recherche de plage et de soleil que les amoureux de la nature. Ils sont de plus en plus nombreux à venir admirer les poissons colorés, les oiseaux exotiques et les iguanes typiquement bahaméens du parc national d'Exuma. L'écotourisme aux Bahamas n'en est encore qu'à ses balbutiements, mais le gouvernement aimerait encourager son essor. Cela devrait en effet générer davantage de revenus pour la population locale, appelée à mettre à profit ses connaissances du milieu naturel et non plus seulement à occuper des emplois peu qualifiés dans les clubs. À l'échelle mondiale, ces structures touristiques appartiennent le plus souvent à des investisseurs étrangers qui laissent aux pays hôtes moins de 30 % de l'argent dépensé par les vacanciers.

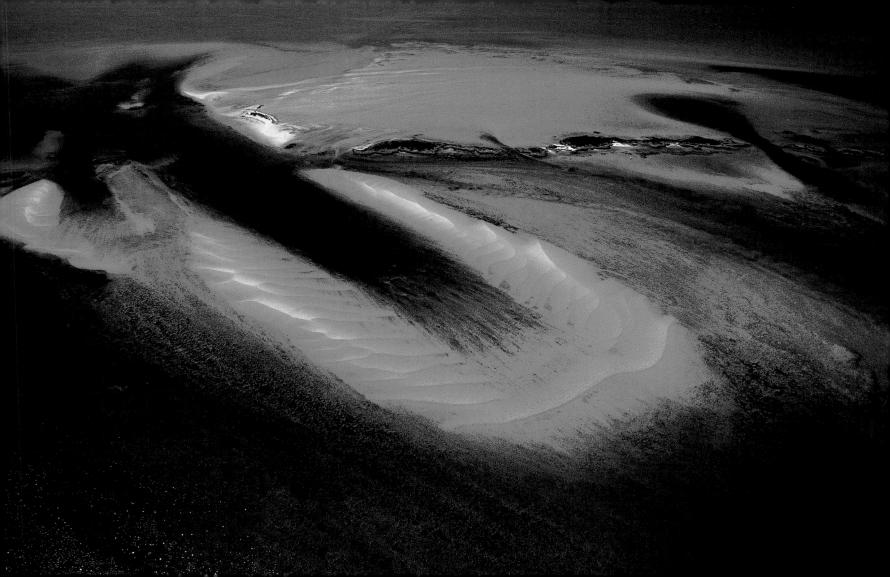

25 avril

 Rejets de la mine de cuivre de Chuquicamata, Chili (22°19' S – 68°56' O).

Cette coquille Saint-Jacques géante est… en terre. Une grue la dépose rangée par rangée suivant un mouvement légèrement arrondi, qui donne l'impression d'avoir des plaques de sable stockées les unes à côté des autres. Cette terre est extraite avec le minerai, mais elle en est séparée après tamisage. Le cuivre, quant à lui, est affiné dans la fonderie de Chuquicamata qui, grâce à de nouveaux aménagements, peut aujourd'hui filtrer 95 % du dioxyde de soufre (SO_2) et 97 % de l'arsenic qu'elle libère. La Codelco-Chile, société publique qui dirige la mine et ses installations, a dû investir plusieurs dizaines de millions de dollars pour les moderniser, répondant ainsi à la loi gouvernementale de 1992 qui visait à réduire les émissions atmosphériques polluantes. Mais cela ne l'a pas empêchée d'accroître ses capacités de production. La mine de Chuquicamata devrait en effet fournir 750 000 tonnes de cuivre par an à partir de 2004, contre 630 000 tonnes en 2001.

26 avril

Villa « Soleil d'Occident », Costa Careyes, État du Jalisco, Mexique (19°22' N – 105°01' O).

Le style de l'architecte italien Gianfranco Brignone caractérise la Costa Careyes, partie du littoral du Jalisco sur la façade occidentale du Mexique, où s'égrènent une dizaine de ses luxueuses créations. Leur conception moderne met à l'honneur les traditionnelles façades aux teintes éclatantes et les matériaux rustiques. Écologiques et raffinés, les toits de palme et les murs d'adobe remplacent avantageusement l'air conditionné. Accrochées à la falaise, la villa rose « Soleil d'Occident », encerclée de sa piscine, et sa sœur « Soleil d'Orient », parée de jaune, se tiennent en sentinelles de part et d'autre d'une baie. Cette côte escarpée, suspendue entre l'océan Pacifique et la forêt tropicale, est devenue la nouvelle terre promise d'une poignée de gens richissimes. La fortune des trois personnes les plus riches du monde dépasse le PIB total des quarante-huit pays les plus pauvres. Quatre pour cent de la richesse cumulée des 225 plus grosses fortunes (qui totalisent 1 000 milliards de dollars) suffiraient à assurer l'accès à une éducation, une alimentation correcte et des soins de base à toute la population de la planète.

27 avril

Une église dans la ville de Samara, Russie (53°13' N – 50°10' E).

Au confluent de la Samara et de la Volga, la ville de Samara étend sur des kilomètres ses industries mécaniques, pétrochimiques, aéronautiques et agroalimentaires. Anciennement Kouïbychev, Samara a servi de refuge au gouvernement soviétique au moment de l'invasion allemande. De soviétique qu'elle était, la ville est redevenue russe. En témoigne cette récente église qui se dresse devant les immeubles de la cité industrielle. En 1914, plus de 50 000 églises sont encore actives, tandis qu'en 1941, après les fermetures et les destructions, moins de 1 000 restent ouvertes au culte. État et religion se sont réconciliés en juin 1988, lors de la célébration du millénaire du baptême de la Russie. Depuis, les églises s'ouvrent sans cesse dans le pays. Orthodoxes, mais aussi catholiques, baptistes, juifs et même la secte Hare Krishna ont désormais un statut légal. La liberté de culte d'aujourd'hui ferait presque oublier la persécution religieuse d'hier. Mais les réparations, rénovations et reconstructions rappellent aux regards qu'hier n'est pas si loin.

28 avril

 Marais au sud du delta du fleuve Okavango, Botswana (18°45' S – 22°45' E).

Pour se soustraire aux fusils des chasseurs, l'antilope profite des denses prairies de papyrus et des épais roseaux qui prospèrent dans le delta de l'Okavango. En effet, chaque année, 45 000 touristes s'offrent de luxueux safaris dans la région. Ils sont prêts à payer les taxes onéreuses imposées par l'État botswanais, mais à la condition implicite que le delta reste un paradis terrestre. Les cultures agricoles sont donc exclues de cette zone luxuriante. Elles sont confinées aux sols peu fertiles et desséchés du sud du pays, dont les faibles rendements permettent à peine de couvrir 10 % des besoins nationaux en céréales. Des aménagements agricoles autour de l'Okavango pourraient pourtant redresser la situation. Si le site est désigné depuis 1996 au titre de la convention de Ramsar relative aux zones humides d'importance internationale, rien n'indique que l'agriculture doit en être proscrite. Le traité oblige seulement à tenir compte des équilibres naturels, pour développer des activités sociales et économiques durables.

29 avril

Île San Giulio, lac d'Orta, Piémont, Italie (45°47' N – 8°24' E).

Au centre du lac d'Orta, le plus oriental des lacs du Nord italien, la petite île de San Giulio abrite une basilique romane et un couvent de bénédictines. Comme sur cette île, c'est dans toute l'Italie et dans l'Europe entière que les édifices ecclésiastiques façonnent les paysages villageois et urbains. Jusqu'au XIXe siècle, ils furent en effet les principaux vecteurs d'expression des différents courants architecturaux – le roman, le gothique, le baroque, le classique ou encore le cubisme au cours du XXe siècle. Les commandes d'édifices religieux sont aujourd'hui de plus en plus rares, le XXe siècle s'étant achevé avec l'inauguration en 1989 de la prestigieuse et controversée Notre-Dame-de-la-Paix à Yamoussoukro en Côte-d'Ivoire. Les possessions ecclésiastiques, fruit de 2 000 ans d'histoire et d'activité paroissienne, n'en restent pas moins étendues, notamment en Europe. L'Église est ainsi le deuxième propriétaire foncier de la ville de Paris, et parmi les premiers de l'ensemble de la péninsule italienne.

30 avril

Cimetière d'avions de la base de Davis-Monthan, près de Tucson dans l'Arizona, États-Unis (32°11' N – 110°53' O).

Sur la base de Davis-Monthan, 5 000 avions militaires américains démobilisés attendent d'être démontés, reconvertis en drones (avions-espions sans pilote) ou vendus à d'autres pays. Parmi eux, le Grumman A-6E. Capable de frapper ses cibles sans aucune visibilité, cet appareil a notamment servi lors de la guerre du Golfe en 1991. Aujourd'hui, des modèles plus efficaces le remplacent, contribuant à renforcer la puissance de l'armée américaine. La dernière démonstration de sa force eut lieu sans l'aval du Conseil de sécurité des Nations unies, en mars 2003, contre l'État irakien. Au cours de cette crise, l'ONU a été le lieu d'un débat public intense qui s'est étendu à l'ensemble du globe. Ainsi, le 16 février 2003, une manifestation universelle, d'une ampleur jamais observée, a rassemblé des millions de personnes dans le monde entier, ouvrant sur une nouvelle forme de mondialisation, celle du débat d'opinion.

LES OCÉANS ET LES MERS

Notre planète est occupée en grande partie par les océans et les mers qui regorgent de ressources indispensables à l'homme et qui façonnent les climats. En quelque endroit de la Terre où nous nous trouvions, nous subissons leurs effets d'une manière ou d'une autre. Les photos satellites de la Terre, avec lesquelles nous sommes désormais familiarisés, montrent bien que nous vivons sur la « planète bleue ». Océans et mers couvrent les sept dixièmes de sa surface. La biosphère – la partie de la sphère terrestre où évoluent les organismes vivants – englobe les océans et les mers. À 4 000 mètres de profondeur, sur la plaine abyssale de l'Atlantique, la vie existe. Or la mer renferme des formes de vie totalement différentes de celles de la terre. La vie terrestre, ainsi que la grande majorité de la vie marine, dépend de l'énergie du soleil, convertie en premier lieu par les végétaux. Mais dans les grandes profondeurs marines que sont les sources hydrothermales, de nouvelles formes de vie ont été récemment découvertes, qui tirent leur énergie du noyau en fusion de la Terre. La vie dans les océans est très diversifiée, la variété des espèces étant aussi riche dans un loch maritime que dans une forêt tropicale. Les océans représentent donc un gigantesque réservoir de vie. Les océans et les mers forment un immense système en mouvement qui entoure la planète, se superposant à celui de l'atmosphère. Ils influent l'un sur l'autre, déterminant ensemble les climats sous lesquels nous vivons. New York, aux États-Unis, connaît des hivers rudes et des étés chauds et humides. À la même latitude, également en bordure de mer, Lisbonne, au Portugal, ne souffre pas de tels extrêmes climatiques. Cette différence a pour origine les courants océaniques, mais ces mouvements ne sont pas stables. Des oscillations se produisant dans l'océan Pacifique peuvent affecter la planète entière. De temps en temps, des fluctuations remplacent le courant froid septentrional de la côte du Pérou par des eaux plus chaudes. La productivité des pêches diminue alors considérablement au large du Pérou – généralement autour de Noël, d'où le nom de El Niño, ou de l'Enfant-Jésus. Ce phénomène n'a pas seulement une incidence locale. Il peut modifier les conditions météorologiques sur la planète entière. Particulièrement catastrophiques, les tempêtes, inondations et sécheresses associées à El Niño de 1982-1983 ont provoqué plus de 8 000 millions de dollars de dégâts, de l'Inde à Tahiti et à la Bolivie.

Les hommes vivent en majorité sur les franges côtières, et leur nourriture provient en partie de la mer : en Asie, le poisson fournit 40 % des protéines à la population. Les océans et leur vie végétale jouent un rôle majeur dans l'absorption et la conversion du gaz carbonique. Selon le rapport établi par la Commission des Nations unies sur le développement durable, les océans et les mers fournissent des ressources vitales qui doivent assurer le bien-être des générations présentes et futures ainsi que la prospérité économique, de manière à éradiquer la pauvreté et pourvoir aux besoins en nourriture des habitants de la planète. Notre bien-être dépend donc de celui des océans et des mers. Mais dans le même temps, nous les soumettons à de graves menaces par nos nombreuses activités. On peut en répertorier sept principales. La surpêche met en danger une source de nourriture majeure. Si elles sont gérées dans le souci d'un développement durable, les pêcheries peuvent assurer des réserves de nourriture et des revenus suffisants pour les générations présentes et futures. Mais l'exploitation à outrance de nombreux stocks de poisson signifie que nous avons atteint la limite raisonnable pour presque toutes les espèces traditionnelles. Nous commençons donc à rechercher de nouvelles réserves. De nombreux monts sous-marins, comme beaucoup d'îles, disposent d'espèces qui n'existent nulle part ailleurs, et ces ressources sont à leur tour menacées par une pêche excessive. La navigation est indispensable aux échanges commerciaux à travers le monde. Sans elle, l'économie globale ne fonctionnerait pas. Mais des navires en mauvais état transportent des chargements comme le pétrole, qui peuvent endommager gravement les mers et les côtes lorsque des accidents se produisent. Les déchets sont toujours jetés à la mer à grande échelle, certains pays se refusant à trouver des solutions pour s'en débarrasser sur leur territoire. Les détritus provenant d'activités terrestres sont déchargés dans la mer par les cours d'eau et les canalisations. Ceux issus de l'industrie déversent dans le milieu marin des substances dangereuses qui menacent la reproduction des poissons et des coquillages, pouvant les rendre impropres à la consommation. Les eaux usées contiennent des nutriments qui rompent l'équilibre de l'écosystème naturel, entraînant parfois un manque d'oxygène dans la mer et la mort des poissons. L'urbanisation des côtes intensifie les perturbations provoquées dans le milieu marin par la présence humaine. Il suffit de penser au développement touristique sur le littoral méditerranéen : eaux usées, érosion entraînant la sédimentation sur les aires de reproduction des poissons, destruction des zones humides où se reproduisent les animaux sauvages, dégradation de l'écosystème due à une activité humaine intense sur le littoral… Depuis quelque temps, le phénomène s'amplifie dans le monde entier. Les océans et les mers sont également prisés comme sources de pétrole et de gaz, et de plus en plus de sable et de gravier sont extraits des fonds marins pour la construction, menaçant les terrains de reproduction et d'élevage des poissons. L'extraction de métaux est désormais à l'étude. Les infrastructures nécessaires à ces industries ont toujours de lourdes incidences sur l'environnement, y compris celles situées au large, même si elles sont moins visibles. Les changements climatiques provoqués par les activités humaines affectent également les mers et les océans. Dans certaines régions du monde, l'accroissement des rayons ultraviolets résultant du trou dans la couche d'ozone influe sur la reproduction des poissons. Le réchauffement climatique aura une incidence inévitable sur les courants océaniques, les effets restant difficilement prévisibles.

Néanmoins, tout espoir n'est pas perdu. Au cours des trois dernières décennies, la communauté internationale s'est attachée à faire face à ces menaces. L'Organisation maritime internationale s'emploie à améliorer la législation concernant la navigation. L'Organisation des Nations unies pour l'alimentation et l'agriculture a mis au point des programmes d'action pour les pêcheries. Un plan sur la pollution terrestre a été adopté, dans le cadre du Programme des Nations unies pour l'environnement. À travers le monde, dix-huit organisations traitent ces différents problèmes au niveau régional. Ces efforts nécessitent davantage d'implication de la part des pouvoirs publics afin de mettre en œuvre les accords signés. Des engagements ont été pris, mais il reste aux gouvernements à les concrétiser, de sorte que les menaces existantes servent de tremplins pour parvenir à une gestion durable des océans et des mers au bénéfice de la planète entière.

Alan Simcock
Secrétaire exécutif de la commission OSPAR pour la
Protection du milieu marin de l'Atlantique du nord-est
Coprésident du Processus consultatif
des Nations unies sur les océans, 2000, 2001, 2002

1er mai

Monts du parc national de Gurvan Saïkhan dans le gobi Ömnögov (gobi du sud), Mongolie (45°30' N – 107°00' E).

Le parc national de Gurvan Saïkhan, ou « des trois belles », doit son nom à trois groupes de sommets, « Belles de l'Est, du Centre et de l'Ouest », qui surplombent cette chaîne de montagnes anciennes en partie d'origine volcanique, apparue entre - 550 millions d'années et - 235 millions d'années, comme les chaînes hercyniennes européennes ou les Appalaches américaines. Ces monts abritent des richesses floristiques et faunistiques exceptionnelles. Les plantes médicinales y abondent ainsi que les deux tiers des espèces végétales endémiques de la Mongolie. Cinquante-deux espèces mammifères y trouvent refuge, dont huit des douze inscrites sur la liste rouge des espèces menacées de Mongolie, comme l'argali, le léopard des neiges ou l'ibex de Sibérie. On peut également y rencontrer 240 oiseaux différents. Aujourd'hui, la principale menace pesant sur cet écosystème fragile serait l'exploitation du sous-sol du gobi prodigue en houille, tungstène, cuivre, fer, or, fluorite, molybdène, anthracite et pierres semi-précieuses.

2 mai

 Vol d'ibis rouges près de Pedernales, delta Amacuro, Venezuela (9°57' N – 62°21' O).
Depuis la région des Llanos jusqu'au delta Amacuro, qui constitue l'embouchure du fleuve Orénoque, plus d'un tiers de la superficie du Venezuela est formé de zones humides, habitat favori des ibis rouges (*Eudocimus ruber*). Ces échassiers nichent en colonies importantes dans les palétuviers des mangroves et ne se déplacent que de quelques kilomètres pour se nourrir. Le carotène issu des crevettes, crabes et autres crustacés qu'ils consomment contribue à donner à l'espèce sa pigmentation caractéristique. Les plumes d'ibis rouges, naguère utilisées par les populations autochtones pour confectionner des manteaux et des parures, entrent désormais dans la fabrication artisanale de fleurs artificielles. Convoité tant pour ses plumes que pour sa chair, cet oiseau est aujourd'hui menacé ; il resterait actuellement moins de 200 000 représentants de l'espèce dans l'ensemble de son aire de répartition, en Amérique centrale et en Amérique du Sud.

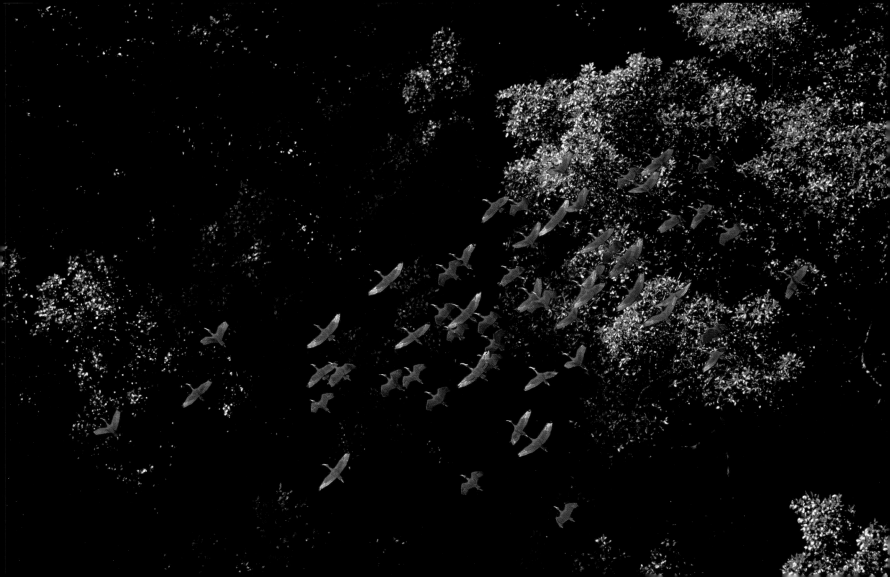

3 mai

Chaîne de volcans de Lakagigar, Islande (64°04' N – 18°15' O).

La région de Lakagigar, au sud de l'Islande, porte encore les stigmates d'une des plus violentes éruptions volcaniques des temps historiques. En 1783, deux fissures éruptives d'une longueur totale de 25 km s'ouvrirent de part et d'autre du volcan Laki, vomissant 15 km³ de roches en fusion qui recouvrirent 580 km² du territoire, la plus importante coulée de lave de mémoire d'homme. Un nuage de gaz carbonique, d'anhydride sulfureux et de cendres s'étendit sur l'ensemble de l'île et contamina pâturages et eaux de surface. Les trois quarts du bétail furent anéantis et, au terme d'une nouvelle éruption, en 1785, une terrible famine décima un quart de la population (plus de 10 000 personnes). Couronnées par 115 cratères volcaniques, les fissures du Lakagigar sont aujourd'hui refermées et les coulées de lave recouvertes d'un épais tapis de mousse. Avec plus de 200 volcans actifs, l'Islande a produit à elle seule, au cours des cinq derniers siècles, le tiers des émanations de lave du monde.

4 mai

 Buffles d'eau dans la province de Siem Reap, Cambodge (13°22' N – 103°51' E).
Dans la plaine centrale cambodgienne, grenier à riz du pays, des myriades de mares offrent l'hospitalité aux troupeaux de buffles d'eau. Surtout utilisé comme bête de somme pour les travaux agraires, l'animal constitue néanmoins une source importante de protéines dans le plus pauvre pays d'Asie du Sud-Est. La consommation de viande reste cependant peu fréquente au sein d'une population dont les trois quarts de la ration calorique quotidienne sont fournis par le riz. Très préoccupante, la sous-alimentation provoque des troubles de la croissance chez la moitié des enfants de moins de cinq ans, tandis qu'une femme sur trois souffre de malnutrition. Particulièrement aiguë au Cambodge, la carence en vitamine A est une des premières causes de la cécité qui affecte chaque année 500 000 enfants dans le monde.

5 mai

 Palacio da Pena dans la Serra de Sintra, Portugal (38°47' N – 9°22' O).

Chatoyant, fantasque, prétentieux, le palais de Pena vient dérider l'austère granit de la Serra de Sintra, au nord de Lisbonne. Au cœur du parc exotique de Pena, les couronnes de mâchicoulis évoquent le décor en papier mâché d'un parc d'attractions. Mais cet incroyable mélange d'architectures gothique, Renaissance, mauresque et manuéline fut l'œuvre du désir de Ferdinand de Saxe-Cobourg et Gotha, mari de la reine Maria II, au XIXe siècle. La construction en fut confiée au baron von Eschwege, architecte allemand, et s'acheva en 1885, année de la mort de Ferdinand. D'autres prestigieuses résidences bâties sur ce modèle font de la Serra de Sintra un haut lieu de l'architecture romantique européenne dont les parcs et jardins ont fortement influencé l'aménagement des paysages. En 1995, cette valeur culturelle a valu à l'ensemble du site son inscription sur la Liste du patrimoine mondial de l'Unesco.

6 mai

Agriculture près de la ville de Hammamet, gouvernorat de Nabeul, Tunisie (36°24' N – 10°37' E).

Le nord-est de la Tunisie possède une longue tradition en matière d'irrigation et de culture selon les courbes de niveau. Ce pays consacre 30 à 40 % des investissements agricoles à la mise en place d'une importante infrastructure de mobilisation, de transfert et de distribution des eaux. En trente ans, la surface irriguée a ainsi quadruplé (aujourd'hui 380 000 hectares) ; une tendance calquée sur le boom démographique d'une population qui a doublé en vingt-cinq ans. Si l'agriculture mobilise actuellement 82 % des ressources en eau du pays, l'épuisement des nappes superficielles oblige à chercher l'« or bleu » toujours plus profondément. Cette intensification du pompage des eaux souterraines menace les terres car il génère, surtout près des côtes, l'intrusion d'eau marine dans les aquifères souterrains. Confrontée au stress hydrique et à la dégradation des sols, la Tunisie a élaboré une stratégie nationale de la conservation des eaux et du sol (1991-2000). Sur la planète, les terres rendues stériles par la salinisation représentent 20 % des terres irriguées et, chaque année, 1,5 million d'hectares sont touchés par ce phénomène.

7 mai

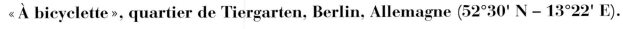 **« À bicyclette », quartier de Tiergarten, Berlin, Allemagne (52°30' N – 13°22' E).**
Dès les beaux jours, les Berlinois sont chaque année plus nombreux à chevaucher leur bicyclette, empruntant le large parc cyclable de la capitale. La petite reine semble bien la promise du transport urbain du XXIᵉ siècle face à une voiture en perte de vitesse dans les grandes villes anciennes. La circulation y devient si dense qu'une voiture à Londres ou à Paris aujourd'hui n'est pas plus rapide qu'une calèche il y a un siècle et la seule pollution atmosphérique engendrée par les transports serait responsable de 3 millions de morts par an dans le monde. Économe, silencieux et non polluant, le cycliste occupe six fois moins d'espace sur la chaussée que son voisin automobiliste, et son vélo, une fois garé, vingt fois moins qu'une place de stationnement. Le vélo a le vent en poupe : aux Pays-Bas, 30 % des déplacements urbains se font à bicyclette, et même dans les montagnes suisses déjà 10 % de la population vit la ville à vélo.

8 mai

Champs de tulipes à proximité de Lisse, région d'Amsterdam, Pays-Bas (52°15' N – 4°37' E).

Chaque année, au printemps (avril-mai), le territoire hollandais revêt fugitivement sa livrée multicolore. Depuis la première floraison en 1594 – celle de bulbes rapportés de l'Empire ottoman par l'ambassadeur d'Autriche –, quatre siècles de sélection ont permis d'obtenir plus de 800 variétés de tulipes. Dans la région de Lisse, on les cultive pour en vendre les oignons. Sur plus de 20 000 hectares, dont la moitié de tulipes et 1/4 de lis, les Pays-Bas assurent 65 % de la production mondiale de bulbes à fleurs (soit quelque 10 milliards de bulbes) et 59 % des exportations de fleurs coupées. L'agriculture néerlandaise, qui occupe 5 % de la population active, est l'une des plus intensives du monde, et permet au pays de se placer au troisième rang mondial des exportateurs de produits agricoles (derrière les États-Unis et la France). Mais ce brillant résultat s'obtient au prix d'une dégradation de la qualité des eaux, qui incite la Hollande à se tourner vers l'utilisation de prédateurs naturels pour protéger ses cultures des maladies et insectes nuisibles, notamment dans le secteur horticole, gros consommateur de produits chimiques.

9 mai

Élevage de vaches près de Fukuyama (à l'est de Hiroshima), Honshu, Japon (34°31' N – 133°20' E).

Jusqu'à la Seconde Guerre mondiale, la plupart des fermiers japonais n'élevaient que deux ou trois vaches et se consacraient plutôt à la culture végétale. En cinquante ans, le lait est devenu la deuxième production agricole du pays après le riz. Disposant de peu de surface, exploitant plutôt les vallées et les abords des villes, les fermiers japonais ont concentré et intensifié leur production pour faire face à la demande croissante des consommateurs. Entre 1975 et 1990, l'effectif des vaches a ainsi augmenté de 160 %, alors que le nombre de fermes, de plus en plus spécialisées, ne cessait de décliner. La productivité moyenne de la vache japonaise atteint aujourd'hui 7 000 litres de lait par an quand son homologue française n'en produit « que » 5 450 litres. Cette tendance, générale dans les pays à haut revenu, n'est pas sans dommages pour l'économie rurale, la diversité des produits alimentaires et l'environnement. Les fermes moyennes sont en voie de disparition, l'élevage se sépare des productions végétales, rompant le cycle naturel de restitution au sol des matières organiques que l'animal a prélevées en se nourrissant.

10 mai

Cap Péron à Shark Bay (baie du Requin), Australie (25°50' S – 113°51' E).
À l'extrémité ouest du continent australien, la vaste baie du Requin présente une diversité biologique exceptionnelle qui lui vaut d'avoir été inscrite sur la Liste du patrimoine mondial de l'Unesco dès 1991. L'étendue et la richesse de ses herbiers marins nourrissent une importante population de dugongs, surnommés « sirènes des mers », peut-être parce que chez ces mammifères les femelles allaitent leur petit en le tenant contre elles. Sur les plages, d'étonnantes colonies bactériennes de stromatolites proposent à l'observateur un voyage dans le temps à... -3,5 milliards d'années. À Shark Bay s'épanouissent en effet les premières formes de vie apparues sur Terre, que l'on ne connaissait ailleurs que sous forme fossile. On estime que les espèces actuelles ne représentent que 5 % du nombre total ayant vécu sur Terre. L'extinction est donc un phénomène naturel. Mais aujourd'hui nous vivons l'une des périodes d'extinction les plus massives de l'histoire de la planète. Le dauphin tursiops, qui croise encore dans les eaux de la baie, en fait les frais, comme 24 % des mammifères actuels.

11 mai

Paysage de glace, territoire Nunavut, Canada (75°57' N – 92°28' O).

Occupé par plus de 20 000 Inuits, qui représentent 85 % de la population locale, le Nunavut, dont le nom signifie « notre terre » dans la langue des Inuits, l'inuktitut, a accédé au statut de territoire en avril 1999. Cet ensemble d'archipels, d'eau et de glace s'étend à 200 km du cercle polaire sur 2 000 000 de km^2 (1/5 du Canada). En hiver, alors que la température peut atteindre - 37 °C, la banquise permanente du centre de l'Arctique et la banquise côtière formée par le gel des eaux des estuaires et des baies se rejoignent, offrant un paysage continu de glace praticable par les attelages de chiens et les motoneiges. La banquise se disloque en été, créant des plates-formes dérivantes appelées *pack* et permettant la réouverture des routes de migration des baleines et autres mammifères marins, ainsi que l'arrivée des cargos de ravitaillement. Cette débâcle estivale, précoce depuis quelques années, a rendu les brise-glace superflus lors de l'été 2000 pour les navires empruntant le passage du Nord-Ouest, totalement libre de glaces. Cette route maritime permet de relier l'Asie à l'Europe en franchissant les îles du Nunavut plutôt que le canal de Panamá.

12 mai

 Village peul près de Tombouctou, Mali (16°46' N – 3°00' O).

Ces alvéoles brunes entourées de haies vives servent à la fois de parcelles cultivables et d'enclos d'élevage. C'est justement la présence des animaux qui explique le contraste entre ces terres foncées et l'aridité environnante. En effet, les bestiaux fertilisent les sols par leurs déjections (la fumure), qui sont étalées sur la parcelle au moment des jachères. De plus, cet engrais naturel limite l'acidification et structure les sols. Ce système agricole est utilisé depuis peu de temps par les Peuls, comme ici au Mali. Nomades à l'origine, ces pasteurs se sont sédentarisés à la suite des sécheresses de 1973-1975 et de 1983-1985. Les Peuls, qui représentent 14 % de la population malienne, étaient, avec les Maures, les grands éleveurs nomades du pays. De nos jours, le mode de vie de ces ethnies est d'autant plus enclin à disparaître que le gouvernement encourage la sédentarisation du cheptel afin d'augmenter la production. Pourtant, par son exploitation moins intensive des sols, le nomadisme pastoral demeure, à long terme, la seule valorisation viable des espaces arides sahélo-sahariens.

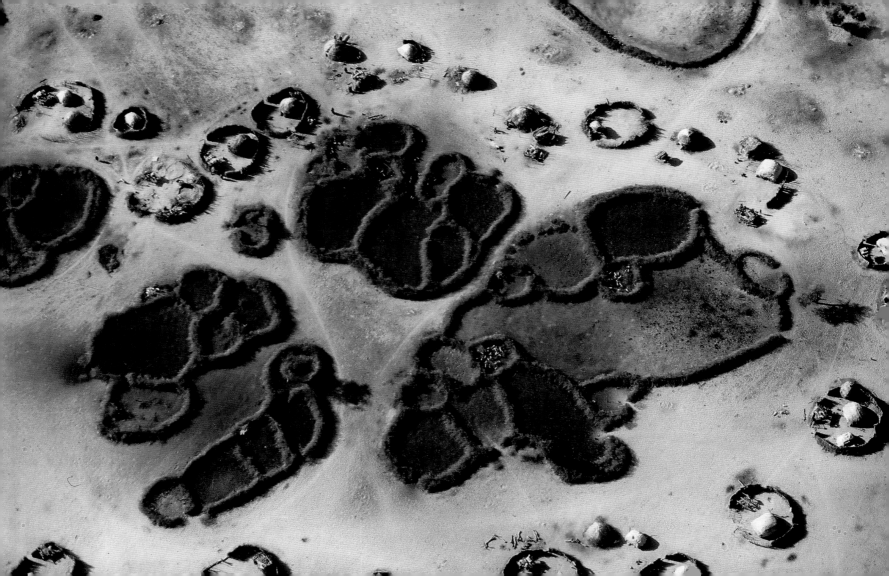

13 mai

 Arbres au milieu des eaux près de Taponas, Rhône, France (46°07' N – 4°45' O).
À Taponas, dans le Rhône, entre les monts du Beaujolais et les centaines d'étangs qui parsèment les marais de la Dombes, la Saône a généreusement débordé du 20 au 23 mars 2001. Le fleuve a temporairement repris ses aises dans son lit majeur, un phénomène récurrent et naturel dans cette zone basse, en aval du confluent de la Saône et du Doubs. Provoquée par des précipitations diluviennes (trois fois les normales saisonnières à Besançon, en bordure du Doubs) qui se sont abattues sur des sols déjà gorgés d'eau et des nappes phréatiques saturées par de récentes pluies, la vague de crues qui a submergé plusieurs régions de l'est et du centre de la France au printemps 2001 n'est pourtant pas imputable aux seuls caprices climatiques. Constructions en zones inondables, obstacles mis à l'écoulement des eaux (infrastructures de transport, imperméabilisation urbaine), mauvais entretien des cours d'eau et déboisements représentent la part de responsabilité de l'homme.

14 mai

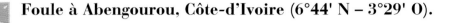

Foule à Abengourou, Côte-d'Ivoire (6°44' N – 3°29' O).

L'Afrique compte 800 millions d'habitants, soit 13 % de l'humanité. Cette foule bigarrée, qui manifeste son enthousiasme en saluant le photographe, a été immortalisée à Abengourou, dans l'est de la Côte-d'Ivoire. Principalement constituée d'enfants et d'adolescents, elle nous rappelle que ce pays est jeune puisque, comme pour l'ensemble du continent africain, 40 % de la population sont âgés de moins de quinze ans. Le pays présente en outre un taux total de fécondité de 5,1 représentatif de la moyenne du continent (la moyenne mondiale étant de 2,8). La modernisation et l'évolution des préoccupations culturelles et socio-économiques entraînent une baisse progressive de la fécondité, mais il faudra encore plusieurs décennies avant que la population ne soit stabilisée en Afrique. Par ailleurs, les ravages de l'épidémie de sida qui sévit actuellement dans la zone subsaharienne (où vivent 70 % des 36,1 millions de personnes infectées dans le monde) auront des répercussions sensibles sur la démographie de la région : chaque jour, sur le continent africain, le virus du sida emporte la vie de 6 000 personnes et en contamine 11 000.

15 mai

Monument du Cristo Rei dominant le Tage, Lisbonne, Portugal (38°43' N – 9°08' O).

Inspirée du Christ Rédempteur qui veille sur Rio de Janeiro, cette statue du Christ-Roi se dresse depuis 1959 sur l'estuaire du Tage en face de Lisbonne. Il a fallu une dizaine d'années à Francisco Franco pour réaliser ce Christ monumental de 28 m de haut. Hissé à 82 m du sol, il témoigne de la ferveur catholique des peuples ibériques et de l'Amérique latine où plus de 85 % de la population se réclame du catholicisme. C'est dans le sillage d'Henri le Navigateur (1394-1460) que les marins portugais, pionniers sur toutes les mers du globe, ont permis l'expansion de l'Empire portugais puis, à partir du XVIe siècle, de sa foi chrétienne. Évangélisation et colonisation ont entretenu des relations ambivalentes. La mémoire des conversions forcées occulte souvent le fait que des gens d'Église se sont élevés contre la misère des peuples, comme le dominicain Bartolomeo de Las Casas (1474-1566), qui dénonça le premier l'oppression des Amérindiens, ou, au XXe siècle, le Salvadorien Oscar Romero y Galdames, assassiné en 1980 pour ses prises de position, et, récemment encore, Desmond Tutu, figure de la lutte contre l'Apartheid.

16 mai

 La « Love Parade » dans le parc Tiergarten, Berlin, Allemagne (52°31' N – 13°25' E). En 1989, un « disc jockey » berlinois réunissait 150 amateurs de musiques électroniques. Treize ans plus tard, la « Love Parade », un néo-carnaval rassemblant un million de jeunes, en est la descendance. Deux cortèges partent de l'Ernst Reuter Platz et de la porte de Brandebourg, inondant l'avenue du 17 Juin d'une foule dansant au rythme de la « techno » ; ils se rejoignent au pied de la colonne de la Victoire, au centre du parc Tiergarten. Ces rassemblements connaissent un succès grandissant : à Paris, à Zurich, à Genève ou à Newcastle, la « Love Parade » berlinoise a déjà fait des émules. Elle était même attendue dans les rues de Moscou en 2001, si la mairie ne s'y était opposée. Pour certains, ce refus résulterait d'une confusion avec la « Lesbian & Gay Pride », créée en 1997 par un mouvement homosexuel revendiquant le droit à la différence. Dans de nombreux pays, l'homosexualité reste source de scandale, de discriminations et parfois de violences.

17 mai

 Cours d'eau autour du lac Soda en Californie, États-Unis (35°09' N – 116°04' O). Les lits asséchés des cours d'eau inscrivent une arborescence de lumière sur l'aride plaine Carrizo. Parcourus par des hardes de cerfs et d'antilopes, survolés par le rare condor de Californie, les 250 000 hectares de la plaine Carrizo – déclarés Monument national le 17 janvier 2001 – constituent l'ultime vestige d'un écosystème qui recouvrait jadis toute la partie centrale de l'État californien. Seules 4 % des prairies originelles subsistent et continuent d'offrir le spectacle d'une richesse floristique hors du commun : la Californie héberge 4 426 espèces de plantes (dont 2 000 espèces endémiques), soit plus que toute la partie nord-est de l'Amérique du Nord. Cette réduction sévère des habitats naturels s'explique par l'incroyable développement économique urbain et industriel de cette région, symbole du « rêve américain ». La seule économie californienne se classe parmi les sept plus performantes au monde, et son agriculture fournit la moitié des produits agricoles consommés chaque année aux États-Unis.

18 mai

Rejets de mine d'or sur le littoral de l'île de Mindanao, Philippines (6°52' N – 126°03' E).

L'exploitation des gisements aurifères de l'île de Mindanao, au sud des Philippines, constitue un apport économique substantiel pour le pays qui, ces dernières années, a produit en moyenne 8 tonnes d'or par an. Cependant, les déchets et sédiments issus des opérations de lavage et de triage du métal précieux sont quotidiennement déversés dans les rivières et dans la mer. Ces rejets, appelés *haldes*, opacifient les eaux et mettent en péril la faune et la flore marines, tant sur le littoral que plus au large, en particulier les polypes coralliens dont la survie dépend en grande partie de la lumière. Par ailleurs, des produits chimiques, comme le mercure et l'acide chlorhydrique employés pour le nettoyage et le raffinage des particules d'or, sont également rejetés dans les eaux, amplifiant par leur toxicité les effets de cette pollution marine. Les dégâts dus aux activités minières ont aussi frappé, en janvier 2000, la rivière hongroise Tisza contaminée par du cyanure (utilisé dans le processus d'extraction) échappé d'une mine d'or roumaine.

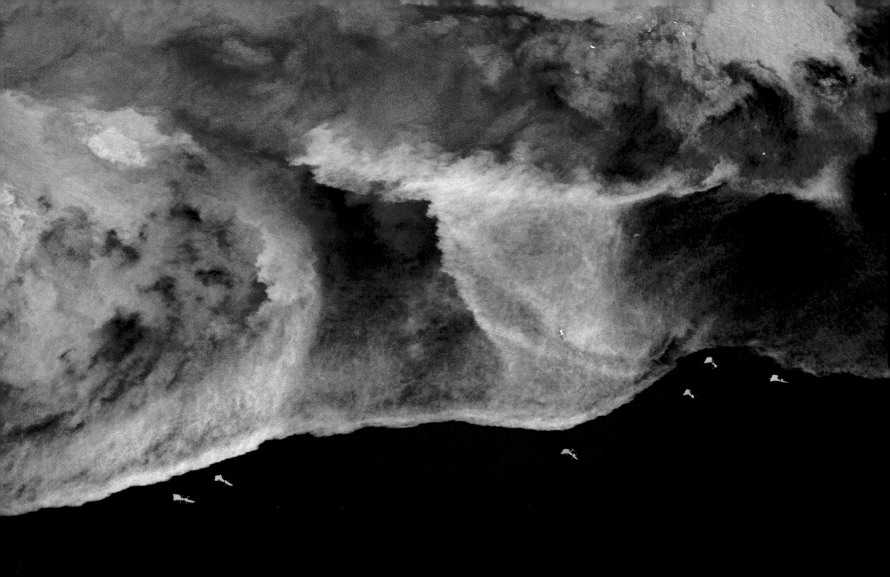

19 mai

Empilement de bois devant une usine de pâte à papier près de Mörrum, province du Blekinge, Suède (56°11' N – 14°45' E).

Malgré les efforts menés depuis trente ans par les neuf pays riverains de la mer Baltique pour réduire sa pollution, l'état de ce bassin presque clos, qui communique faiblement avec la mer du Nord par les détroits danois, reste préoccupant. Des substances chimiques variées s'y accumulent, déversées avec les eaux usées, les pollutions atmosphériques et les effluents agricoles et industriels. Aujourd'hui réglementés, les rejets des nombreuses usines de pâte à papier comme celle-ci, dans le Blekinge, au sud de la Suède, ont longtemps contaminé le milieu. L'utilisation mondiale de papier a triplé depuis 1960 et atteint 317 millions de tonnes. L'Amérique du Nord, l'Europe occidentale et le Japon (soit 20 % de la population mondiale) en absorbent 70 %. Si la Chine entière, qui consomme 35 kg de papier par personne et par an, se hissait au rang des États-Unis (338 kg), l'actuelle production mondiale ne parviendrait pas à couvrir ses seuls besoins. Et si le taux moyen de recyclage du papier (43 %) atteignait partout celui de l'Allemagne (72 %), un tiers du bois aujourd'hui nécessaire pour satisfaire les besoins mondiaux serait épargné.

20 mai

 Déforestation en Amazonie, Mato Grosso do Norte, Brésil (12°38' S – 60°12' O).

Chaque année, près de 2 millions d'hectares de forêt amazonienne sont déboisés. Or cette déforestation, qui va s'accélérant, bénéficie peu aux populations locales. Elle sert surtout à dégager des surfaces agricoles pour cultiver à bas prix des céréales destinées à nourrir les animaux d'élevage des pays riches (du soja notamment). Ces cultures d'exportation sont génératrices de devises étrangères et, pour permettre leur expansion, les grands exploitants n'hésitent pas à défricher des parcelles de forêt quand ils n'obligent pas les petits agriculteurs à se replier sur les zones boisées en les chassant des terres qu'ils occupent. L'expansion des terres agricoles, l'industrie du bois et la construction de routes détruisent ainsi près de 15,2 millions d'hectares de forêts tropicales naturelles par an, soit les surfaces additionnées des Pays-Bas, de la Belgique, de la Suisse et du Danemark, ou encore celle de la Floride.

21 mai

Véhicules contaminés à Rassorva, région de Tchernobyl, Ukraine (51°20' N – 30°10' E).

L'explosion, en avril 1986, d'un des réacteurs de la centrale de Tchernobyl, en Ukraine, a engendré la plus grande catastrophe nucléaire civile de tous les temps. Un nuage radioactif s'est échappé du réacteur détruit et a contaminé l'Ukraine, la Biélorussie et la Russie voisine, pour se propager ensuite, poussé par les vents, sur toute l'Europe. Les 120 localités environnantes ont été évacuées, bien que tardivement. Aujourd'hui, le nombre exact des victimes reste incertain, mais on estime que plusieurs millions de personnes souffrent de maladies liées à l'irradiation (cancers, déficiences immunitaires…). En décembre 2000, le dernier réacteur de la centrale, demeuré en activité pour produire 9 % de l'électricité du pays, a définitivement été arrêté, en échange d'une aide occidentale de 2,3 milliards de dollars qui doit permettre la construction de deux autres centrales. L'industrie nucléaire n'a toujours pas résolu le problème du devenir des déchets hautement radioactifs à vie longue, générés par 433 réacteurs dans 32 pays, et qui ne cessent de s'accumuler dans les centres de stockage.

22 mai

Parc national de Banff en Alberta, Canada (51°38' N – 116°22' O).

Avec ses 6 641 km² de paysages grandioses, Banff est le joyau des Rocheuses canadiennes. Déclaré tel dès 1885, le premier des parcs nationaux canadiens déroule ses immenses forêts de conifères, parsemées de lacs et de sources hydrothermales, au pied de montagnes colossales. La richesse faunistique a contribué à l'inscription de ce site sur la Liste du patrimoine mondial de l'Unesco en 1984. Victime d'un tel prestige, l'endroit voit déferler les touristes : en 2000, 4,7 millions de visiteurs ont écumé les routes du parc. Les animaux paient un lourd tribut à ce « tourisme vert ». Quatre-vingt-dix pour cent des morts de grizzlis sont constatées autour des infra-structures humaines : les ours sont victimes, entre autres de rencontres avec un promeneur armé ou une voiture imprudente. Le 19 février 2001, ce paradoxe a motivé le vote d'une loi défendant le « principe d'intégrité écologique » des parcs du Canada. Son application doit être à même de réduire l'incidence du développement commercial et récréatif dans ces zones protégées. Un sacrifice impératif pour pérenniser la valeur des 224 466 km² qu'occupent les quarante-deux parcs nationaux canadiens.

23 mai

Usine de production d'énergie à Hvidovre sur la mer Baltique, Danemark (55°39' N – 12°29' E).

Implantée depuis deux ans au sud-est de Copenhague, sur les rives de la mer Baltique, cette usine produit de l'énergie à partir de sources renouvelables, comme la force éolienne, mais aussi de combustibles fossiles, comme le pétrole et le charbon. Plus polluante, leur utilisation s'accompagne ici de nouveaux procédés qui, selon le constructeur, réduisent jusqu'à 80 % les émissions toxiques issues de leur combustion. Les centrales thermiques et l'automobile sont les principaux responsables de la pollution atmosphérique par l'homme. Les enfants, les personnes âgées ou déjà fragilisées y sont les plus sensibles. Selon l'Organisation mondiale de la santé (OMS), près de 3 millions de personnes meurent chaque année dans le monde des conséquences de la pollution atmosphérique. En Europe, la moitié de cette mortalité serait liée aux émissions produites par les véhicules. De nombreux pays, notamment en Amérique du Sud, limitent déjà l'utilisation de la voiture dans les grandes villes.

24 mai

Pêcheur près de la lagune de Tungkang, Taïwan (22°26' N – 120°27' E).

Sur la côte ouest de Taïwan, ce pêcheur a choisi un brise-lames en guise de promontoire avancé sur la mer. La ville de Tungkang, toute proche, est le deuxième port de pêche de l'île, très tournée vers les produits de la mer. Taïwan s'illustre particulièrement par ses prises de requins qui, avec près de 50 000 tonnes chaque année, sont les cinquièmes plus importantes au monde. Les eaux qui la séparent de la Chine abritent la plus grande diversité de requins du globe. Avec un marché asiatique de plus en plus friand de leur chair, les captures mondiales sont passées de 272 000 tonnes en 1950 à un record de 760 000 tonnes en 1996. Les biologistes s'alarment de la raréfaction de ces prédateurs marins : sur les cent espèces les plus prélevées par l'homme, vingt seraient déjà en danger d'extinction. La pêche illégale serait la principale menace pesant sur les sélaciens et, plus généralement, sur l'ensemble des ressources halieutiques. Début 2001, un plan d'action international a ainsi été adopté par le comité des pêches de la FAO en vue d'éliminer ce trafic.

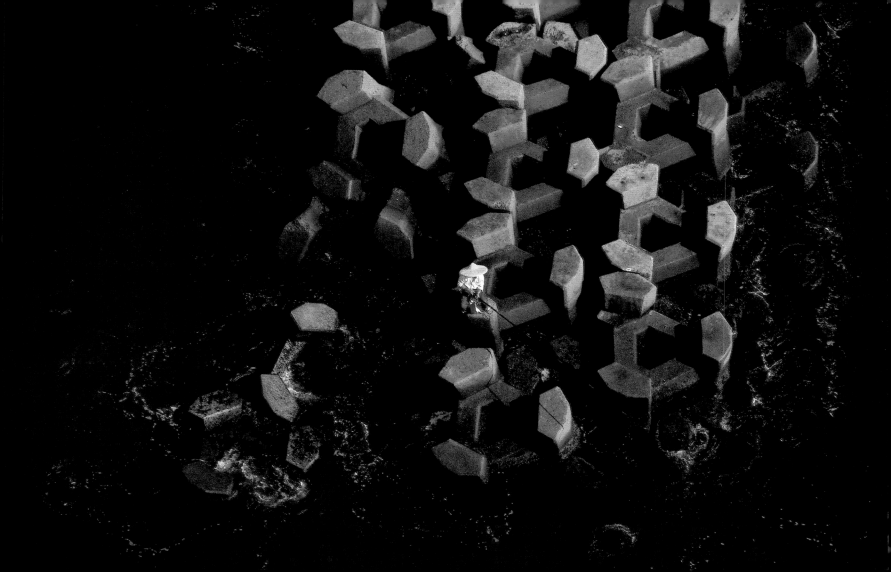

25 mai

Escadrille de pélicans en Louisiane, États-Unis (29°50' N – 90°13' O).

Un, deux, trois… Plusieurs dizaines de pélicans se serrent en bande compacte sur un lac du delta du Mississippi, au sud de La Nouvelle-Orléans. Ce grand oiseau, dont l'envergure atteint près de 3 m, est l'emblème de la Louisiane. Il figure depuis 1912 sur le drapeau officiel de l'État. Après avoir connu une contraction de son aire de répartition jusque dans les années 1970, le pélican nord-américain a pu reconstituer ses effectifs. De nos jours, les 100 000 couples répartis sur le continent mettent l'espèce hors d'un danger immédiat d'extinction. Un autre oiseau, célébré quant à lui par la bannière étoilée des cinquante États américains, faillit également disparaître. L'aigle américain (ou pygargue à tête blanche) était abondant lorsqu'il devint le symbole national en 1782. Mais la chasse, l'utilisation de pesticides (fragilisant la coquille des œufs) et la dégradation des habitats ne laissèrent qu'une maigre réserve de 417 couples en 1963. Les campagnes de protection ont heureusement sauvé l'oiseau fétiche qui compte actuellement près de 6 000 couples.

26 mai

Après le passage du cyclone Mitch, comté d'Osceola dans le sud d'Orlando, États-Unis (28°25' N – 81°20' O).

Le 22 février 1998, une tornade de force 4 (vents de 300 à 400 km/h) a dévasté trois comtés du centre de la Floride pour terminer sa course dans le comté d'Osceola, emportant dans son tourbillon trente-huit vies humaines et plusieurs centaines d'habitations. Ce type de tornade violente est généralement lié au phénomène climatique El Niño qui, tous les cinq ans environ, provoque de fortes perturbations sur l'ensemble du globe. Les catastrophes naturelles majeures sont cependant plus fréquentes et dévastatrices qu'auparavant. Par ses pratiques, l'homme a significativement perturbé les milieux naturels, diminuant leur résistance et leur aptitude à atténuer les effets des événements climatiques extrêmes. En installant infrastructures et populations dans des zones exposées aux risques, il en aggrave en outre les conséquences. La décennie 1990 a connu quatre fois plus de catastrophes naturelles que la décennie 1950, et les pertes économiques provoquées par l'ensemble de ces catastrophes ont atteint 608 milliards de dollars, un bilan supérieur à celui des quatre décennies précédentes réunies.

27 mai

Embouchure du Mississippi, Louisiane, États-Unis (29°36' N – 89°49' O).
Échappé du lac Itasca, dans le Minnesota, au nord des États-Unis, le Mississippi traverse le cœur du pays sur 3 780 km (6 210 km avec le Missouri) pour atteindre la Louisiane, en bordure du golfe du Mexique, où il déploie la vaste patte d'oie de son estuaire. Le fleuve arrache d'énormes quantités de matériaux à l'immense bassin qu'il draine (3 222 000 km², soit 41 % du territoire américain). Ce chargement, qui lui a valu le sobriquet de *Old Muddy* (le Vieux Boueux), sédimente dans son delta, au sud de La Nouvelle-Orléans, formé d'une vaste plaine marécageuse de 400 km de large sur 200 km où se sont juxtaposées les zones successives de dépôt au fil des millénaires. Marais saumâtres et bayous (bras secondaires du Mississippi et anciens méandres abandonnés) composent ce paysage amphibie, hésitant entre terre et mer, royaume des alligators et d'une riche avifaune, où s'est aventuré ce bateau. Si, pour les géographes, le « delta du Mississippi » désigne l'endroit où le fleuve se jette dans la mer, il s'agit avant tout d'une région, qui s'étend entre Memphis et Vicksburg, au confluent avec la rivière Yazoo, et qui est le berceau du blues.

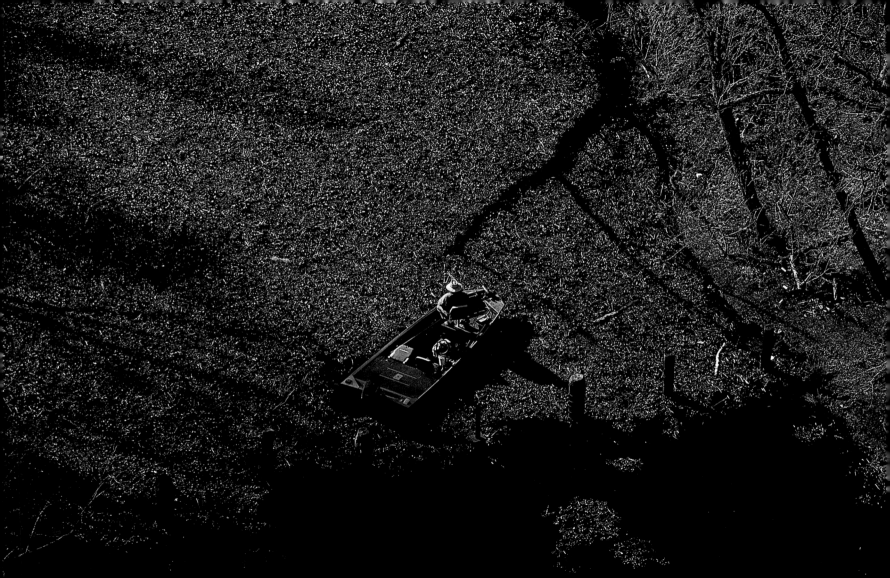

28 mai

Plage de Saint-Raphaël, Côte d'Azur, France (43°25' N – 6°46' E).

La plage bondée d'adeptes du bronzage et la côte bétonnée peuvent parfois faire oublier le riche environnement du rivage méditerranéen de la France, terre rouge et ocre du massif volcanique de l'Esterel appelée pour le bleu étincelant de sa mer et de son ciel «Côte d'Azur». Ainsi, le simple village de pêcheurs de Saint-Raphaël est devenu un lieu à la mode de renommée mondiale et une destination de vacances pour de nombreux Français et étrangers, choisi pour la large gamme d'activités qu'il propose et pour son climat ensoleillé. Sous l'Empire romain déjà, durant le règne de César, de riches Romains l'élurent lieu de villégiature – sous le nom d'Epulias («Les Banquets») – et y construisirent leurs magnifiques résidences. Au Moyen Âge, la ville tenta de se défendre contre l'invasion sarrasine et turque, début d'un règne de terreur auquel mit fin Guillaume de Provence. Saint-Raphaël retrouva sa renommée à partir du XIXe siècle grâce aux nombreux écrivains, artistes et musiciens qui y résidèrent. Charles Gounod y composa son *Roméo et Juliette* en 1865.

29 mai

Financial District, Manhattan, New York, États-Unis (40°45' N – 73°59' O).
Quatre mois après les attentats terroristes du 11 septembre 2001 qui ont anéanti le World Trade Center, un large vide, entièrement déblayé des restes des tours jumelles, s'ouvre au cœur du Lower Manhattan, point névralgique de New York, et les façades des immeubles les plus proches dissimulent sous de grandes bâches les stigmates de la catastrophe. Malgré les blessures, la ville n'aspire qu'à rebondir. Chicago et San Francisco furent toutes deux ravagées par le feu au cours de leur histoire, et New York elle-même connut deux terribles incendies, en 1776 puis en 1835. Chaque fois, les espaces disparus dans les flammes ont été reconstruits, tout comme le sera le Financial District de Manhattan. Peu après l'événement, s'est engagée une concertation réunissant architectes, urbanistes et historiens aux côtés des autorités municipales. En février 2003, était choisi le projet architectural de Daniel Libeskind. Laissant vide l'espace sur lequel s'élevait les tours jumelles et le circonscrivant d'immeubles aux lignes cassées, il rend hommage aux milliers d'Américains et de ressortissants d'autres nationalités qui ont péri sur place.

30 mai

 Village traditionnel au nord d'Antananarivo, Madagascar (18°49' S – 47°32' E). Madagascar est non seulement l'un des quinze pays les plus pauvres au monde, mais en 1998 ses dépenses publiques consacrées à la santé étaient les plus basses de toute l'Afrique (avec 15 dollars par habitant). Malgré cette carence, Madagascar est un des seuls pays de l'Afrique subsaharienne relativement épargné par l'épidémie de VIH. La maladie, entrée dans sa troisième décennie d'existence, prend des proportions alarmantes sur le continent noir. En 2002, plus de 39 millions de personnes y vivaient avec le VIH, soit 70 % du total mondial de la population atteinte, et 2 400 000 personnes en décédaient (8 000 pour l'Europe occidentale). Dans quatre pays d'Afrique australe, la fréquence du VIH chez l'adulte a atteint des niveaux effrayants : 38,8 % au Botswana, 31 % au Lesotho, 33,4 % au Swaziland et 33,7 % au Zimbabwe. Les pertes humaines sont telles que l'épidémie a maintenant des répercussions sur l'économie du continent et qu'elle entretient les crises alimentaires. L'ampleur du phénomène n'a pas encore atteint son paroxysme, et la communauté internationale – États, ONG, médias, institutions internationales – n'a toujours pas offert de riposte à la hauteur du désastre.

31 mai

Pirogue sur le fleuve Niger près de Tombouctou, Mali (16°39' N – 3°00' O).

À l'image de ce petit échantillon humain naviguant sur le fleuve Niger, le peuplement du Mali est très hétéroclite. Les Tamasheq (Touareg au Mali), reconnaissables ici à leurs tuniques d'un blanc immaculé, ne sont qu'un des onze groupes ethniques du pays. Cependant, leur place historique se singularise particulièrement. Les Touareg furent d'abord les premiers à lever l'étendard de la révolte contre l'administration coloniale française au début du XXᵉ siècle. En 1990, c'était au tour de l'État malien, plus précisément la dictature militaire du général Moussa Traoré, de faire l'expérience de la sédition touarègue. Réfugiés dans les montagnes sahariennes, les insurgés infligèrent de lourdes pertes à l'armée régulière, qui se vengea sur les civils. On estime ainsi que 10 000 civils furent tués entre 1990 et 1996 par les armées du Mali et du Niger voisin. Si en mars 2002 le Mali célébrait le sixième anniversaire de la réintégration des Tamasheq, il n'en reste pas moins que la seule « nation » touarègue reste l'immense désert du Sahara, morcelé par les découpages administratifs de onze pays.

L'EAU DOUCE

Bien que la planète sur laquelle nous vivons porte le nom de Terre, l'eau douce y est la ressource essentielle à l'homme par excellence, celle qui lui manque le plus lorsqu'elle fait défaut. Le cours des civilisations, la richesse des nations, la santé des êtres humains sont déterminés par la présence ou l'absence d'eau douce. L'homme parvient à survivre assez longtemps sans aliment solide, mais quelques jours à peine sans eau. L'histoire de l'humanité est liée à l'utilisation des ressources d'eau douce à sa disposition. Les premières communautés agricoles sont apparues aux endroits où la présence de cours d'eau et des précipitations suffisamment abondantes favorisaient les cultures. Des systèmes d'irrigation rudimentaires ont permis d'intensifier les cultures et les récoltes. L'expansion des villages et des villes a diminué les ressources locales en eau, entraînant le développement d'aménagements hydrauliques et de programmes d'assainissement. Les premières nations industrielles dépendaient de l'énergie hydraulique pour faire fonctionner les machines et accroître l'efficacité de la main-d'œuvre. D'énormes quantités d'eau sont contenues dans les océans, les calottes glaciaires, les nappes phréatiques, les cours d'eau, les lacs, les nuages, ainsi que dans les tissus vivants, circulant des uns aux autres sous forme de condensation, de précipitations ou d'eaux libres. Mais seule une faible proportion de la totalité de l'eau de la planète est douce – à peine 3 % des ressources globales –, et elle est en grande partie enfermée dans les glaciers et calottes glaciaires du Groenland et de l'Antarctique, ainsi que dans les nappes souterraines. Le reste des ressources en eau douce doit répondre aux besoins des écosystèmes et des hommes. La demande en eau s'accroît avec l'augmentation de la population mondiale, provoquant des tensions politiques, des difficultés économiques et des problèmes écologiques. Nous vivons aujourd'hui dans une société hydraulique. L'alimentation de six milliards d'individus dépend de gigantesques systèmes d'irrigation : les cultures irriguées – moins de 20 % des cultures mondiales – produisent 40 % de la nourriture. La population des villes ne pourrait survivre sans les installations complexes mises en place – réservoirs, aqueducs, stations d'épuration. Elle consomme d'énormes quantités d'électricité d'origine hydraulique, provenant de barrages construits sur les principaux cours d'eau. Grâce à l'amélioration des systèmes d'égouts, des maladies transmises par l'eau, comme le choléra ou la typhoïde, jadis endémiques, ont pu être éradiquées, du moins des nations les plus favorisées. Ces réalisations ont pourtant leur revers. Alors que de nombreuses religions considèrent l'eau comme un don de Dieu, nous la traitons tantôt comme une commodité inépuisable, tantôt comme une substance précieuse qui se transporte d'un endroit à un autre, qui s'exploite, engendrant même des conflits. Malgré les progrès accomplis pour combattre la pauvreté, malgré des avancées prodigieuses dans le domaine de l'électronique et de l'information dans les pays développés, pour la moitié de la population mondiale les ressources en eau sont inférieures à ce qu'elles étaient pour les Grecs et les Romains de l'Antiquité. Plus d'un milliard d'individus n'ont pas accès à l'eau potable ; près de 2,5 milliards ne disposent pas d'équipements sanitaires décents. Chaque jour, des maladies évitables, véhiculées par l'eau, tuent entre dix et vingt milliers d'enfants, les statistiques montrant que nous régressons actuellement dans notre capacité à résoudre ces problèmes. De graves épidémies de choléra touchent les populations pauvres d'Amérique latine, d'Afrique et d'Asie. Au Bangladesh et en Inde, des dizaines de millions d'individus consomment de l'eau contaminée par des taux élevés d'arsenic. Les politiques de gestion de l'eau ne mettent pas seulement en danger la santé de l'homme. Des villes entières ont dû être évacuées pour construire des barrages. Plus de 20 % des espèces de poissons d'eau douce sont aujourd'hui menacées en raison de l'intervention de l'homme sur les lacs et les cours d'eau. La mer d'Aral se vide au profit de la culture du coton. L'irrigation dégrade la qualité des sols et de l'eau. Les nappes phréatiques sont exploitées plus rapidement qu'elles se renouvellent dans certaines régions de l'Inde, de la Chine, des États-Unis, du golfe Persique, parmi d'autres.

De grands fleuves – notamment le fleuve Jaune en Chine, le Colorado aux États-Unis et au Mexique, le Jourdain au Proche-Orient, le Nil en Afrique du Nord – voient leur cours disparaître avant d'atteindre la mer parce que l'homme les a privés de leur eau. Des conflits relatifs au partage de l'eau éclatent tant au niveau local qu'international. Deux voies sont aujourd'hui possibles. Nous pouvons poursuivre dans la même direction, en continuant à construire de gigantesques infrastructures – barrages, aqueducs, réservoirs, usines centralisées de traitement des eaux. Au XXᵉ siècle, cette politique a apporté d'énormes bénéfices à des centaines de millions d'individus. Ils se sont néanmoins soldés par des dommages au niveau économique, social et écologique, dont nous commençons seulement à appréhender la gravité. Dans le même temps, des milliards d'êtres humains ont été laissés pour compte. L'autre voie tire profit des infrastructures appropriées, mais en les complétant par des installations décentralisées, des technologies et des politiques efficaces, dans le respect du capital humain et économique. Elle s'attache à améliorer la productivité globale de la gestion de l'eau plutôt que de trouver de nouveaux moyens d'approvisionnement. Nous pouvons en effet produire davantage de nourriture, d'acier ou d'ordinateurs en utilisant de moins en moins d'eau. Cette voie implique que les gouvernements, les communautés locales et les sociétés privées œuvrent de concert pour satisfaire les besoins liés à l'eau. Elle fait appel à l'engagement des instances locales, à l'efficacité des technologies nouvelles, à l'expérience et au savoir-faire des approches traditionnelles. La beauté et la puissance de l'eau ne peuvent nous laisser indifférents. Elle a été vénérée de tout temps, inspirant chansons et poèmes.

Mais il nous faut désormais saisir son importance en tant que ressource essentielle pour répondre aux besoins fondamentaux des hommes et des écosystèmes. En ce début de nouveau millénaire, il nous faut comprendre la nécessité de protéger ce liquide précieux, de manière à préserver notre santé et l'équilibre de notre environnement. L'eau doit désormais compter parmi nos préoccupations quotidiennes. Si l'accès à une eau de qualité ne garantit pas à lui seul la survie d'une civilisation, celle-ci n'est pas envisageable sans eau. C'est du moins la leçon que l'on peut tirer de l'histoire.

Dr Peter H. Gleick

Président du Pacific Institute, institut d'études en développement, environnement et sécurité
Expert pour les Nations unies sur les questions d'eau douce

1er juin

« Camion lave » dans une aciérie de San Felipe, Chili (32°45' N – 70°44' O).

Sitôt le minerai de fer fondu avec du coke, des camions transportent la fonte liquide vers un réservoir où elle est mélangée à de l'oxygène et de la chaux. L'acier brut ainsi obtenu est traité par la raffinerie de San Felipe dans la région de Santiago. Cette dernière concentre presque toutes les industries chiliennes. Elle en perd d'ailleurs la respiration car les polluants restent prisonniers des reliefs qui l'entourent, la cordillère des Andes à l'est et la chaîne côtière à l'ouest. Pour améliorer la qualité de l'air dans la capitale, les autorités y ont donc instauré, en 1990, un plan destiné à lutter contre les émissions de poussières et de gaz à effet de serre. Mais la multiplication des voitures et la croissance industrielle pourraient annuler les efforts déployés. Dans le monde, 3 millions de personnes meurent chaque année des effets de la pollution atmosphérique, concentrée dans les zones urbaines. Et la situation risque de s'aggraver car la Terre comptera 65 % de citadins en 2050 contre 47 % aujourd'hui et seulement 35 % il y a cinquante ans.

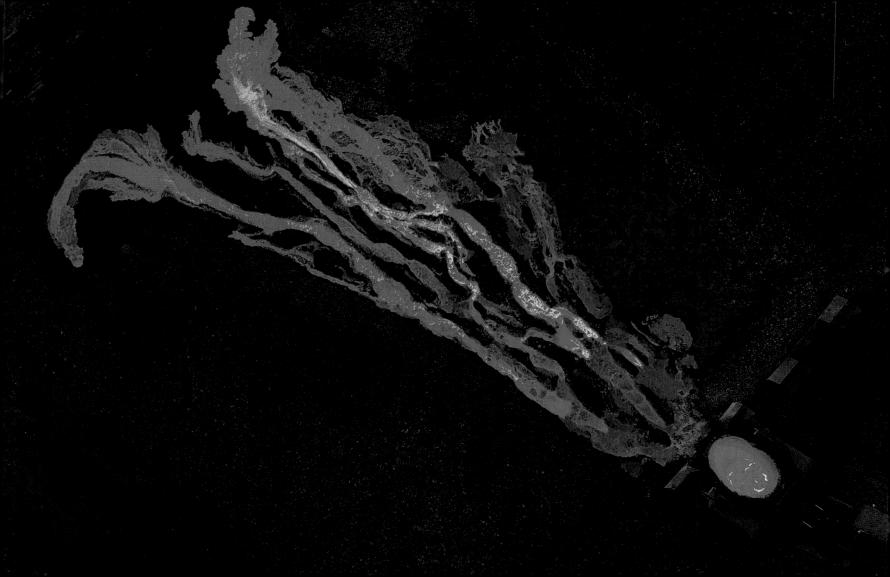

2 juin

Catamaran dans l'archipel de Glénan, côte sud du Finistère, France (47°44' N – 4°00' O).

Au sud de la pointe de la Bretagne, les cinq îles de Glénan et leur cortège d'îlots et de rochers se serrent sur un haut-fond de granit clair, de sable blanc et de maërl, baigné par l'Atlantique. Ce site à la beauté sauvage et aux fonds limpides attire de nombreux plaisanciers. Il héberge aussi la plus célèbre école de voile française, « les Glénans », créée en 1947, et son défilé estival de stagiaires. Mais l'hôte de marque reste le narcisse de Glénan, établi sur l'archipel et nulle part ailleurs au monde. Les corolles blanches de cette fleur ont pourtant failli céder le pas aux goélands, ronces et fougères surabondants. Créée en 1974 pour assurer la survie de l'espèce, la réserve naturelle de l'île de Saint-Nicolas a permis d'accroître le nombre de pieds fleuris de 6 500 en 1985 à 120 000 en 1998. La fragilité du milieu contraint en outre à minimiser l'impact de la présence humaine par diverses mesures : installation de toilettes écologiques, rapatriement des déchets sur le continent, récupération des eaux de pluie, respect des chemins, installation de panneaux solaires et d'une éolienne pour la production locale d'électricité non polluante.

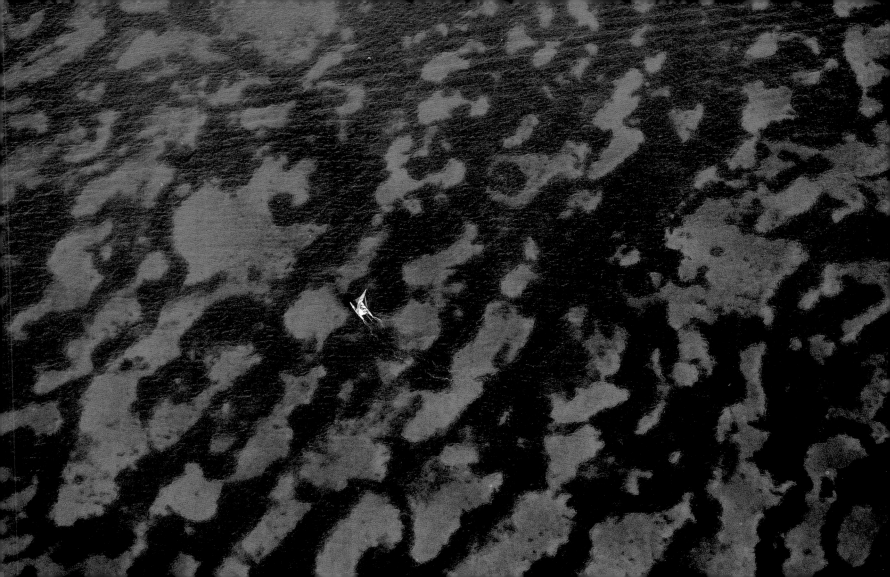

3 juin

Glacier de la vallée Blanche au pied de l'aiguille du Midi, massif du Mont-Blanc, Haute-Savoie, France (45°50' N – 6°53' E).

Dans le massif du Mont-Blanc, la vallée Blanche offre aux skieurs accompagnés d'un guide une inoubliable descente de 20 km. Chaque année, plus de 80 000 personnes se laissent tenter par cette glissade qui part de l'aiguille du Midi (accessible en téléphérique), à 3 842 m, emprunte la vallée Blanche et se prolonge par le glacier du Tacul et la mer de Glace. L'itinéraire dépend des conditions d'enneigement, qui permettent parfois d'atteindre Chamonix. Mais depuis plusieurs décennies la tendance est à la diminution du glacier. Le front de la mer de Glace, qui a reculé de 2 km depuis 1820 avec un réchauffement de 0,5 °C, pourrait se stabiliser à 1 800 m d'altitude en 2050, après avoir perdu encore 3 km de sa longueur actuelle. Les climatologues prévoient en effet entre 3 et 6 °C de hausse des températures au cours du siècle à venir. Le développement des énergies renouvelables et les économies d'énergie, ainsi qu'une utilisation moindre de la voiture individuelle, notamment en ville, pourraient seuls limiter les émissions de gaz à effet de serre provoquant le réchauffement global du climat.

4 juin

 Oasis de Kebili, Nefzaoua, Tunisie (33°42' N – 8°58' E).

Kebili est la principale oasis du Nefzaoua, dans le Sud tunisien. Cernée par les sables, cette zone fertile est irriguée comme toutes les oasis par un affleurement de la nappe phréatique qui donne naissance à de nombreuses sources. L'exploitation des eaux souterraines à l'aide de moto-pompes a transformé la steppe prédésertique en un espace agricole moderne, avec multiplication des périmètres irrigués. Les nappes de surface se sont vite taries. On a alors exploité par forage des nappes plus profondes qui à leur tour s'épuisent. Cette fuite en avant, ou plutôt en profondeur, va bientôt toucher à sa fin. On a oublié que cette eau est probablement non renouvelable. Ce n'est pas tant le désert qui progresse que la steppe qui se dégrade sous l'effet des activités humaines. Les aires délaissées sont en effet envahies par de petites dunes de sable poussées par le vent. Tel un phéno-mène de mitage, ces tas se rejoignent progressivement et fusionnent, amenant la désertification. Causes naturelles et causes humaines se joignent donc dans l'avancée du désert saharien car au sud, dans le Sahel, on trouve les mêmes causes et les mêmes effets. À l'échelle mondiale, sécheresse et désertification menacent plus d'un milliard de personnes dans plus de cent dix pays.

5 juin

 Îlot et fond marin, Exuma Cays, Bahamas (24°00' N – 76°10' O).

L'archipel des Bahamas, qui tire son nom de l'espagnol *baja mar* (hauts-fonds), s'étend en arc de cercle dans l'océan Atlantique sur près de 1 200 km (14 000 km² de terres émergées), de la Floride à Saint-Domingue. Il est constitué de plus de 700 îles (29 habitées en permanence) et de quelques milliers d'îlots rocheux coralliens, appelés *cayes*. C'est dans ces îles, plus précisément à Samana Cay, que Christophe Colomb accosta le 12 octobre 1492 lors de son premier voyage. Centre de piraterie important du XVIᵉ au XVIIᵉ siècle, les Bahamas devinrent possession anglaise en 1718 jusqu'à leur indépendance en 1973. Le pays est aujourd'hui un « paradis fiscal » dans lequel il n'existe aucun impôt sur le revenu. Il tire l'essentiel de ses ressources des activités bancaires (20 % du PNB), mais surtout du tourisme (60 % du PNB), qui emploie deux insulaires sur trois. En outre, plus d'un millier de navires, soit près de 3 % de la flotte de commerce internationale, sont enregistrés sous pavillon de complaisance bahaméen. Les Bahamas sont également devenues l'une des plaques tournantes pour le transit de cannabis et de cocaïne à destination des États-Unis.

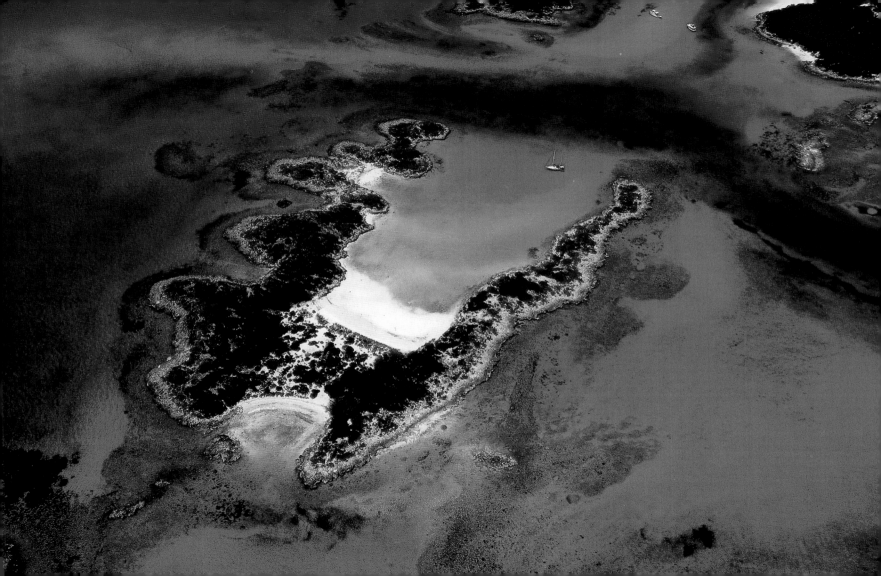

6 juin

Champs de la province de Misiones, Argentine (27°00' S – 55°00' O).

À la pointe nord de l'Argentine, bénéficiant d'un climat subtropical, la province de Misiones est le berceau du maté, l'incontournable boisson des Argentins. L'herbe à maté est originaire de cette région où les Indiens Guaranis la consommaient déjà en infusion avant l'arrivée des missions jésuites au XVIᵉ siècle. Aujourd'hui les plantations hébergeant les feuilles aux propriétés tonifiantes épousent les courbes de niveau. Cette physionomie du paysage agricole fut décrétée obligatoire en 1953 pour protéger les cultures de l'érosion provoquée par des pluies souvent torrentielles. Actuellement, le milieu rural est en première ligne dans la crise économique que traverse le pays, et 90 % des petits producteurs de maté sont touchés. On enregistre en revanche une augmentation massive des cultures d'OGM dont la surface a été multipliée par trente entre 1996 et 2001. Avec 22 % de la production transgénique mondiale, l'Argentine occupe la deuxième place, juste derrière les États-Unis.

7 juin

Bateau de liaison abordant l'île de Houtsala, archipel de Turku, Finlande (60°15' N – 21°50' E).

L'archipel de Turku éparpille ses 22 000 fragments de granit en une myriade d'îles séparant le golfe de Botnie de la mer Baltique, au sud-ouest de la Finlande. Dans cette réserve de la biosphère, la préservation du mode de vie traditionnel, fondé sur la pêche et l'agriculture, et l'adaptation des nouvelles activités commerciales (tourisme, plaisance et aquaculture) aux contraintes environnementales sont essentielles. En hiver, le gel de la mer Baltique contraint les navires de ravitaillement à s'adjoindre les services des brise-glace. Le transport par bateau produit quatre-vingts fois moins de gaz à effet de serre que le transport aérien ; ce dernier bat pourtant des records de croissance (6 % par an). La Finlande exploite les forêts de conifères et de bouleaux qui la recouvrent à 70 % et lui assurent plus du tiers de ses revenus d'exportation. Les résidus de l'industrie forestière et les déchets d'abattage servent de combustible, constituant une importante source d'énergie renouvelable qui a couvert 20 % de la consommation d'énergie et 10 % de celle d'électricité du pays en l'an 2000.

8 juin

Concession dans un village près de Nara, Mali (15°10' N – 7°17' O).

En Afrique, les villages traditionnels sont souvent constitués d'enclos privés, les concessions, dans lesquelles les familles et leurs animaux occupent différents types de cases. Les plus grandes abritent des couples ou une épouse accompagnée de ses jeunes enfants. Les autres servent de cuisine, d'étable ou encore de grenier. Construites en banco (brique d'argile mélangée à de la paille et à du sable) et couvertes de roseaux, de chaume ou de palmes séchées, les cases ne résistent pas longtemps aux intempéries. En moins d'une dizaine d'années, elles tombent en ruine et sont abandonnées. La famille bâtit alors une nouvelle concession après avoir consulté les notables locaux, notamment les « chefs de terre ». La propriété rurale étant traditionnellement collective, ces derniers gèrent l'attribution des parcelles.

9 juin

Paysage de Haute-Franconie, Bavière, Allemagne (50°12' N – 11°30' E).

Dans la partie septentrionale de la Bavière, la région industrielle de Haute-Franconie occupe au centre de l'Allemagne une position de choix. Son économie repose sur l'industrie du textile (aujourd'hui fortement concurrencée par la confection en provenance d'Europe de l'Est et d'Asie), de la porcelaine, de l'électronique, du plastique et de la mécanique. Forêts et cultures, qui livrent bataille pour l'occupation de l'espace, contribuent également à façonner ses paysages. La forêt recouvre plus du tiers du territoire européen, soit 123 millions d'hectares. Elle occupe 30 % des terres en Allemagne, tandis que seuls 9 % de l'Irlande sont boisés. Réduite au minimum aux XVIIIe et XIXe siècles, l'emprise forestière sur les terres agricoles a ré-augmenté au cours du XXe siècle. Des mesures incitatives ont permis de reboiser 0,5 million d'hectares dans l'Union européenne entre 1993 et 1997. Lorsque le choix des espèces et des lieux est pertinent et que le boisement est bien géré, il joue un rôle essentiel dans le contrôle de l'érosion, dans la régulation du régime hydrique et dans la lutte contre l'effet de serre.

10 juin

Marais salants, Oualidia, Maroc (32°44' N – 9°08' O).

Oualidia est une petite station balnéaire située à 175 km au sud-ouest de Casablanca. Les conditions topographiques, climatiques et géologiques y rendent possible l'exploitation de marais salants, qui demandent un sol plat et imperméable, un climat favorisant l'évaporation et une absence de précipitation pendant une assez longue période de l'année. Le sel étant aujourd'hui une substance bon marché, utilisée dans le monde entier, on s'en sert pour la prévention de certaines carences, en iode et en fluor notamment. La carence en iode touche 760 millions d'hommes et serait responsable de l'infirmité mentale de près de 50 millions d'entre eux. Aujourd'hui, 70 % du sel utilisé dans le monde est iodé, ce qui a permis depuis 1990 de réduire de plus de moitié le nombre de nouveau-nés souffrant de crétinisme. Des recherches sont en cours pour y ajouter du fer, mais le chemin est encore long dans la lutte contre les carences en oligo-éléments ou vitamines qui touchent deux milliards d'êtres humains dans le monde.

11 juin

Ramassage des galettes de fuel en provenance du *Prestige*, Biarritz, France (43°40' N – 1°35' E).

Trois mois après le naufrage du pétrolier libérien, la France avait déjà ramassé plus de 13 500 tonnes de déchets d'hydrocarbures sur son littoral. Pour les opérations de récupération en mer, épuisettes, dragues à coquillages modifiées et chaluts de surface sont les outils les plus efficaces. Les victimes de ces drames écologiques doivent se tourner vers le FIPOL, le Fonds international d'indemnisation pour les dommages dus à la pollution par hydrocarbures. Cette organisation intergouvernementale, financée par l'industrie pétrolière, intervient à hauteur de 180 millions d'euros par sinistre. C'est bien insuffisant au regard du coût total de ces catastrophes, qui se chiffre en milliards, et d'autant plus dérisoire si l'on considère les recettes engendrées par le pétrole : en 2001, l'État français a perçu 24 milliards d'euros de taxes pétrolières. Ce système, que certains considèrent comme un « droit de polluer », n'encourage pas l'amélioration de la flotte pétrolière puisque la contribution est la même quel que soit l'état des navires utilisés.

12 juin

Vieille ville de Jodhpur, Rajasthan, Inde (26°17' N – 73°02' E).
Aux portes de l'ancien royaume de Marwar, le «pays de la mort», Jodhpur défie de sa couleur bleutée le grand désert de Thar. Les brahmanes auraient peint les maisons en bleu pour rafraîchir les intérieurs. L'ancienne Jodhagarh a ainsi adopté la couleur de l'eau, ressource des plus précieuses dans cette région aride. Face au manque d'infrastructures pour l'approvisionnement en eau, et acculés par l'importance des coûts qu'il engendre, de nombreux pays comme l'Inde choisissent de privatiser en partie ce secteur. Pour l'instant, les entreprises privées n'assurent que 5 % du fonctionnement des réseaux mondiaux d'eau et le secteur génère déjà un marché de 200 milliards de dollars. Or la privatisation ne permet pas toujours la préservation des ressources ni l'accès à l'eau potable pour les plus pauvres. En Afrique du Sud, elle a provoqué en 2001 et 2002 la pire épidémie de choléra de l'histoire du pays. Les coupures d'eau pour non-paiement de factures se sont multipliées, conduisant les populations les plus défavorisées à puiser dans des rivières et des puits pollués.

13 juin

Début du désert du Namib, à l'ouest du Gamsberg, région de Windhoek, Namibie (22°35' S – 17° 02' E).

La route qui relie Windhoek, capitale de la Namibie, à la ville balnéaire côtière de Walvis Bay franchit le massif tabulaire du mont Gamsberg (2 334 m) au pied duquel s'étend, jusqu'à l'océan Atlantique, le désert du Namib. Formé il y a 100 millions d'années, ce désert est considéré comme le plus ancien du monde. Constitué en grande partie de plaines caillouteuses, il abrite également 34 000 km² de dunes de sable qui sont, avec 300 m de hauteur, parmi les plus élevées du monde. C'est aussi dans le Namib, et nulle part ailleurs, que vit l'une des espèces les plus mystérieuses du règne végétal, la *Welwitschia mirabilis*, dont certains spécimens auraient 1 500 ans ! Deux parcs nationaux, totalisant 66 400 km² (1/4 du Namib), celui du Namib-Naukluft, dont une partie existait dès 1907, et celui de la côte des Squelettes, depuis 1971, contribuent à préserver l'équilibre de cet écosystème aride. Le tourisme y est contrôlé et limité à une formule proche de la nature et peu perturbatrice.

14 juin

 Orage en mer entre Kalmar et l'île d'Öland, Suède (56°39' N – 16°25' E).

Cinquante mille orages se produisent chaque jour à la surface de notre planète. Ce phénomène météorologique est dû au mouvement ascendant rapide d'un air instable et humide : en s'élevant, l'air se refroidit, puis se condense lorsqu'il atteint un seuil maximal de vapeur d'eau. Il forme alors un énorme cumulo-nimbus dont la taille égale parfois 25 km de diamètre et 16 km de hauteur sous les basses latitudes. À l'intérieur du nuage, les mouvements de charges électriques engendrent des éclairs, accompagnés de tonnerre et de fortes pluies. Partout dans le monde, les orages causent d'importants dégâts aux cultures et aux constructions, perturbent les circulations aériennes et terrestres, troublent les systèmes de communication et sont responsables de la mort de centaines de personnes et de milliers d'animaux. Un réchauffement de la planète entraînerait l'augmentation de la quantité moyenne de vapeur d'eau dans l'atmosphère et du volume des précipitations, ainsi qu'une fréquence accrue d'épisodes météorologiques violents tels que des orages, des tornades ou des cyclones.

15 juin

Récolte d'ananas, Abidjan, Côte-d'Ivoire (5°19' N – 4°02' O).
Si la Côte-d'Ivoire est le premier exportateur d'ananas frais vers l'Union européenne, ce secteur est pourtant en crise. Les pays d'Amérique latine deviennent de sérieux concurrents et l'Union européenne augmente ses exigences tant en ce qui concerne la traçabilité que les taux de résidus chimiques. Plus problématique encore, les producteurs reprochent à l'Office de commercialisation ananas bananes de contribuer à la baisse continue du prix d'achat de leurs ananas, à tel point qu'en 2003 les prix de vente étaient inférieurs aux coûts de production. De plus, depuis le 19 septembre 2002, le conflit qui mine le pays amplifie la crise. D'abord à cause des routes bloquées, mais surtout parce que la question des terres cultivables est essentielle dans la genèse du conflit. En effet, depuis 2001, les Ivoiriens reprochent violemment aux immigrés, en majorité burkinabés et maliens, soit plus de 30 % de la population, de s'enrichir sur leurs terres. Dans la commune de Bonoua, les immigrés ont même été enjoints d'abandonner la culture de l'ananas, principale ressource du département.

16 juin

Caldeira du mont Uzon, Kamtchatka, Russie (51°00' N – 159°00' E).

La caldeira du mont Uzon est un immense cratère formé à la suite d'une éruption volcanique il y a plusieurs milliers d'années. Le fond plat, bordé de vastes terrasses de 200 à 800 m de hauteur, s'étend sur une centaine de kilomètres carrés. Un foyer de magma brûlant peut subsister pendant des millénaires après une éruption. La caldeira est ainsi le théâtre d'un spectacle singulier. On y voit nettement les effets de la chaleur enfouie dans les profondeurs du réservoir magmatique. Lacs, marais, petits ruisseaux et autres étendues d'activité thermique sont autant de sources chaudes au-dessus desquelles une vapeur s'échappe sans cesse. On y trouve une forte concentration de bore, de silice et d'ammoniac. L'évaporation à la surface de l'argile fait apparaître des cristaux composites et des dépôts amorphes colorés. Des bulles de vapeur, remplies de sulfure d'hydrogène, flottent à la surface de l'eau, formant ainsi une pellicule de soufre. Grâce à son sol chauffé, à ses sources et à la végétation qui l'enserre, la caldeira jouit d'un microclimat unique, à l'origine d'une étonnante biodiversité.

17 juin

Troupeau de moutons près de Kefraïya, Liban (33°39' N – 35°43' E).

Ces moutons dessinent une curieuse arabesque sur les pâturages pelés du Mont-Liban, principale chaîne de montagnes du pays. Sur ses versants s'accrochaient autrefois des forêts de cèdres centenaires, désormais réduites à quelques lambeaux isolés. Entre 1972 et 1994, jusqu'à 60 % des boisements libanais ont disparu à cause de la guerre civile, de l'urbanisation et des incendies répétés. Privées de végétation, les terres sont devenues très vulnérables à l'érosion, en particulier au moment des fortes pluies hivernales caractéristiques du climat méditerranéen. Le surpâturage contribue à amplifier ce phénomène et à rendre les terres de plus en plus incultes, notamment sur les pentes du Mont-Liban où la capacité de charge en bétail est déjà largement dépassée. L'exploitation non raisonnée des terres est la principale cause de dégradation des sols dans le monde, et l'on estime que 20 % des pâturages et zones de parcours ne sont plus productifs.

18 juin

Aérateur dans un élevage de crevettes, lagune Tungkang, Taïwan (22°26' N – 120°28' E).

La lagune de Tungkang, au sud-ouest de l'île de Taïwan, est quadrillée d'étangs saumâtres consacrés à l'aquaculture, notamment la crevetticulture, très lucrative. Pourfendant l'écume blanche issue des rejets de crevettes, cet aérateur oxygène l'eau des bassins d'élevage. La production mondiale de crevettes s'est fortement accrue et a atteint 814 000 tonnes en 1999, soit plus de seize fois la production de 1980. L'Asie, où la crevette tigrée constitue l'espèce prédominante, fournit 80 % de la production mondiale. La crevette nécessitant des eaux chaudes pour se développer, la crevetticulture s'est implantée sur les zones côtières tropicales, notamment à la place des mangroves, écosystèmes uniques et fragiles, refuges et lieux de ponte des poissons et des crustacés. De plus, les rejets importants des fermes intensives et les antibiotiques massivement utilisés polluent les milieux voisins. On estime ainsi, dans certaines zones, que pour 1 kg de crevettes élevées disparaissent 447 g de poissons et de crevettes provenant de l'écosystème naturel. Et cela au détriment des populations locales, à qui la crevetticulture intensive, destinée à l'exportation, ne profite pas.

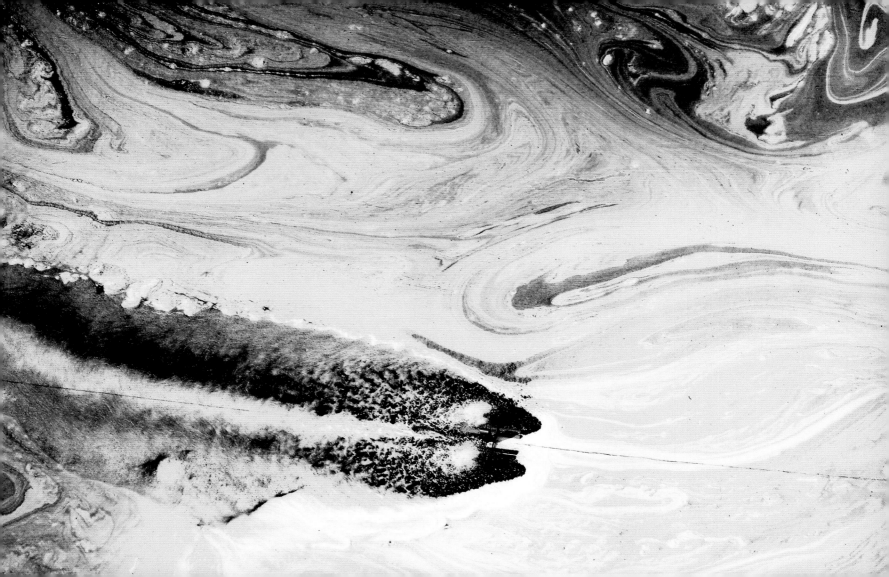

19 juin

« Collines de chocolat », île de Bohol, Philippines (9°35' N – 123°50' E).

Au centre-est de l'île de Bohol, sur une surface d'enrivon 50 km², s'élèvent de curieuses formes arrondies de 50 m de hauteur. À la saison sèche, les hautes herbes qui les recouvrent prennent une couleur brune. Aussi les appelle-t-on les « collines de chocolat ». Ce paysage unique est le fruit de l'érosion karstique en milieu tropical. Dans les régions calcaires, on aboutit en effet à la formation de nombreux types de reliefs par l'action des eaux en grande partie souterraines, qui dissout le carbonate de calcium. L'île a été aménagée pour le tourisme autour de l'attraction majeure que sont ces collines étonnantes. Les visiteurs étrangers, encore peu nombreux, y sont pour la plupart respectueux des ressources naturelles locales.

20 juin

Habitat chipaya, salar de Uyuni, Altiplano, Bolivie (19°26' S – 68°09' O).

Sur les hauts plateaux boliviens comme dans l'ensemble de la cordillère des Andes, se succèdent d'immenses étendues salées qui donnent à la chaîne montagneuse son autre nom de « cordillère de Sel ». Ici, à une altitude de 4 000 m, s'étend sur 12 000 km² le plus grand désert salé du monde, la saline d'Uyuni, au bord de laquelle des Indiens Chipayas ont construit en dalles de sel leurs habitations circulaires. Ils extraient le précieux gemme qui sera transporté en camion jusqu'aux lieux de consommation. La Bolivie est aujourd'hui le pays le plus pauvre de l'Amérique andine : 70 % de ses habitants vivent en dessous du seuil de pauvreté. Dans le cadre des « Huit objectifs du millénaire » établis en l'an 2000 par l'ONU, la Bolivie, comme les 188 autres pays signataires, s'est engagée pour 2015 à réduire de moitié le nombre de personnes vivant avec moins de 1 dollar par jour. Elles sont aujourd'hui 1,2 milliard dans le monde.

21 juin

Centrale nucléaire inachevée, Armintza, Pays basque, Espagne (43°25' N – 2°54' O).

En 1984, l'Espagne a instauré un moratoire – renouvelé en 1992 – qui bloque les constructions de centrales nucléaires en cours et à venir, laissant cinq réacteurs inachevés comme celui d'Armintza. Le pays compte neuf centrales nucléaires couvrant 30 % de ses besoins en électricité. Les États européens restent partagés sur la question du nucléaire. La France, en tête avec cinquante-neuf réacteurs, mise sur cette énergie qui fournit 72 % de son électricité, alors que l'Autriche, le Danemark et l'Italie l'ont pratiquement abandonnée. Si le nucléaire permet de limiter les rejets de gaz à effet de serre en attendant de développer les énergies renouvelables, c'est pourtant une technologie à risque : déchets radioactifs, menace de catastrophes nucléaires, risque d'attentats, etc. Quelles que soient les politiques adoptées, l'uranium qui alimente les centrales nucléaires est une ressource non renouvelable. Il faudra donc se résoudre à baisser notre consommation d'énergie si l'on veut réduire significativement les émissions de gaz à effet de serre qui, si rien n'est fait, pourraient tripler en 2100 et quadrupler en 2150.

22 juin

Pêcheurs dans un lagon de l'île Sainte-Marie au nord de Toamasina, Madagascar (16°50' S – 49°55' E).

Située sur la côte est de Madagascar, l'île Sainte-Marie est un véritable paradis tropical occupé par des villages de pêcheurs au mode de vie séculaire. La pêche traditionnelle, pauvre en matériels de capture, se pratique essentiellement à partir de canots creusés dans des troncs d'arbres. Les ressources marines de Madagascar comptent parmi les plus riches et les plus diverses de l'océan Indien occidental. La pêche, qui à 80 % est destinée à la consommation locale, est une source essentielle de nourriture, de revenu et d'emploi pour les Malgaches. Cependant, les systèmes employés par les pêcheurs industriels endommagent l'habitat marin – récifs coralliens, mangroves, marais, algues – et entraînent une diminution alarmante des ressources halieutiques. On estime que 10 % des récifs coralliens de Madagascar sont déjà détruits. Si les pratiques ne changent pas, 60 % auront disparu en 2025.

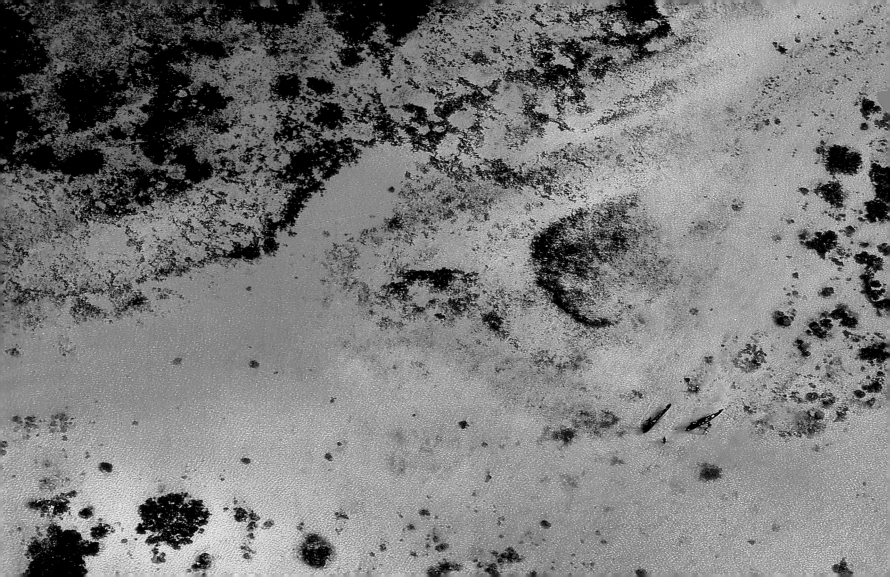

23 juin

 Glacier tombant dans la lagune San Rafael, Chili (46°38' S – 73°60' O).

Sous la lumière rasante du crépuscule, la glace prend une teinte bleutée. Âgée de plus de 30 000 ans, elle se jette dans la lagune San Rafael, alimentant en icebergs ce lac marin relié à l'océan Pacifique. C'est le seul glacier qui, à une latitude aussi basse, parvient à descendre jusqu'au niveau de la mer. Il s'écoule lentement, avec force craquements et grincements, depuis les reliefs du Campo de Hielo Norte, champ de glace de 4 200 km² qui se nourrit des pluies abondantes de la région (350 cm par an, soit 6 fois les précipitations de Londres, au Royaume-Uni, ou 95 fois celles de Riyad, en Arabie Saoudite). Une telle étendue constitue une réserve d'eau douce considérable, mais peu disponible : emprisonnée sous forme solide, elle n'est libérée qu'au compte-gouttes dans les rivières et les lacs alentour. Les glaces et neiges éternelles retiennent ainsi 70 % de l'eau douce mondiale. La majeure partie des 30 % qui restent est polluée ou inaccessible. Cela explique que, malgré une apparente abondance d'eau, un tiers de la population mondiale n'a qu'un accès limité à cette ressource.

24 juin

Travaux dans les rizières sur les berges du lac Itasy, région d'Antananarivo, Madagascar (18°55' S – 47°31' E).

Au cours des deux derniers siècles, la région du lac Itasy s'est convertie à la riziculture inondée, une culture intensive contrôlée par de grands propriétaires fonciers. Le passage de la polyculture à une monoculture irriguée a eu pour conséquence la diffusion du paludisme sur les hauts plateaux malgaches. La période de croissance du riz coïncide en effet avec celle de la reproduction d'une variété de moustique, l'*Anopheles funestus*, un excellent vecteur de la maladie. Chaque année le paludisme tue au moins un million de personnes, pour l'essentiel dans les pays pauvres. Depuis les années 1950, l'Organisation mondiale de la santé (OMS) tente d'éradiquer cette maladie, mais elle ne parvient pas à attirer suffisamment de fonds pour la recherche et le traitement. Afin de tenter de remédier à ces déséquilibres, l'OMS a créé en 2001 un fonds mondial pour la santé. En effet, en 1992, plus de 90 % des dépenses mondiales consacrées à la recherche médicale concernaient seulement 10 % des maladies qui touchent la planète.

25 juin

 Ville fortifiée de Jaisalmer, État du Rajasthan, Inde (26°55' N – 70°54' E).

Au nord-ouest de l'Inde, le Rajputana (actuel Rajasthan), le « Pays des fils de roi », rassemblait jadis une vingtaine d'États princiers. Fondée en 1156 par Rao Jaisal, souverain rajput qui y établit le clan Bhatti, la forteresse de Jaisalmer occupait alors un emplacement stratégique sur la route caravanière des épices entre l'Asie centrale et l'Inde. Les remparts crénelés de la citadelle évoquent les assauts et sièges interminables qui opposaient Bhattis et musulmans du sultanat de Delhi, quand s'affirmait la bravoure des Rajpoutes et de leurs femmes qui préféraient le *jauhar* (sacrifice collectif dans les flammes) à la reddition. Au XVIᵉ siècle, les *maharawal* de Jaisalmer résistèrent aux offensives mogholes puis acceptèrent la souveraineté impériale. La ville prospère et les façades de grès doré des somptueuses *haveli*, les demeures des marchands de la ville basse, s'ornent de claires-voies orfévrées, de balcons à colonnettes finement ciselées et autres délicates dentelles pétrifiées. L'avènement des routes commerciales maritimes au XIXᵉ siècle a entraîné le déclin de Jaisalmer, mirage intemporel aux confins du désert du Thar.

26 juin

Pirogue sur le fleuve Niger dans la région de Gao, Mali (16°12' N – 0° 01' O).

Le fleuve Niger, qui prend sa source dans le massif du Fouta Djalon, en Guinée, est, avec 4 184 km, le troisième plus long cours d'eau du continent africain après le Nil et le Zaïre. Traversant le Mali sur une distance de 1 700 km, il forme une large boucle qui atteint la limite sud du Sahara, alimentant en eau des agglomérations importantes comme Tombouctou et Gao. La courte saison des pluies stimule la régénération des végétaux aquatiques parmi lesquels circulent des pirogues, moyens usuels de déplacement, de transport et d'échange entre les populations riveraines du fleuve. Soumis à un mouvement de crues saisonnières, le Niger permet par ailleurs d'irriguer près de 5 000 km² de terres, sur lesquelles sont pratiqués la riziculture et le maraîchage. Il constitue la principale ressource hydrique pour près de 80 % de la population malienne, qui vit d'agriculture et d'élevage.

27 juin

 Château de Chichen Itzá dans la province du Yucatán, Mexique (20°71' N – 88°53' O).
Capitale des Itzaes, peuple toltèque du nord venu envahir l'Empire maya au Xe siècle, Chichen Itzá témoigne remarquablement de l'alliance de deux cultures. La pyramide parfaite du château comporte 91 marches sur chacune de ses quatre faces et est surmontée d'une plate-forme. L'ensemble figure les 365 jours de l'année du calendrier maya. Aux équinoxes de printemps et d'automne, les ombres et les lumières forment sur la face nord un serpent, figure majeure de l'art toltèque. Si aujourd'hui le Mexique a une population à majorité métisse, la population indienne, en partie issue des Mayas, représente un dixième des Mexicains et est la plus importante d'Amérique. C'est aussi une des plus pauvres : le revenu moyen indien est jusqu'à quatre fois inférieur au revenu national, la mortalité est supérieure de 40 % à celle des habitants de la capitale et un tiers des enfants n'est pas scolarisé. Aussi, depuis 1994, des mouvements dans la province du Chiapas, au sud de la péninsule du Yucatán, demandent une amélioration des droits et des conditions de vie des Indiens, ainsi qu'une reconnaissance de leur spécificité au sein du pays.

28 juin

 Volcan Karymsky en éruption, Kamtchatka, Russie (54°05' N – 159°43' E).

Presqu'île montagneuse d'origine volcanique, à l'extrémité orientale de la Sibérie, la région du Kamtchatka occupe au sein de la Fédération de Russie une place à part. Comme elle est très éloignée de la capitale – plus de 6 000 km –, les autorités russes n'ont guère encouragé son développement depuis la dissolution de l'URSS. Pourtant, le Kamtchatka participe aussi à la vie économique du pays grâce à ses ressources forestières et agricoles, au développement de ses villes côtières et à ses activités liées à la pêche. Sa population, concentrée dans les villes, est principalement composée de Russes qui côtoient les représentants des plus anciens peuples de la région comme les Kamchadales. Connus aussi sous le nom d'Itelmènes, ces nomades ont maintenu un mode de vie traditionnel et vivent essentiellement de la pêche. Aujourd'hui, il ne resterait pas plus de 18 000 représentants de ce peuple, qui à l'origine était le plus nombreux de la presqu'île.

29 juin

Cheminée de l'usine AZF après explosion, Toulouse, France (43°36' N – 1°27' E).
Le 21 septembre 2001, une déflagration meurtrière ravageait le sud de Toulouse. L'usine Grande Paroisse AZF, filiale du groupe Total-Fina-Elf, tuait alors trente personnes et en blessait plus de trois mille. Les effets de l'explosion de nitrate ont été ressentis dans la ville sur plusieurs kilomètres, dix fois au-delà de toutes les zones dites de sécurité. La catastrophe a relancé le débat sur les risques industriels dans les zones urbanisées. Le principe de précaution trouve là une application évidente. Réduire le risque à la source, repenser l'urbanisation et l'aménagement du territoire, mais aussi informer les citoyens sont désormais des priorités qui concernent autant les gouvernants que les industriels. Le 7 mars 2003, les députés français ont adopté le projet de loi sur les risques technologiques et naturels. Une des mesures phares du texte institue des plans de prévention des risques technologiques (PPRT), visant à limiter les constructions dans le voisinage des six cent soixante-douze établissements à haut risque de France.

30 juin

Caravane de dromadaires dans les dunes près de Nouakchott, Mauritanie (18°09' N – 15°29' O).

Le Sahara, plus grand désert de sable du monde, couvre 9 000 000 de km² (l'équivalent des États-Unis) répartis sur onze pays. Sur sa bordure ouest, la Mauritanie, aux trois quarts désertique, est particulièrement touchée par le phénomène de désertification d'origine anthropique. Le surpâturage, la récolte de bois de feu et l'expansion agricole suppriment peu à peu la végétation fixatrice située sur le pourtour des grands massifs dunaires, facilitant ainsi la progression du sable qui menace aujourd'hui des villes comme Nouakchott, la capitale. Dans les zones arides et semi-arides (les deux tiers du continent africain), les terres cultivables, fragiles, se détériorent rapidement si les pratiques culturales et l'exploitation du couvert végétal sont trop intensives. Au cours du dernier demi-siècle, 65 % des terres arables africaines ont ainsi été dégradées. Cette détérioration entraîne une baisse des rendements agricoles, qui se répercute sur la sécurité alimentaire. Dans ce cercle vicieux difficile à rompre, la pauvreté est à la fois cause et conséquence de la dégradation des terres cultivables et de la baisse de leur productivité agricole.

AGRICULTURE PLURIELLE, L'ENJEU D'UNE MONDIALISATION BIEN GOUVERNÉE

Vue du ciel, l'agriculture mondiale est aussi diverse que les paysages de la planète. On y voit le dessin des projets et du travail de sociétés humaines qui ont composé avec la nature, on peut y lire les contraintes et les inventions des paysans – parfois véritables jardiniers –, on peut y deviner l'histoire du peuplement et des migrations des éleveurs. Cultures accrochées aux pentes raides des volcans du Cap-Vert, rizières sculptées dans les collines en Indonésie, ou grandes plaines humides du cône sud, l'empreinte humaine sur les écosystèmes est extraordinairement variée. Mais, vue d'en bas, du côté de l'économie mondiale, l'agriculture est de plus en plus intégrée aux grands complexes agroalimentaires, le volume des échanges internationaux de produits agricoles s'accroît, la diversité s'efface au profit de l'homogénéité des marchés, la variété des pratiques agricoles régresse devant la diffusion des technologies. La diversité des systèmes agraires – adaptation de l'agriculture aux écosystèmes – est aujourd'hui menacée par cette intégration et par les deux défis du siècle : l'accroissement de la pression démographique et l'augmentation de la demande alimentaire. La pression démographique sur l'espace a déjà largement marqué les paysages. La déforestation a fait régresser les surfaces des forêts mondiales de 20 % depuis le début de l'ère agricole. Cette déforestation s'est accélérée dans les vingt dernières années. Dix millions d'hectares de forêts sont rayés de la carte chaque année, et ce sont, pour l'essentiel, des forêts tropicales.

C'est le besoin de terres pour l'agriculture qui en est le facteur principal. L'augmentation de la demande alimentaire se traduit par un besoin croissant en eau pour l'agriculture : 70 % de l'eau captée est destinée à l'usage agricole, et depuis la révolution verte la croissance de la production est liée aux progrès de l'irrigation beaucoup plus qu'au progrès technique. Salinisation des sols, abandon de terres après épuisement des nappes, pollution chimique des fleuves et des sols liée à l'association de l'irrigation avec les traitements chimiques… L'assèchement de la mer d'Aral et l'empoisonnement des sols témoignent des catastrophes écologiques que les pressions économiques peuvent exercer sur les systèmes agricoles. La mondialisation des modèles alimentaires bouleverse aussi cette diversité des systèmes agraires :

les mers de plastique qui permettent de produire des fruits et légumes en toutes saisons ont modifié le paysage de régions entières. La circulation et l'adaptation à grande échelle d'espèces et de variétés lorsque la demande mondiale est forte génèrent dans les écosystèmes des changements parfois imprévus et brutaux : souvent les espèces « invasives » déplacent les espèces locales sans que le processus soit réversible. La mondialisation des technologies diffuse des variétés de plantes peu diversifiées et dont la base génétique est étroite : à peine quelques dizaines de variétés de blé et de riz pour des régions entières, alors que la parcelle d'un paysan mexicain peut parfois encore abriter près de dix variétés de maïs. Enfin, le fonctionnement des marchés internationaux contribue à cet appauvrissement des pratiques agricoles. La baisse des prix des produits agricoles est manifeste, les prix chutant de 1 à 1,5 % par an selon les secteurs de production. Cette baisse des prix est liée à l'augmentation de la productivité et au progrès technique. Mais ce progrès est inégalement réparti et la compétition sur les marchés est très inégale : un agriculteur américain ou européen peut produire à lui seul 5 000 quintaux de céréales par an, un agriculteur andin ou soudanais ne peut en produire que 10. La différence de productivité tient aux conditions naturelles, mais surtout au capital investi dans la mécanisation, aux technologies et aux ressources consommées (énergie, engrais, eau, pesticides). La compétition s'effectue entre des petites structures agricoles intensives en travail et de grandes exploitations intensives en capital. Cela ne veut pas dire que les agricultures modernes sont toujours les plus efficaces : ces producteurs européens ou américains produisent beaucoup mais sont largement aidés par le budget de leurs États. Les aides à l'agriculture, le caractère inégal de cette compétition, et notamment les subventions aux exportations des pays développés, sont parmi les causes de l'affaiblissement des agricultures paysannes. Les pays développés dépensent ensemble 365 milliards de dollars par an pour leur agriculture, c'est-à-dire plus que le revenu annuel des 900 millions de personnes qui vivent en dessous du seuil de pauvreté dans les zones rurales. Sans ces distorsions sur les marchés et à condition de bénéficier des infrastructures minimales (routes, crédit, technologies), les exploitations agricoles paysannes pourraient développer bien davantage leur production pour les marchés mondiaux et améliorer leurs revenus. L'agriculture comme activité économique reste essentielle pour les pays en développement. Si dans les pays riches elle ne représente qu'un faible pourcentage du produit national (4 % pour l'Europe), dans les pays les plus pauvres elle contribue pour 35 % à la richesse nationale. En Afrique elle fournit 70 % des emplois. Protéger la diversité des agricultures paysannes est ainsi l'un des principaux moyens de lutter contre la pauvreté rurale et de nourrir ceux qui ont faim. Protéger cette diversité peut se faire en modifiant le fonctionnement des marchés mondiaux. Les pratiques de commerce équitable sont un moyen de reconnaître la contribution spécifique des agricultures paysannes au bien commun et de garantir plus de justice économique.

Préserver la diversité des agricultures est aussi un des leviers de la protection de l'environnement de la planète si les agricultures paysannes ne sont plus réduites à survivre en surexploitant leurs ressources en eau ou en terre, mais au contraire peuvent protéger la diversité biologique par le travail des agriculteurs. La mondialisation bien gouvernée peut maintenir ce patrimoine de cultures, de savoirs, de ressources ; mal gouvernée, elle le fait disparaître.

Laurence Tubiana
Directrice de l'Iddri,
Institut du développement durable
et des relations internationales

1er juillet

Favelas à Rio de Janeiro, Brésil (22°55' S – 43°15' O).

Près d'un quart des 10 millions de Cariocas – les habitants de Rio de Janeiro, au Brésil – vit dans les cinq cents bidonvilles de l'agglomération, ou *favelas*, qui ont connu une expansion croissante depuis le début du siècle et sont devenus le berceau d'une forte délinquance. Pour la plupart accrochés aux flancs des collines, ces quartiers pauvres et sous-équipés sont régulièrement victimes de glissements de terrain meurtriers lors des fortes pluies. Parallèlement, en aval des *favelas*, les classes moyennes et aisées de la ville (18 % des Cariocas) occupent les quartiers résidentiels qui bordent le front de mer. Ce contraste social est à l'image de l'ensemble du Brésil, où 10 % de la population contrôlent la majeure partie des richesses du pays alors que près de la moitié vit au-dessous du seuil de pauvreté. Environ 25 millions de personnes habitent dans les bidonvilles des grandes agglomérations brésiliennes.

2 juillet

Maison flottante du quartier de Christianshavn (Christiania) au Danemark (55°40' N – 12°35' E).

Perdue au milieu des canaux de Copenhague, l'ancienne caserne militaire de Christianshavn est une exception européenne. En 1971, des hippies ont envahi ses locaux désaffectés et ont proclamé le quartier « ville libre ». Après des années de heurts, les autorités ont fini par considérer Christiania comme une « expérience sociale ». Ses 2 000 habitants y vivent selon leurs propres règles architecturales, tolérant le haschisch mais chassant impitoyablement les drogues dures, dans une nature peu domestiquée où règne la bicyclette. Le quartier, construit sur pilotis au début du XVIIᵉ siècle, relie les canaux du port de Copenhague à l'île d'Amager. Il s'est enrichi ces trente dernières années de maisons et édifices originaux, témoins de la créativité des habitants. Ici, cette maison flottante privilégie les matériaux naturels et durables comme le bois et le métal, en tirant profit de l'énergie solaire grâce à de larges baies vitrées orientées au sud.

3 juillet

 Gobi de Gurvan Sajchan, Mongolie (43°50' N – 103°30' E).

Les gobi de Mongolie, larges bassins caillouteux où l'eau se raréfie et où la steppe s'appauvrit et se fait saline ou désertique, couvrent un tiers du territoire mongol. Aujourd'hui leur surface tend à s'accroître à la suite des nombreuses sécheresses qui ont sévi dans cette région du monde. Les zones continentales comme celles de l'Asie centrale sont susceptibles de souffrir particulièrement de l'accentuation de l'effet de serre et de l'élévation moyenne de la température qui devrait atteindre 1 à 6 °C au cours de ce siècle. Si les émissions de dioxyde de carbone, principal gaz à effet de serre, se localisent plutôt sur l'Amérique du Nord, l'Europe et la Russie, la rapidité des mouvements atmosphériques entraîne une répartition très homogène de ce gaz à travers le monde, nous rappelant que la pollution ignore les frontières. Aussi les accords internationaux relatifs au changement climatique obligent-ils les pays signataires déjà industrialisés à réduire de 5 % en moyenne leurs émissions de dioxyde de carbone par rapport à celles de 1990.

4 juillet

 Île Tortuga dans l'archipel des Galápagos, Équateur (1°00' S – 90°52' O).
La forme fuselée de l'île Tortuga émerge des eaux telle l'échine d'un gigantesque monstre marin. Ce jeune cratère, né il y a moins d'un million d'années, témoigne de l'activité volcanique de l'archipel des Galápagos. Aujourd'hui encore, les 128 îles et îlots chers à Darwin pour leur biodiversité continuent d'être remodelés par les éruptions et les séismes, en particulier dans la partie occidentale de la zone. Autour des terres pelées, les eaux recèlent une incroyable richesse biologique, car elles sont au carrefour des flots tièdes du golfe de Panamá et des remontées froides du courant de Humboldt. C'est ainsi que sous la surface croisent otaries et requins des mers chaudes, pingouins et iguanes marins, tous protégés au sein des 80 000 km² de la réserve biologique marine. Depuis la fin des années 1990, malgré la présence permanente des gardes, les ressources marines sont pillées par des pêcheurs, venant parfois d'Asie du Sud-Est pour prélever par milliers des ailerons de squales.

5 juillet

Séchage du linge au bord du fleuve Chari près de N'Djamena, Tchad (12°07' N – 15°03' E).

Tapis, tentures et autres étoffes colorées viennent égayer les bancs de sable du Chari, très nombreux aux abords de N'Djamena, la capitale du Tchad. Le fleuve Chari est le principal affluent du lac Tchad dont la superficie a littéralement fondu en trente ans, passant de 25 000 km² à 2 500 km². Utilisées pour le nettoyage du linge, la toilette et l'alimentation, les eaux du fleuve peuvent souffrir de la concurrence entre ces différents usages et voir leur qualité menacée. Les sources d'eau douce sont déjà rares dans cette région sahélienne, soumise à de récurrentes sécheresses, et seulement 27 % de la population du Tchad a accès à l'eau potable. C'est la troisième situation la plus critique au monde après l'Afghanistan et l'Éthiopie. Les nappes phréatiques seraient en outre menacées par le projet d'oléoduc Tchad-Cameroun soutenu par la Banque mondiale : les fuites de pétrole risqueraient de contaminer les puits et les rivières. En 1990, treize pays africains ont souffert d'un stress hydrique ou d'un manque d'eau. Ce nombre pourrait doubler avant 2025.

6 juillet

Petites parcelles agricoles près de Kisii, Kenya (0°40' S – 34°46' E).

Dans le sud-ouest du Kenya, les hauteurs de la ville de Kisii offrent des conditions de fertilité exceptionnelles. Les Gusii, agriculteurs bantous qui exploitent ces terres, ont très tôt bénéficié d'une relative prospérité en produisant du thé, du café et du pyrèthre, insecticide naturel extrait du chrysanthème. Contrairement aux grandes sociétés d'exploitation du Nord, les Gusii et leurs voisins sont de petits exploitants : natalité élevée et pratique de la culture intensive ont en effet conduit au partage des propriétés en parcelles de plus en plus réduites. Aujourd'hui, le Kenya occupe le troisième rang mondial pour la production de thé, après l'Inde et le Sri Lanka. Depuis août 1997, des tensions ont vu le jour entre les ethnies Gusii et Massaï. Certains Gusii, qui dépendent pour leur survie des champs loués aux Massaï, s'en voient interdire l'accès. Le continent africain est régulièrement secoué par des violences interethniques. Celles qui ont meurtri le Rwanda en 1994 auraient fait près de 500 000 victimes civiles.

7 juillet

 Cathédrale épiscopale de Székesfehérvár isolée au milieu de constructions modernes, Hongrie (47°12' N – 18°25' E).

Située entre Budapest et le lac Balaton, Székesfehérvár, avec son architecture contrastée, témoigne des grandes époques de l'histoire de la Hongrie. Millénaire, capitale du royaume de Hongrie pendant cinq siècles, la cité prit le titre d'évêché en 1777 et s'enrichit de bâtiments ecclésiastiques du plus pur style baroque hongrois. La cathédrale épiscopale est un des rares édifices subsistant de cette période. Les immeubles modernes, construits lorsque la Hongrie appartenait au bloc soviétique, s'élèvent à l'emplacement des anciens remparts. Depuis la chute du communisme en 1989, la Hongrie, comme toute l'Europe centrale, vit un très fort retour à la religion chrétienne. Les églises et les temples sont de nouveau fréquentés en toute liberté. L'Église chrétienne de l'Europe centrale a vécu cinquante ans de persécution religieuse. Pendant la Seconde Guerre mondiale, trois mille prêtres furent internés dans le camp de Dachau. Sous le régime communiste, le culte, qui n'avait pas été officiellement interdit dans tous les pays, devint néanmoins clandestin. Des religieux furent emprisonnés, voire assassinés.

8 juillet

 Paysans près du barrage de Buyo, Côte-d'Ivoire (5°47' N – 7°05' O).

Depuis la construction en 1980 d'un barrage hydroélectrique, le village de Buyo s'est transformé. Grâce à l'irrigation de ses terres, il a intégré la « ceinture du café » de la Côte-d'Ivoire, attirant des milliers de paysans. Les nouveaux venus se sont alors hâtés de défricher des parcelles de forêt pour y planter leurs maisons et leurs caféiers. Ils souffrent aujourd'hui de la mauvaise qualité de l'eau potable. En effet, pour accroître leur production, les paysans imprègnent leurs cultures de pesticides comme le DDT, le lindane, l'aldrine et l'heptachlore, d'une si haute toxicité que de nombreux pays les ont interdits ou ont limité leur usage. Ces polluants, qui provoquent des cancers ou des anomalies de développement, se concentrent dans le lac Buyo. De plus, comme la région manque d'installations d'assainissement, les maladies d'origine hydrique, telles que le paludisme et la diarrhée, augmentent. Et les habitants peuvent d'autant plus difficilement se soigner que la pauvreté se généralise : le pays, qui subissait déjà la crise du café depuis 1996, connaît la guerre civile depuis septembre 2002.

9 juillet

 Pêcheur, Tunisie (34°15' N – 11°00' E).

Remorqué par des collègues motorisés, cet homme, dans sa petite embarcation, fait partie des 6 200 artisans pêcheurs du golfe de Gabès. On trouve toutes sortes de bateaux de pêche en Méditerranée. Selon leur taille et leur spécialité, ils embarquent des pièges, des chaluts… parfois même des filets dérivants. Encore utilisés en Afrique du Nord, en Turquie et en Albanie, ces derniers sont interdits dans l'Union européenne depuis janvier 2002 car leurs mailles coupantes blessent les dauphins capturés par accident. Pour protéger ces mammifères marins, certains pays ne se contentent pas de cette mesure. Ils proposent aussi d'interdire la distribution gratuite des sacs plastique afin d'éviter que les dauphins les confondent avec des méduses et meurent en les avalant. Ainsi, l'Irlande a déjà réduit de 90 % leur utilisation depuis mars 2002 grâce à une taxe de 15 centimes d'euros sur chaque sac délivré dans ses magasins. Taïwan, l'Espagne et la Corse ont suivi l'exemple. Et les consommateurs ne s'y opposent pas, les sacs plastique menaçant aussi la qualité de l'air en libérant des émanations toxiques lorsqu'ils sont incinérés avec les déchets.

10 juillet

Acropole, Athènes, Grèce (37°58' N – 23°43' E).

Sur un plateau d'un peu moins de 3 hectares, le génie grec a érigé l'un des ensembles architecturaux les plus remarquables de l'histoire de l'humanité, aujourd'hui emblème officiel de l'Unesco. Quatre chefs-d'œuvre de l'art grec classique – le Parthénon, les Propylées, l'Érechthéion et le temple d'Athéna Nikè – affirment par le gigantisme et la magnificence le rayonnement de la démocratie athénienne sous Périclès. Aujourd'hui restauré sous le patronage d'un programme communautaire, l'édifice illustre avec éclat le rayonnement culturel de la civilisation grecque, berceau de l'identité européenne. C'est Zeus le premier qui sut séduire Europe et qui lui donna des enfants. Plus que jamais, l'Europe est une idée, un patrimoine de valeurs – peut-être encore un mythe – avant de recouvrir une réalité géographique. En témoigne une signature hautement symbolique sous la présidence grecque de l'Union européenne, au pied de l'Acropole : celle du traité d'adhésion des dix pays candidats, le 16 avril 2003.

11 juillet

Paysage volcanique séparant le lac du Ghoubet El Kharab du lac Assal, république de Djibouti (11°41' N – 42°20' E).

Exceptionnelle région que celle du lac Assal et du lac du Ghoubet, où naît petit à petit l'océan érythréen. Ici, à l'extrémité sud-est du rift Assal, la croûte continentale se déchire pour écarter peu à peu l'Afrique de la péninsule Arabique. Elle s'étire, s'amincit et se rompt en multiples failles. Ainsi, le relief s'abaisse (le lac Assal se situe à 157 m au-dessous du niveau de la mer), les laves émergent depuis les profondeurs de la Terre et, en refroidissant, forment les cônes volcaniques et ces « champs » noirs, qui seront un jour sous les eaux du futur océan. À cet endroit, la Terre fait peau neuve et fabrique une nouvelle croûte. Mais, comme la planète n'est pas extensible, ailleurs, à des milliers de kilomètres, les vieux fonds disparaissent, plongent sous les continents et rejoignent les matériaux de leur manteau originel.

12 juillet

Habitations dans les marécages près de Malolos, île de Luzon, Philippines (16°00' N – 121°00' E).

Sur l'île de Luzon, la plus vaste et la plus septentrionale des Philippines, les ressources et la misère se côtoient de près. Dans les plaines centrales de la région de Bucalan, s'étend un véritable grenier à riz. Mais 40 % de Philippins vivent avec moins d'un dollar par jour, et, parmi eux, ceux qui vivent en campagne s'installent souvent au cœur des rizières marécageuses. La plupart des maisons sont en bois ou en bambou, et le toit est en tôles ondulées. Malgré un programme ambitieux de lutte contre la pauvreté, la misère rurale s'est aggravée ces dernières années. D'autant plus que les habitants, à peine protégés dans leurs frêles baraques, risquent d'être envahis par les eaux boueuses lors des inondations fréquentes. En moyenne, une trentaine de tempêtes frappent les Philippines chaque année.

13 juillet

Hôtel « Ecolodge » Adrère Amellal de l'oasis de Siwa, Égypte (29°12' N – 25°31' E). Se distinguant à peine du paysage, baigné par les lacs salés de l'oasis de Siwa au pied de la « montagne blanche », l'Ecolodge est un hôtel luxueux où pourtant le voyageur de passage ne dispose ni de l'électricité ni de la climatisation dans cette région aride du désert égyptien. Confrontée à un environnement extrême, la construction de l'édifice, en 1997, s'est appuyée sur le savoir-faire local qui depuis 2 500 ans innove sans cesse pour vivre avec son milieu : murs en pierre salée extraite des fonds des lacs brûlés par le soleil, toits, isolation, ventilation, plâtre, meubles et accessoires ont été conçus et fabriqués par cent cinquante artisans locaux à partir des ressources de l'oasis. L'économie du transport des matériaux et des hommes minimise les dépenses énergétiques et la valorisation des ressources humaines locales vivifie l'économie régionale. Depuis l'Ecolodge, près de six cents personnes vivent durablement de l'intérêt renoué pour l'architecture issiwanne.

14 juillet

Le puy de Côme, chaîne des volcans d'Auvergne, Puy-de-Dôme, France (45°47' N – 2°57' E).

Les quelque quatre-vingts volcans éteints de la chaîne des Puys, en plein cœur du Massif central, laissent oublier que leur formation est très récente et date d'à peine 15 000 ans. Semblant regarder les Alpes de l'autre côté de la vallée du Rhône, les puys dominent un ensemble de plateaux, riches en sources thermales, qui surplombent la plaine rhodanienne. Cet arrangement paysager n'est pas le fruit du hasard et trouve son origine dans les profondeurs de la croûte terrestre. Fortement épaissie sous les Alpes, la croûte a tiré vers le bas les roches des régions alentour. Des failles se sont formées, des blocs se sont affaissés et ont peu à peu donné naissance aux plateaux, coteaux et plaines. Ces zones, où la croûte terrestre s'est amincie, sont particulièrement chaudes. C'est ainsi que, du nord de l'Italie à la Slovaquie, un cortège de plateaux regarde les Alpes, massif montagneux ceint de zones à fort potentiel thermique qui chaque année font l'objet d'études plus nombreuses pour intégrer cette ressource énergétique à notre quotidien.

15 juillet

Mine d'uranium dans le parc national de Kakadu, territoire du Nord, Australie (12°41' S – 132°53' E).

Le parc national de Kakadu, en Australie, dispose d'importantes ressources en uranium (10 % des réserves mondiales) réparties sur trois parcelles, Ranger, Jabiluka et Koongarra ; bien qu'elles soient situées dans l'enceinte d'un espace protégé – elles figurent depuis 1981 sur la Liste du patrimoine mondial de l'Unesco –, elles en sont statutairement exclues. Le projet d'ouverture d'une mine sur Jabiluka suscite une controverse quant aux risques de pollution, et les aborigènes Mirrar, propriétaires traditionnels de ces terres sacrées, s'y opposent vigoureusement, mobilisant l'opinion publique internationale. Seule Ranger bénéficie d'une autorisation d'extraction. Dans cette zone de rejet de déchets, de larges asperseurs arrosent les berges du marais afin d'augmenter l'évaporation et de réduire les risques de propagation de poussières, laissant des dépôts de sulfates. Avec deux autres grands gisements sur son territoire, l'Australie possède un quart des réserves du globe et a produit en l'an 2000 plus de 20 % des 34 400 tonnes d'uranium extraites. L'uranium approvisionne en combustible le parc nucléaire mondial, réparti surtout entre les États-Unis, la France et le Japon.

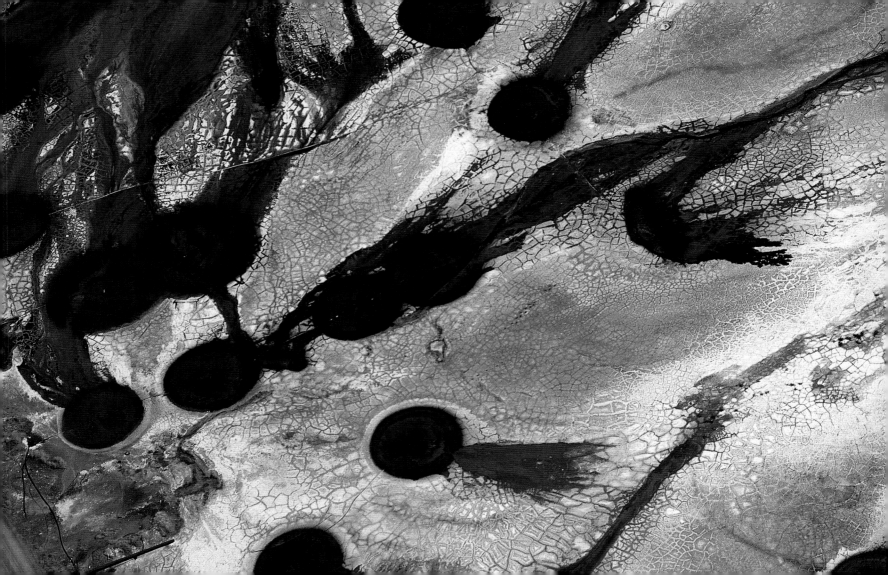

16 juillet

Varanasi, les ghats, bain rituel dans le Gange, Uttar Pradesh, Inde (25°20' N – 83°00' E).

Les ghats désignent aussi bien les immenses plateaux qui, à partir de l'Himalaya, s'étagent jusqu'au fleuve du Gange, que les marches d'escaliers aménagées sur les berges du fleuve. Les ghats de la ville sainte de Varanasi (Bénarès) attirent les pèlerins hindous pour la purification, le culte ou la crémation des morts. Mener une vie vertueuse et accomplir son dharma (devoir) accroît leurs chances de se réincarner dans une caste supérieure. En Inde, le système des castes, vieux de 2 000 ans, définit la place des individus en fonction de leur naissance. Près de 170 millions d'Indiens, un sur six, sont exclus des quatre grandes castes – prêtres, guerriers, marchands et serviteurs. Bien que la Constitution interdise toute discrimination fondée sur la caste, ces « intouchables », ou *dalits*, n'ont pas accès à la terre, vivent dans des quartiers isolés et doivent accepter les emplois les plus dégradants et les violations de leurs droits élémentaires. En 2001, l'Unesco estimait que les deux tiers des *dalits* étaient analphabètes et que seulement 7 % d'entre eux avaient accès à l'eau potable, à l'électricité et à des toilettes.

17 juillet

 Pêche traditionnelle au large du golfe de Gabès, Tunisie (34°40' N – 11°10' E).
Une flèche indique la direction à prendre pour rejoindre les pêcheurs. Les poissons la suivent, sans se douter que le chemin, tracé par des feuilles de palmiers, les mène tout droit dans l'une des cages de ce piège appelé *charfia*. Depuis le XVIIe siècle, les concessions où ce type de dispositif est installé sont transmises de génération en génération. Cela limite le nombre de pêcheurs et le volume des prises. Les concessions tiennent aussi à distance les flottes industrielles, jouant involontairement le rôle de « réserves naturelles ». Le gouvernement tunisien cherche d'ailleurs à les préserver juridiquement et à les aider financièrement. Si, il y a moins de vingt ans, ce pays, comme d'autres, encourageait l'effort de pêche, il prône aujourd'hui une pêche durable et responsable. Il suit le code de conduite de l'Organisation pour l'alimentation et l'agriculture (FAO) et cherche ainsi à éviter la disparition de ses stocks de poissons, qui aurait pour conséquence celle de ses pêcheurs. Dans le monde, 36 millions de personnes vivant de la pêche sont menacées par la surexploitation des ressources halieutiques.

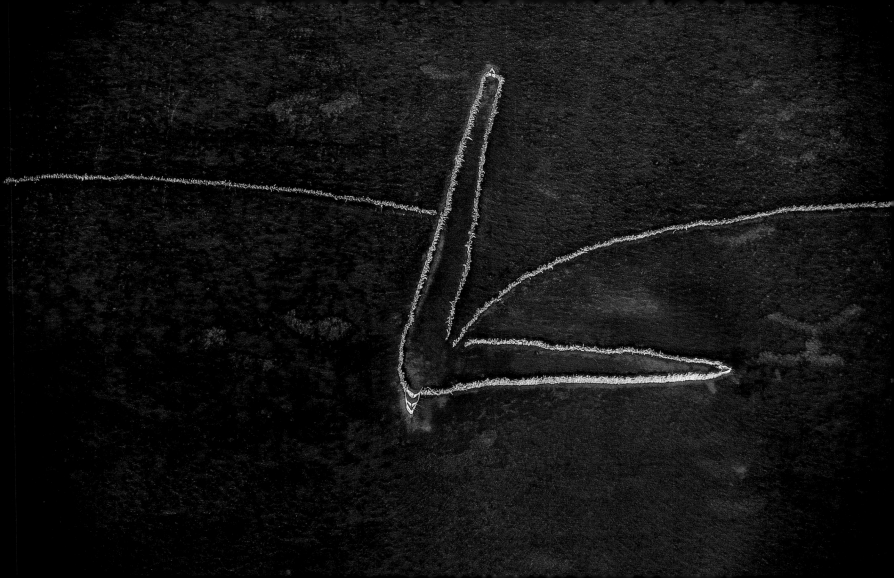

18 juillet

Échangeur autoroutier près du port de Yokohama, Honshu, Japon (35°42' N – 139°46' E).

Depuis qu'il fut relié à Tokyo par le chemin de fer en 1872, le petit port de pêche de Yokohama n'a cessé de se développer jusqu'à devenir aujourd'hui le premier port international japonais et la deuxième plus grande ville après la capitale. Les autoroutes qui l'encerclent sont le symbole d'un développement économique qui s'appuie en grande partie sur le transport routier, comme dans nombre de pays industrialisés. Suivant ce modèle dominant, les surfaces autoroutières ont augmenté partout dans le monde. Le nombre de véhicules s'élève à presque 800 millions, principalement concentrés dans les pays développés : 29 % pour les seuls États-Unis et 2,4 % en Afrique. La densité automobile est aussi mal répartie : 790 véhicules pour 1 000 habitants aux États-Unis et seulement 8 en Inde. En dépit des pollutions engendrées et de la saturation de la circulation dans les villes, le parc automobile ne cesse de croître. Le secteur des transports est le principal émetteur de gaz à effet de serre et la multiplicité des usagers rend les mesures de limitation complexes. Si depuis le Sommet de la Terre à Rio en 1992 l'industrie a réduit ses émissions, le transport a augmenté les siennes de 75 %.

19 juillet

Baleine à bosse dans les eaux de Kaikoura, île de Jade, Nouvelle-Zélande (42°25' S – 173°43' E).

Une superbe baleine à bosse (ou mégaptère) évolue harmonieusement au milieu des dauphins dans les eaux sombres de la presqu'île de Kaikoura. Fréquentée par les mégaptères en migration, par plusieurs espèces de dauphins et surtout par de nombreux cachalots, cette portion de la côte est de l'île de Jade est un des hauts lieux mondiaux du *whale watching*. L'observation des grands cétacés est une attraction touristique de plus en plus en vogue. En 1998, cet écotourisme a drainé plus de 9 millions de personnes à travers le monde et généré près de 300 millions de dollars de bénéfice. Si cet engouement a pu faire progresser la sensibilisation du public à la cause des baleines, il constitue maintenant une nouvelle menace pour ces géants. Chaque année, les bateaux chargés de curieux provoquent des collisions mortelles avec les mammifères marins. Jadis persécutées par la chasse, deux des onze espèces de baleines – l'immense baleine bleue et la baleine des Basques – sont d'ores et déjà proches de l'extinction.

20 juillet

Chèvres parmi les ombres de la réserve Khustaïn Nuruu, Mongolie (45°50' N – 106°50' E).

Combien de chèvres cachemire immaculées viennent éclairer encore les steppes arides des gobi mongols ? Un animal sur trois élevés en Mongolie est une chèvre, choisie pour sa robustesse et pour sa précieuse laine. Mais elles disparaissent, avec les nomades eux-mêmes. Le cours de la laine chute, et même si l'industrie mongole s'est développée au cours de ces dernières années, cherchant à s'accorder au goût occidental, la concurrence chinoise s'impose. Elle ne laisse que peu de place à la transformation du luxueux poil cachemire au sein du pays. Aidés par des prêts gouvernementaux, les nomades tentent d'augmenter l'effectif de leurs troupeaux mais le climat, qui a enchaîné sécheresses et rigueurs hivernales extrêmes – la température est descendue à - 60 °C en février 2000 –, a entraîné la désertification des steppes et la mort de bêtes par millions. Aux dires de certains experts de la Banque mondiale, le nomadisme serait ici condamné. Un avis que ne partagent, malgré les difficultés, ni le gouvernement ni la population.

21 juillet

 Vue générale de la ville de Venise, Vénétie, Italie (45°35' N – 12°34' E).

Venise n'est pas une île mais un archipel de 118 îles, séparées par 160 canaux qu'enjambent plus de 400 ponts. Le Grand Canal – sa principale artère – est bordé par les plus beaux édifices de la cité. Une centaine de palais de la Renaissance et de l'époque baroque furent érigés sur ses rives par les riches marchands vénitiens. Ils témoignent de l'importance prise par ces commerçants dès lors que Venise s'est ouverte sur le monde extérieur. Dès l'an mil, la ville a imposé sa suprématie sur la mer Adriatique, puis sur toute la Méditerranée. Elle y a établi de nombreux comptoirs jusqu'à ce que les flux continentaux supplantent les flux maritimes à la fin du XVIIe siècle. Venise est alors éclipsée de la scène commerciale internationale. Aujourd'hui, l'éclipse risque d'être totale : la « Sérénissime » pourrait disparaître sous les eaux, victime des inondations qui se multiplient en raison de l'élargissement des canaux, de l'affaissement du sol vénitien et de l'élévation du niveau de la mer (6 mm par an).

22 juillet

 Mosquée du village de Kwa dans la région de Mopti, Mali (14°29' N – 4°01' O).
Les villes maliennes bordant le fleuve Niger sont renommées pour leurs mosquées aux allures de forts imprenables. En 1325, l'illustre souverain du Mali, Mansa Musa, entreprit un pèlerinage à La Mecque. Converti à l'islam, il fut le premier à ordonner la construction d'imposantes et voyantes mosquées, alors que la religion africaine traditionnelle disposait plutôt les lieux de culte à l'abri du regard des non-initiés. Les mosquées de type « soudanais » devinrent bientôt le pôle névralgique des villages et des villes du Mali, un pays aujourd'hui à 90 % musulman. La brique crue et son enduit d'argile fine permettent une architecture audacieuse et une liberté de formes, hérissées de rangées de pieux servant à renforcer la fragile structure. Malgré leur originalité, ces mosquées gardent le plan carré traditionnel qui accueille la cour et la *qibla*, mur de l'est sur lequel s'appuie le *mirhab*, c'est-à-dire la chaire orientée vers La Mecque. Le plus bel exemple de cette architecture se trouve à Djenné, non loin du port de Mopti sur le Niger ; il a été inscrit en 1988 sur la Liste du patrimoine mondial de l'Unesco.

23 juillet

Militaires en exercice à Makung sur l'île de Penghu, Taïwan (23°34' N – 119°34' E).

L'île de Taïwan vit une situation complexe. Ayant déclaré son indépendance en 1949 après la victoire du communisme en République populaire de Chine, Taïwan s'est dotée d'un gouvernement et d'une armée, mais depuis une trentaine d'années l'ONU puis les États-Unis, pourtant pourvoyeurs de l'armée taïwanaise, ne reconnaissent pour seul interlocuteur chinois officiel que… Pékin. Dotée des armements les plus sophistiqués et d'une armée de 300 000 hommes, Taipei, la capitale de Taïwan, vit sans cesse dans la crainte de mouvements armés chinois qui contraindraient l'île à ne former avec le continent « qu'une seule Chine ». Pourtant, de part et d'autre des deux rives du détroit de Formose, les liens économiques se tissent de plus en plus étroitement : la récession économique que connaît le « petit dragon » asiatique depuis 2001 a poussé nombre d'entrepreneurs à délocaliser leurs productions sur le continent chinois, accomplissant ainsi les premiers pas d'une intégration économique que la Chine continentale souhaite porter à des dimensions plus politiques.

24 juillet

Champs de pétrole près de Bakersfield en Californie, États-Unis (35°22' N – 119°01' O).

Le pétrole californien est visqueux et lourd, comme du goudron. Avant de le pomper, il faut le chauffer et le fluidifier en injectant de la vapeur d'eau dans le puits, ce qui consomme une eau déjà rare dans la région. Cette technique est coûteuse, mais les États-Unis ne peuvent se passer de telles réserves. S'ils sont le deuxième pays producteur de pétrole après l'Arabie Saoudite, ils en sont aussi le premier importateur. De façon plus générale, l'ensemble des pays développés dépendent de cet hydrocarbure, notamment pour le transport et l'industrie plastique. Or, aujourd'hui, la quantité de pétrole restante équivaut à peu près à ce que nous avons déjà brûlé ou transformé. Le pétrole sera donc toujours plus difficilement exploitable, c'est-à-dire toujours plus rare et plus cher. C'est pourquoi il est indispensable de diversifier les sources d'énergie en favorisant les énergies de type renouvelable, tels l'éolien, le solaire ou la géothermie.

25 juillet

 Lac Velence, Hongrie (46°53' N – 16°39' E).

La Hongrie compte quelque 1 200 lacs naturels et artificiels dont le plus important, le lac Balaton, s'étend au cœur de la Transdanubie. Dans la même région, à 50 km de Budapest, le lac Velence, en grande partie recouvert de roseaux, attire de nombreux pêcheurs ainsi que les amateurs de planche à voile. Les lacs font partie des zones humides dont l'importance est peu à peu reconnue après un assèchement massif pour récupérer les terres. Réservoirs évitant aux agglomérations des inondations trop fréquentes, zones tampon garantissant les écosystèmes de certaines pollutions humaines, elles agissent comme un filtre naturel et préservent nos ressources en eau potable. Les activités humaines, notamment l'agriculture et la construction, ont gravement endommagé les écosystèmes d'eau douce et expliquent la perte d'environ 50 % des zones humides dans le monde durant le XXᵉ siècle. Depuis 1971, la convention Ramsar permet de protéger certaines zones humides. Seules 8 % sont classées, et 84 % sont encore menacées.

26 juillet

Parc national de Bungle Bungle, comté de Halls Creek, Kimberley, Australie (17°27' S – 128°35' E).

Dans le Nord-Ouest australien, au cœur du parc national de Bungle Bungle, aussi appelé Purnilulu par les aborigènes, s'élève un ensemble de colonnes et de dômes sablonneux d'environ 100 m de haut, qui forment un labyrinthe de gorges sur près de 770 km². Ces rochers sont constitués de sédiments solidifiés provenant de l'érosion d'anciennes montagnes. Ils se sont ensuite crevassés et soulevés sous l'action des mouvements de la croûte terrestre. Leur aspect tigré orange et noir est le résultat de l'alternance de couches de silice et de lichen. Connu depuis des siècles par les aborigènes, ce site n'a été révélé à la connaissance du grand public qu'en 1982, avant d'être classé parc national en 1987.

27 juillet

 Quartier de Shinjuku, Tokyo, Japon (35°42' N – 139°46' E).

À l'origine village de pêcheurs bâti au milieu des marécages, Edo devient Tokyo, « la capitale de l'Est », en 1868. Ne cessant de s'agrandir sous l'impulsion de ses commerçants, la ville, dévastée par un tremblement de terre en 1923 et par les bombardements en 1945, renaît par deux fois de ses cendres. Aujourd'hui, la mégalopole de Tokyo, qui s'étend sur 70 km et compte 28 millions d'habitants (contre 6,4 en 1950), est devenue la plus vaste zone urbaine du monde. Construite sans schéma global d'urbanisation, elle dispose de plusieurs centres qui satellisent les différents quartiers. Shinjuku, quartier des affaires, est dominé par un ensemble impressionnant de bâtiments administratifs, parmi lesquels l'hôtel de ville, structure de 243 m de haut inspirée de la cathédrale Notre-Dame de Paris. En 1800, seule Londres dépassait 1 million d'habitants. Aujourd'hui, 326 agglomérations de la planète l'ont rejointe, dont 180 dans les pays en développement, et 19 mégalopoles, comme Tokyo, comptent plus de 10 millions de résidents. L'urbanisation a engendré le triplement de la population vivant en ville depuis 1950.

28 juillet

Îles de l'oasis de Siwa, Égypte (29°12' N – 25°31' E).

L'oasis de Siwa avait une renommée internationale bien avant la visite d'Alexandre le Grand, en 331 avant J.-C. Elle abritait l'un des plus grands temples d'Amon, le dieu le plus puissant de l'Égypte à cette époque. Son oracle était si célèbre que l'illustre conquérant macédonien a traversé le désert égyptien pour le consulter. Selon la légende, les prêtres lui auraient alors confirmé sa nature divine – un verdict bien utile alors qu'il venait d'être couronné pharaon. Sous l'occupation romaine, le temple d'Amon est ensuite tombé dans l'oubli. Mais l'oasis a perduré. Ses sources, célèbres pour leurs vertus médicinales, ont nourri nombre de caravaniers rejoignant l'Afrique centrale depuis la côte méditerranéenne. Aujourd'hui, on trouve encore de nombreuses ruines égyptiennes, romaines ou médiévales dans cette région que l'État égyptien aimerait faire inscrire sur la Liste du patrimoine mondial de l'Unesco. Il bénéficierait ainsi d'une bourse pour préserver le site archéologique qui ne serait plus sous sa seule responsabilité mais sous celle des 175 pays membres.

29 juillet

Paysage agricole près de Quito, Équateur (0°13' S – 78°30' O).
Libéré de la tutelle espagnole depuis 1822, l'Équateur n'en conserve pas moins un lourd héritage colonial, comme en témoigne la place des Indiens dans l'agriculture. Celle-ci n'a pas beaucoup évolué depuis l'indépendance, malgré l'abolition en 1964 du système du *huasipungo* qui obligeait les indigènes à servir les grands propriétaires créoles, les *haciendados*. Nombre d'Indiens sont toujours employés dans les haciendas qui détiennent les meilleures terres, celles de la Costa du Pacifique, destinées à la culture d'exportation (bananes, cacao, café). D'autres essaient de survivre avec les quelques parcelles improductives des Andes dont ils ont hérité avec la réforme agraire. La fracture sociale est très nette entre les créoles et les indigènes, dans l'agriculture comme dans tous les autres secteurs de la société. La crise économique et les catastrophes naturelles (éruptions volcaniques, El Niño, etc.) en soulignent périodiquement l'ampleur, et les personnes les plus pauvres sont évidemment les plus vulnérables face à de tels phénomènes.

30 juillet

Grand Prix de Formule 1 en 2001, principauté de Monaco (43°42' N – 7°23' E).

Chaque année à la fin du mois de mai, Monaco connaît l'effervescence d'un week-end de Grand Prix. Le premier Grand Prix de vitesse prit le départ le 14 avril 1929 et fut remporté par la Bugatti 35B de Williams en 3 h 56 à la vitesse moyenne de 80 km/h. Depuis, les 100 tours de piste ont été ramenés à 78 et la course, à l'origine longue de 318 km, totalise désormais 262,6 km et se dispute en 1 h 45. Accoudés aux rambardes des terrasses de l'Ermanno Palace, des centaines de spectateurs se passionnent pour les bolides vrombissant à 260 km/h au pied de leur perchoir. L'immeuble surplombe le virage Sainte-Dévote et dispose d'une vue imprenable sur l'illustre circuit automobile monégasque, accessible aux aficionados pour 2 000 à 3 000 euros par personne – une paille à côté des revenus mirobolants des pilotes. Michael Schumacher (quadruple champion du monde de F1 et cinq fois vainqueur à Monaco) est le sportif le mieux payé du monde, avec un revenu annuel estimé à 65 millions d'euros. Deux Américains complètent le trio de tête, le golfeur Tiger Woods (62 ME) et le boxeur Mike Tyson (56 ME).

31 juillet

Faille de San Andreas, Carrizo Plain, Californie, États-Unis (35°08' N – 119°40' O).

Plus d'une centaine de failles zèbrent la Californie. La plus connue, la faille de San Andreas, est longue de 1000 km et prolonge la dorsale océanique du Pacifique Est sur le continent nord-américain. Partant de l'extrémité nord du golfe de Californie au Mexique, elle parcourt la Californie jusqu'au nord de San Francisco. De part et d'autre de la faille, les roches, suivant le mouvement des plaques auxquelles elles appartiennent, sont poussées à des vitesses différentes et ont tendance à coulisser les unes par rapport aux autres d'environ 5,5 cm par an. À ce rythme, et si elles existent toujours, Los Angeles se retrouvera voisine de San Francisco dans une dizaine de millions d'années ! Les tensions ainsi accumulées dans les roches sont extrêmes. Lorsque l'énergie s'en libère, le résultat peut être catastrophique pour la région, particulièrement peuplée. Les deux tiers de la ville de San Francisco ont ainsi été détruits par le séisme de 1906.

LES ÉNERGIES RENOUVELABLES

Selon le Conseil mondial de l'énergie, la consommation d'énergie primaire devrait, pour faire face à la croissance de la population mondiale, doubler entre 1990 et 2020, passant de 9 milliards de tonnes équivalent pétrole (tep) à 18 milliards de tep. Cette perspective soulève quelques interrogations. Aujourd'hui, 85 % de la consommation énergétique mondiale provient de la combustion de ressources fossiles (pétrole, gaz, charbon), dont les gisements sont limités et dont l'exploitation émet des gaz à effet de serre. De plus, la croissance des pays en développement, et notamment des pays d'Asie, s'appuie plus que jamais sur les combustibles fossiles. Le recours massif aux énergies fossiles posera à terme des problèmes d'approvisionnement. Les experts s'accordent à dire que nous n'avons, sauf découvertes majeures, que quelques décennies de réserves de combustibles fossiles. Inéluctablement, le maintien de nos sources d'approvisionnement va devenir de plus en plus difficile. Les tensions politiques, consécutives aux événements du 11 septembre 2001 et à l'intervention anglo-américaine en Irak, ont aggravé le problème. Géographiquement, les gisements seront de plus en plus difficiles d'accès et de plus en plus coûteux à exploiter. La tentation de se reposer entièrement sur l'hydrogène comme nouveau vecteur énergétique n'est pas raisonnable. L'hydrogène, même s'il n'émet pas de gaz polluant lorsqu'il fait fonctionner une turbine, nécessite pour sa production une très grande quantité d'énergie. Cette énergie, sauf exception, ne peut provenir que de la combustion d'énergies fossiles ou de l'électricité nucléaire, et les déperditions énergétiques sont alors considérables. Pour toutes ces raisons, les efforts actuels menés par les acteurs politiques et industriels de l'énergie pour développer les sources d'énergies renouvelables doivent être intensifiés. Il faut dès aujourd'hui anticiper et accepter de mettre en place les mécanismes financiers qui leur permettront d'être exploitées à plus grande échelle. L'Union européenne démontre actuellement qu'avec une réelle volonté politique et grâce à des technologies matures il est possible d'augmenter la part des énergies renouvelables dans la consommation énergétique. Les objectifs affichés par l'Union européenne sont de 12 % de la consommation intérieure brute d'énergie en 2010 et de 22,1 % de la consommation totale d'électricité de la Communauté à la même échéance. Ainsi, au Danemark, l'énergie éolienne a représenté 13 % de la consommation d'électricité du pays en 2001, soit environ la consommation d'un million de ménages danois. Selon la Danish Wind Energy Association, les turbines éoliennes ont permis au pays d'éviter l'émission dans l'atmosphère de 3,5 millions de tonnes de CO_2, de 6 450 tonnes de dioxyde de souffre et de 6 000 tonnes d'oxyde nitrique. La connexion au réseau durant l'année 2002 de la plus importante ferme éolienne offshore du monde (Horns Rev, 160 MW), suivie cette année par la connexion d'une ferme éolienne offshore d'une puissance équivalente (Rodstand), devrait permettre au Danemark de produire plus de 20 % de son électricité à partir de l'énergie du vent. La progression de l'Allemagne, qui ne dispose que d'un potentiel hydroélectrique très limité, est également spectaculaire. La part de l'électricité d'origine renouvelable a été multipliée par deux en l'espace de dix ans, de 4 % en 1993 à plus de

8 % en 2002, grâce à l'énergie éolienne et à de nombreuses centrales électriques fonctionnant avec de la biomasse (déchets de bois, déchets industriels organiques, biogaz de décharge et d'unités de méthanisation). Pour la production d'eau chaude, l'Allemagne affiche près de 5 millions de m^2 de capteurs solaires sur les toits et les terrasses de ses maisons. D'autres pays de l'Union, comme la France, prennent progressivement conscience que les énergies renouvelables ont leur place dans la structure de la production d'électricité, non en opposition mais en complément des énergies conventionnelles. En Europe, les filières industrielles et technologiques sont loin d'être identiques, chaque pays ayant des politiques et des potentialités propres. La Finlande et la Suède, par exemple, sont à la pointe de la technologie dans le domaine du bois énergie. Le Danemark, l'Espagne et l'Allemagne ont développé une industrie éolienne de tout premier ordre. La France est leader dans le domaine des biocarburants, l'Italie dans la géothermie et la Grande-Bretagne dans le biogaz. Cette diversité et cette complémentarité font que l'Union européenne est à la pointe du progrès technologique en ce qui concerne les énergies renouvelables. D'autres technologies sont actuellement en cours de développement et pourraient à l'avenir assurer une part de la production d'électricité d'origine renouvelable. La géothermie, et notamment l'exploitation des roches chaudes sèches, est très prometteuse. Les projets et prototypes de centrales électriques utilisant les courants marins se multiplient. Les turbines subaquatiques sortent des bureaux d'études et permettront sans doute d'exploiter les immenses ressources d'énergies renouvelables que recèlent les océans. De bons espoirs sont également fondés

sur la gazéification. Cette technologie consiste à produire du gaz à partir de déchets de bois et de biomasses diverses. Le combustible peut alors être brûlé et produire de grandes quantités d'électricité. Les énergies renouvelables sont aujourd'hui à un stade déterminant de leur développement. En effet, l'engagement des pays du Sud dans ces filières dépendra, en partie, de la façon dont les pays industrialisés réussiront à insérer les sources renouvelables dans leur propre bilan énergétique. Certains pays à forte croissance économique commencent à s'y intéresser. C'est notamment le cas de l'Inde, qui développe actuellement sa propre industrie éolienne, ou de la Chine, qui est le premier producteur mondial de capteurs solaires thermiques. Pour ces pays, l'alimentation de tous les foyers à partir d'une production centralisée et redistribuée telle que nous l'avons connue dans nos pays industrialisés n'est pas transposable.

Il est économiquement plus rentable pour eux de développer leurs infrastructures électriques vers les lieux de forte consommation et de multiplier les générateurs photovoltaïques autonomes dans les foyers ruraux dispersés où les besoins en puissance sont limités. Cependant, tous ces efforts n'auront que peu d'utilité si la consommation d'énergie primaire, et en particulier d'hydrocarbures, continue de progresser de manière constante. Aussi, il ne faut pas perdre de vue que les énergies renouvelables ne réussiront à relever les défis environnementaux du XXIe siècle qu'à la condition que leur développement soit accompagné d'une maîtrise de notre consommation énergétique.

Alain Liébard

Président de l'Observatoire des énergies renouvelables

1er août

Centre de livraison Airbus, Toulouse, Haute-Garonne, France (43°38' N – 1°22' E).

L'usine Airbus allemande de Hambourg et son homologue toulousaine, dans le sud-ouest de la France, ont livré 325 avions en 2001. Elles se partagent l'assemblage des cinq familles d'appareils du constructeur européen, bientôt complétées par le gros-porteur A 380 qui décollera en 2006 avec 555 passagers à bord. Le transport aérien croît de 6 % par an et c'est celui qui émet le plus de gaz à effet de serre comme le dioxyde de carbone (CO_2), contribuant au réchauffement global de la planète : pour le transport de passagers, il en produit deux fois plus que la voiture et six fois plus que le train. Pour le fret de marchandises, l'avion émet six fois plus de CO_2 que le camion, et quatre-vingts fois plus que le bateau ou le train. Pour atténuer le risque climatique planétaire, il faudrait diviser par deux à trois les émissions mondiales de CO_2, ce qui signifie, pour 6 milliards d'habitants, un quota annuel individuel de 500 kg de carbone rejeté dans l'atmosphère. Or, aujourd'hui, cette quantité est de 6 tonnes pour un Américain, 2 tonnes pour un Européen et 300 kg pour un Indien. Un seul voyage aérien transatlantique suffit à épuiser ce crédit de 500 kg.

2 août

Convoi scientifique en route vers la base européenne Concordia (Dôme C), Antarctique (pôle Sud) (75°00' S – 124°00' E).

Depuis 1959, le traité de Washington a fait taire les revendications de souveraineté sur le continent austral en le dédiant à la paix et à la science. L'analyse des bulles d'air archivées dans ses glaces a ainsi révélé 400 000 ans d'histoire du climat. Le nom de la station russe au cœur de l'Antarctique, Vostok, est aussi celui du lac sous-glaciaire découvert en 1996 à son aplomb, profond de 500 m et aussi vaste que le lac Ontario. Parvenus à 120 m de la surface du lac (qui se trouve sous 3 750 m de glace), les chercheurs ont interrompu le forage, et débattent du moyen d'atteindre l'eau sans risquer de la contaminer ni de perturber irréversiblement ce milieu intact depuis un million d'années. L'interdiction d'exploiter les ressources minérales, édictée par le protocole de Madrid, l'obligation de rapporter les déchets dans leur pays d'origine et de respecter les secteurs protégés et la vie sauvage témoignent également de la volonté internationale de préserver ce territoire pratiquement vierge et de considérer la portée de chaque geste. Les touristes des glaces (déjà 15 000 visiteurs par an) devront y souscrire.

3 août

Chutes d'eau d'Iguazú, province de Misiones, Argentine (25°41' S – 54°26' O).

Aux confins de l'Argentine et du Brésil, les chutes d'Iguazú, hautes de 70 m, dessinent un demi-cercle de 2700 m de long admiré par 1,5 million de touristes chaque année. Du côté argentin, elles sont intégrées au parc national d'Iguazú qui a été inscrit sur la Liste du patrimoine mondial de l'Unesco en 1984. Il concentre 44 % des espèces animales du pays et constitue l'un des vestiges les plus intacts de la forêt atlantique sud-américaine. Cet écosystème unique de forêts subtropicales s'étend sur la frange océanique du Brésil et pénètre légèrement à l'intérieur du Paraguay et de l'Argentine. On considère l'ensemble comme l'une des cinq zones prioritaires pour la conservation de la biodiversité mondiale, un « point chaud » abritant 20000 variétés de plantes, dont 8000 endémiques, et 1668 espèces de vertébrés terrestres dont plus d'un tiers n'existe nulle part ailleurs. Une richesse en sursis puisque la déforestation et l'urbanisation ont déjà réduit de 90 % l'étendue originelle du milieu.

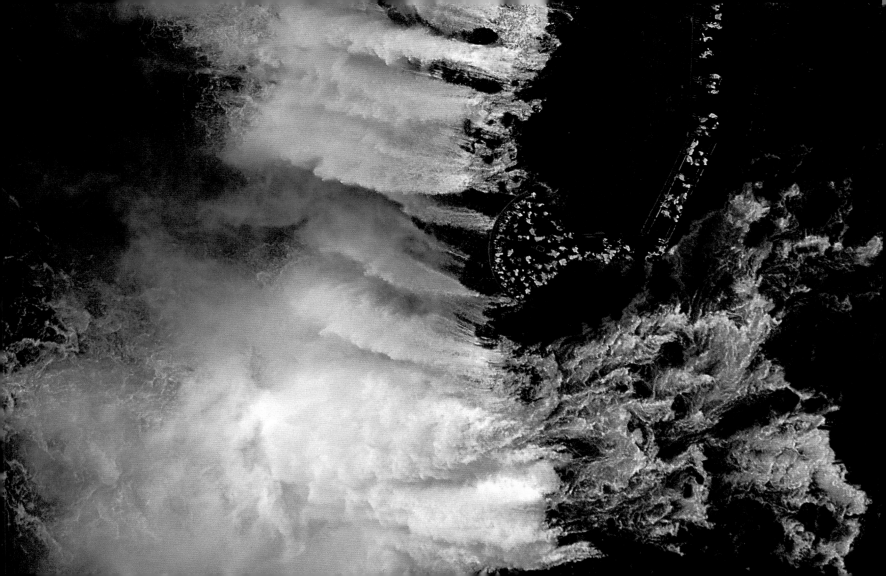

4 août

Îles de l'Upper Lough Erne, Irlande du Nord (Ulster), Royaume-Uni (54°23' N – 7°30' O).

L'Erne s'échappe du lac Gowna, en république d'Irlande (Eire), et parcourt 105 km avant de se jeter dans la baie de Donegal au nord-ouest de l'île. Peu après avoir franchi la frontière de l'Ulster, elle s'alanguit pour former le lac Erne (80 km de long). Jonché de 154 îles, très apprécié des pêcheurs, il se répand en lac inférieur (Lower Lough) et supérieur (Upper Lough). Ses rives déroulent un maillage bocager aux parcelles et chemins bordés de haies, très répandu au XVIIIe siècle, surtout sur les côtes atlantiques assaillies par les vents. Malgré leur importance majeure, tant pour l'équilibre écologique et la protection contre l'érosion que comme habitat pour de nombreuses espèces de la flore et de la faune, les haies ont disparu du paysage dans certaines régions d'Europe où elles faisaient obstacle à l'agriculture intensive. En France, 350 000 km de ces forêts linéaires ont été abattus entre 1960 et 1990 pour permettre la restructuration foncière et l'urbanisation. Et c'est paradoxalement en ville, loin des épandages chimiques des zones de grandes cultures, que se réfugient de nombreuses espèces : on a recensé 260 espèces de papillons dans un parc du centre de Munich.

5 août

Centrale thermique de Janschwalde près de Peitz, Brandebourg, Allemagne (51°51' N – 14°29' E).

Aux confins de l'ex-Allemagne de l'Est, Janschwalde est l'une des dix centrales électriques tirant profit du plus important gisement de lignite en Europe, à cheval entre l'Allemagne, la Pologne et la République tchèque. Le lignite est une variété de charbon qui présente la triste singularité d'être l'énergie fossile la plus productrice de dioxyde de carbone lors de sa combustion. Le charbon est de très loin la ressource fossile la plus abondante à la surface de la Terre et continue d'alimenter la majeure partie des centrales électriques dans le monde. Il fournit ainsi plus de 50 % de l'électricité mondiale. En 1999, 38 % des émissions de dioxyde de carbone étaient dus à la production d'énergie et faisaient donc de ce secteur le principal générateur de gaz à effet de serre, loin devant les transports, responsables de 24 % des rejets de CO_2.

6 août

Village d'Araouane, au nord de Tombouctou, Mali (18°54' N – 3°33' O).

Situé dans la partie saharienne du Mali, à 270 km au nord de Tombouctou, le village d'Araouane est installé sur le grand axe caravanier, jadis très fréquenté, qui relie le nord du pays à la Mauritanie. Les nombreux puits d'Araouane, qui ont contribué à sa prospérité ancienne, attirent encore à sa périphérie des campements nomades. Cependant, peu à peu, ses maisons aux formes de forts, dont l'absence de fenêtres témoigne d'une lutte permanente contre la chaleur et le sable, sont englouties par les dunes poussées par les vents, qui effacent le village. Réparti sur onze pays d'Afrique, le Sahara, avec une superficie de 9 000 000 de km², est le plus grand désert chaud du monde. Il n'est pas exclusivement constitué de sables mais aussi de regs, surfaces d'érosion parsemées de cailloux, de grands plateaux pierreux (tassilis et hamadas), ainsi que de hauts massifs montagneux (Hoggar, Aïr, Tibesti), qui occupent 20 % de sa superficie. Éparpillés dans cet environnement hostile et rigoureux, les villes et villages du Sahara abritent 1,5 million de personnes.

7 août

 Palais du Lac et palais de la Cité, Udaipur, Rajasthan, Inde (24°35' N – 73°41' E).
La ville d'Udaipur, fondée en 728, connut sa période de gloire lorsque le maharadjah Udai Singh II en fit la capitale du Mewar en 1567. Le Mewar, pays fertile au sud-est du Rajasthan, est séparé du Marwar, le « pays de la mort », par la chaîne précambrienne des Aravalli qui s'étend du nord au sud sur 700 km et partage en deux le Rajasthan. Une moitié bénéficie de l'influence océanique, alors que l'autre moitié, désertique, ne reçoit que 200 mm d'eau par an. À Udaipur, Jagat Singh II édifia en 1746 le palais du Lac, un joyau de marbre sur une petite île, qui servait de résidence d'été à la famille royale. Reconverti en hôtel depuis l'indépendance de l'Inde, ce fabuleux palais joue de l'alternance de l'eau et du marbre, ses façades se reflétant dans l'eau et l'eau s'égrenant dans l'édifice en une succession de fontaines, de bassins et de jardins suspendus. Les maharadjahs parvinrent ainsi à rendre réel le mirage des palais flottants du désert de Thar. On pourra regretter que l'accès au palais soit presque exclusivement réservé aux résidents de l'hôtel ou aux clients du restaurant.

8 août

Paysage de champs colorés près de Sarraud, Vaucluse, France (44°01' N – 5°24' E).

Sur le plateau de Vaucluse, relief calcaire et aride à l'est du département, les champs de lavande s'épanouissent sous la chaleur de l'été méditerranéen. Développée vers 1920 pour la production, par distillation, d'huile essentielle utilisée en parfumerie, la culture de la lavande fine a ensuite été concurrencée par le lavandin et les produits de synthèse. En 1992, la production annuelle a chuté à 25 tonnes (six fois moins qu'en 1960). Ce déclin fut jugé d'autant plus préoccupant que la lavande, en valorisant des terres arides, permet de maintenir un tissu rural dans des zones montagneuses défavorisées sujettes à la déprise agricole. En 1994 a débuté un programme de relance et de modernisation de cette culture. En l'an 2000, quelque 4 000 hectares fournissaient 65 tonnes d'huile essentielle (70 % de la production mondiale) et 500 hectares étaient destinés à la production de fleurs et de bouquets. Les tapis mauves et odorants qui parsèment les paysages de Haute-Provence constituent par ailleurs un atout touristique fort du sud-est de la France. En moins d'un siècle, l'évolution du monde rural a redonné à la petite fleur sauvage un rôle important dans le développement économique local.

9 août

Cultures en terrasses, environs de Sheikh Abdal, Somaliland (Somalie) (9°59' N – 44°48' E).

La république autoproclamée du Somaliland et la Somalie sont en proie à la malnutrition. Les cultures vivrières, comme ces terrasses où poussent melons et tomates, n'y occupent que 2 % de la superficie totale. Mais la pénurie alimentaire est surtout due aux fréquentes sécheresses ainsi qu'à l'instabilité politique de l'État somalien, secoué par les luttes armées entre clans rivaux. Confrontés aux mêmes problèmes, les pays de la Corne africaine (Somalie, Éthiopie et Érythrée) comptaient 12 millions de personnes souffrant de la famine en 2002. Les sécheresses et les conflits y occultent cependant un autre facteur aggravant, moins manifeste : l'importation de produits alimentaires bon marché, y compris lors d'aides d'urgence. Cette concurrence de certains pays, où l'agriculture indemnisée casse les prix à l'exportation, entame les ventes des producteurs locaux et freine le développement agraire. D'après l'Organisation mondiale du commerce, les pays riches ont donné 57 milliards de dollars au titre de l'aide au développement en 2001, mais ils ont versé dans le même temps plus de 350 milliards de dollars à leurs propres agriculteurs.

10 août

Yourtes dans la banlieue d'Oulan Bator, Mongolie (47°55' N – 106°53' E).

Vaste comme trois fois la France avec seulement 2,4 millions d'habitants, la Mongolie compte 1,4 million d'éleveurs. Oulan Bator, sa capitale, est implantée au cœur des steppes, au sud-ouest de la chaîne montagneuse Hentii. Elle concentre un quart de la population mongole contre un huitième il y a dix ans. Des dizaines de milliers d'éleveurs nomades s'y sédentarisent, poussés par la désertification des terres où paissent habituellement leurs troupeaux. Dans des conditions souvent précaires, ils installent leur yourte, tente circulaire de laine blanche montée sur croisillons de bois – abri traditionnel de la famille nomade. Cet exode s'accentue depuis l'an 2000. Une sécheresse exceptionnelle suivie d'un des hivers les plus rigoureux du siècle a touché 45 % de la population et fait périr 2,4 millions de têtes de bétail. Les catastrophes naturelles, dont la fréquence a dangereusement augmenté ces deux dernières décennies, ont un impact humain d'autant plus important que le pays est pauvre. Elles occasionnent ainsi près de cinquante fois plus de décès dans un pays faiblement développé que dans un pays comme les États-Unis.

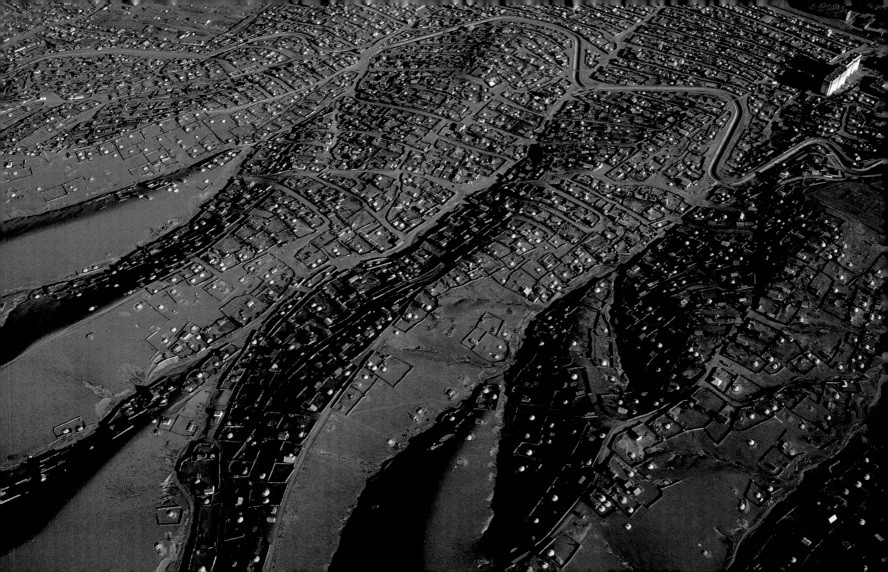

11 août

 Piste de ski de Loisinord, sur le terril de Nœux-les-Mines, France (50°29' N – 2°40' E).

Les skieurs, les remonte-pentes, le froid, tout y est… sauf la neige. Assez rare dans le Nord-Pas-de-Calais, elle est ici remplacée par un tapis vert arrosé en permanence pour assurer la glisse. Avec ses 320 m de long, la piste de ski synthétique de Loisinord est la plus longue d'Europe du Nord où l'on en compte bien d'autres. En Grande-Bretagne, il en existe cent dix autres de ce genre, elles aussi édifiées sur des terrils. Les habitants des bassins houillers ont pris le parti d'utiliser ces montagnes de résidus, indissociables de leurs paysages, plutôt que de les subir. En les transformant en stations de ski, en pistes d'envol pour parapentes, en amphithéâtres ou encore en stations ornithologiques, ils ont créé des lieux qui attirent les touristes dans des régions que ces derniers désertaient encore il y a quelques années. Le Nord-Pas-de-Calais est ainsi devenu la sixième région touristique de France. Le tourisme en est même devenu le deuxième employeur, faisant de nouveau respirer un bassin très affecté par le chômage depuis la fermeture des mines.

12 août

Train de bois sur la rivière Saint-Maurice au Québec, Canada (46°21' N – 72°31' O). Dans cette vallée, l'une des plus industrialisées du Québec, le spectacle d'un gigantesque radeau de troncs se déployant sur l'eau appartient au passé. Sous la pression des riverains et des écologistes, le flottage du bois y fut interdit en 1993. Ce moyen de transport des troncs (ou grumes) pouvait nuire durablement à l'écosystème fluvial en modifiant le lit de la rivière par érosion des berges et accumulation de débris sur le fond. Cette charge supplémentaire de matière organique contribuait à asphyxier le milieu. Aujourd'hui, la récente augmentation et la concentration du cheptel porcin font sensiblement peser la même menace sur les cours d'eau québécois. Des quantités importantes de lisier drainent azote et phosphore, responsables de l'eutrophisation des milieux aquatiques. Ce phénomène, lié à un excès de nutriments dans les eaux, provoque une prolifération de matière végétale qui finit par asphyxier le milieu lors de sa décomposition. D'après la Commission mondiale sur l'eau, 250 des 500 plus grands fleuves de la planète sont sévèrement pollués.

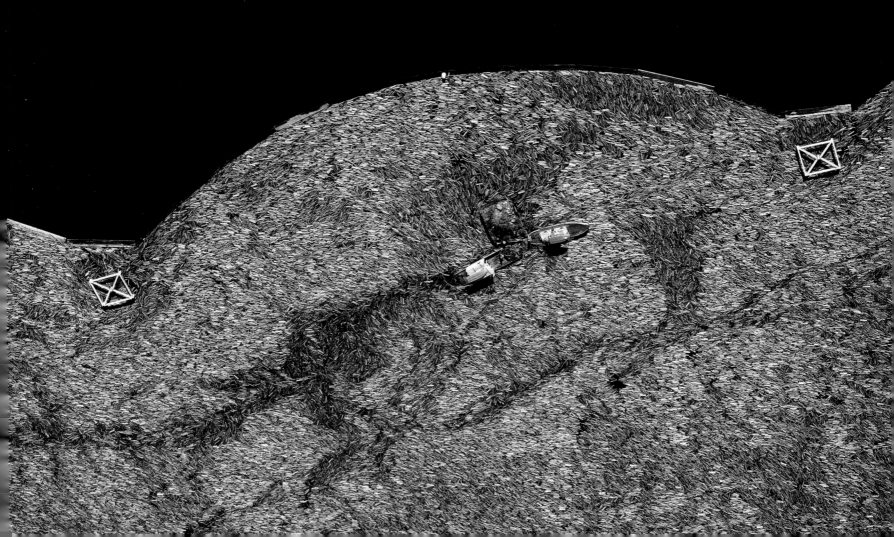

13 août

Maison détruite après la crue de la rivière Ulua consécutive au cyclone Mitch, San Pedro Sula, Honduras (15°27' N – 88°02' O).

Né au sud de la Jamaïque, le cyclone Mitch a atteint son paroxysme, avec des rafales de 288 km/h, quatre jours avant de s'abattre sur l'Amérique centrale, le 30 octobre 1998. Le Honduras a été balayé pendant deux jours par des vents destructeurs, des pluies diluviennes et des coulées de boue qui ont rasé des villes entières, tuant plusieurs milliers de personnes, laissant plus d'un million de sinistrés et causant au moins 58 millions de dollars de dégâts. Les catastrophes hydrométéorologiques (causées par l'eau et les conditions météorologiques) ont été de plus en plus fréquentes ces dernières décennies. Leurs effets sont particulièrement dévastateurs dans les pays en développement. En seulement dix ans, des années 1980 aux années 1990, le nombre des personnes touchées par les catastrophes naturelles a été multiplié par près de 1,5.

14 août

Rivière Mahajilo traversant les plateaux érodés à l'est de Miandrivazo, Madagascar (19°31' S – 45°28' E).

Comme blessés à grands coups de griffes, les plateaux sont marqués par de profondes entailles creusées par le ruissellement des eaux de pluie. Ces ravins, ou *lavakas*, alimentent la rivière en latérite, un sédiment rouge arraché des reliefs par l'érosion. Il n'y a plus d'arbres pour retenir la terre meuble car la forêt a disparu, défrichée par la culture sur brûlis et le surpâturage. Ces pratiques, bien qu'elles soient interdites aujourd'hui, se sont intensifiées ces dernières décennies en raison de l'importante croissance démographique du pays qui a vu sa population doubler en trente ans. Les paysans en subissent les conséquences : les régions érodées n'étant plus cultivables, les terres exploitables sont réduites à 5 % de la superficie totale de l'île. Ils sont donc parfois obligés de travailler sur des zones accidentées, quand ils ne brûlent pas la forêt pour gagner de l'espace. Dans le monde, près de 2 milliards d'hectares de sols sont dégradés. La déforestation est mise en cause dans 30 % des cas.

15 août

Îlot au large de Göteborg, Suède (57°38' N – 11°46' E).

Plus de 150 000 îles et îlots parsèment les côtes suédoises, à l'image de ces rochers de granit rose affleurant à l'ouest de Göteborg, la deuxième ville du pays. Ce sont autant de havres de paix pour les plaisanciers qui affluent par dizaines sur le moindre caillou. Avec près d'un foyer sur cinq possédant un voilier, la Suède est l'un des rares pays à offrir le spectacle d'embouteillages de bateaux. Disposant d'un des produits intérieurs bruts par habitant les plus élevés d'Europe et d'un budget record pour l'éducation, les Suédois préconisent l'épanouissement de l'individu et la vie de famille, de préférence en plein air. La Suède est en revanche le pays d'Europe au plus fort taux d'actifs en congé maladie, un phénomène qui refléterait non seulement la qualité de la couverture sociale mais également une déshumanisation des conditions de travail. Enrayer cet absentéisme, dont le coût doit s'élever à plus de trois fois le budget de l'éducation, a été annoncé comme priorité du gouvernement en 2003.

16 août

 Cultures en terrasses dans le djebel Akhdar, Oman (23°30' N – 56°56' E).

Le sultanat d'Oman est marqué par un relief accidenté. Dans le nord, les vertigineux précipices du djebel Akhdar, qui culmine à 3 035 m d'altitude, sont creusés par d'impétueux et éphémères torrents appelés *wadis*. Malgré la faiblesse des précipitations, ces montagnes sont colorées depuis des siècles par une mosaïque de cultures en terrasses. Une agriculture fondée sur un système complexe de distribution de l'eau vieux de 2 000 ans, baptisé *falaj*, permet la récolte des dattes, des citrons et des abricots. Le *falaj* est généralement alimenté par l'eau souterraine, souvent captée à plusieurs dizaines de mètres de profondeur. L'eau est ensuite véhiculée par gravitation dans des galeries souterraines creusées par l'homme, parcourant plusieurs kilomètres avant d'aboutir à l'air libre près des villages. L'utilisation de l'eau y suit un ordre hiérarchique : à l'usage alimentaire s'ajoutent l'ablution des hommes, puis la « fontaine des femmes » et enfin l'irrigation des parcelles agricoles. Depuis 1990, l'intensification de l'agriculture a réduit les réserves d'eaux souterraines et augmenté leur salinité.

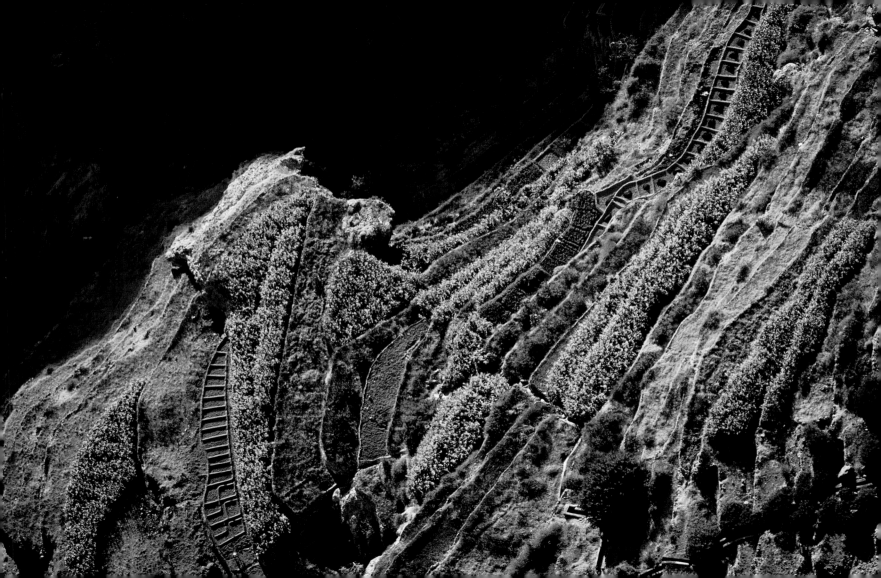

17 août

Campement près du refuge Vallot sur le mont Blanc, Haute-Savoie, France (45°49' N – 6°51' E).

L'imprenable mont Blanc a été vaincu en 1786. Cette conquête, pour laquelle une forte récompense avait été mise en jeu, fut la prouesse du guide Jacques Balmat et du docteur chamoniard Gabriel Paccard. Un siècle plus tard, quelque 3 000 personnes avaient tenté l'ascension et plus de la moitié, dont 67 femmes, l'avaient réussie. Aujourd'hui, le point culminant de l'Europe attire chaque année 3 000 alpinistes, qui choisissent la traversée des 4 000 m (mont Blanc du Tacul et mont Maudit) ou l'ascension par le dôme du Goûter. En pleine saison, de 300 à 400 personnes foulent chaque jour le prestigieux sommet. Cette intense fréquentation, qui constitue la première ressource économique de la vallée, menace l'avenir du site : des opérations de nettoyage menées de 1999 à 2002 ont dégagé du massif près de 10 tonnes de déchets. Les milieux extrêmes comme la haute montagne, particulièrement fragiles, sont sensibles aux moindres perturbations et sont facilement dégradés par le tourisme de masse.

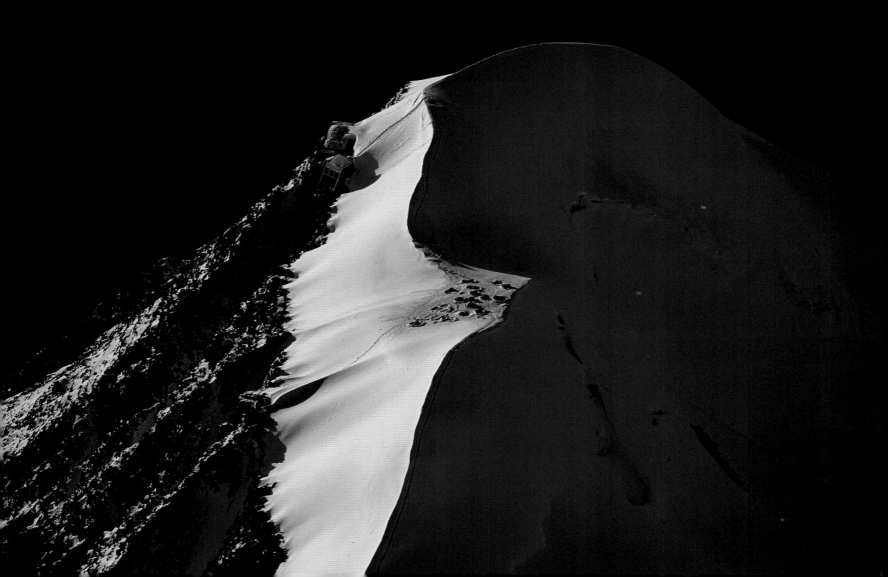

18 août

Plate-forme pétrolière sur le lac Maracaibo, Venezuela (9°50' N – 71°37' O).
L'étendue des champs de derricks reflète combien la découverte du pétrole en 1920 a bouleversé l'économie du Venezuela. Depuis, le pays a appris à vivre au rythme des variations du prix du baril. À partir de 1972, le Venezuela a connu l'eldorado. L'envolée des prix a alors placé le pays en tête des pays d'Amérique latine pour son revenu par habitant et pour son dynamisme économique. Mais la chute des cours de 1983 a surpris les Vénézuéliens qui ont mesuré leur dépendance à l'égard de l'or noir. C'est que la manne pétrolière a fait naître un capitalisme fondé sur la spéculation plutôt que sur l'esprit d'entreprise et la production de richesses. Et malgré les efforts des gouvernants, jamais l'économie rurale n'a pu être relancée. Bien sûr, une importante classe moyenne a pu se développer, mais les revenus du pétrole, mal distribués, n'ont pas permis de réduire les inégalités : un tiers de la population n'a pas accès à l'ensemble des denrées alimentaires de première nécessité.

19 août

 L'église de la Transfiguration sur l'île de Kizhi, Carélie, Russie (62°00' N – 35°15' E). La civilisation du bois est au cœur des îles septentrionales du lac Onega, au sud de la Carélie. Le pogost de Kizhi, summum d'architecture, est désormais inscrit sur la Liste du patrimoine mondial de l'Unesco depuis 1990. Un de ses joyaux est l'église de la Transfiguration, avec ses vingt-deux dômes recouverts d'écailles en tremble argenté. Édifié en 1714, le monument illustre la virtuosité des charpentiers de l'époque, capables d'obtenir une plastique complexe aux courbes harmonieuses, et ce, sans utiliser le moindre clou. Cependant, l'église rencontre de sérieux problèmes de conservation. Exposée aux variations thermiques, attaquée par les champignons, elle doit également s'adapter aux nouvelles contraintes que lui fait subir sa récente structure métallique. Et malgré la protection avisée de l'Unesco, qui a engagé des experts en 1992 dans une mission de suivi, on ne s'accorde toujours pas sur la manière de la restaurer.

20 août

Depuis des décennies, les Touareg parcourent avec leurs caravanes les 610 km qui séparent la ville d'Agadès des salines de Bilma, pratiquant le commerce traditionnel du sel. Les dromadaires circulent en convoi au rythme de 40 km par jour, malgré des températures atteignant 46 °C à l'ombre et des charges de près de 100 kg par animal. Sur la piste des *Azalaï* (caravanes de sel), Fachi, seule localité importante, constitue une halte indispensable. Les caravanes, qui comptaient autrefois jusqu'à 20 000 bêtes, ne dépassent guère aujourd'hui la centaine d'animaux : elles sont peu à peu supplantées par le camion qui, pour le transport de marchandises, équivaut à lui seul à 250 dromadaires. Le nombre de véhicules à moteur circulant sur la planète est passé de 40 millions à près de 800 millions depuis 1945. Il est encore faible dans les pays en développement, mais c'est là qu'il augmente le plus rapidement. Si le niveau de motorisation était pour le monde entier comparable à celui des États-Unis, le nombre total de voitures circulant dans le monde atteindrait 3 milliards.

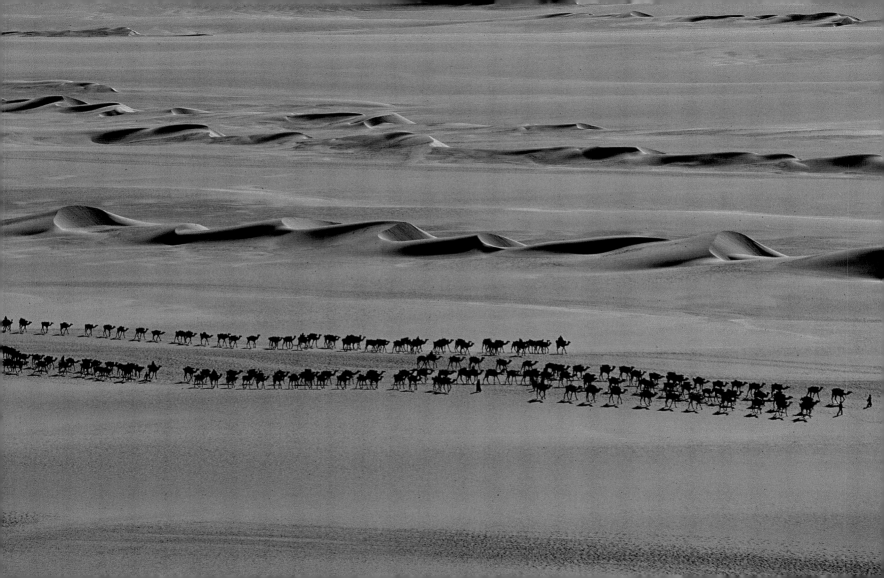

21 août

Mine de Johannes (Grube Johannes), zone industrielle de Bitterfeld au nord de Leipzig, Saxe-Anhalt, Allemagne (51°37' N – 12°20' E).

L'ancienne carrière de Grube Johannes, exploitée depuis 1843, a servi de décharge industrielle à partir des années 1930, recevant, jusqu'en 1990, les effluents d'une usine de production de fibres de cellulose. Surnommé « Silbersee » (le lac d'Argent), ce lieu sinistré symbolise autant l'échec des politiques économique et écologique de l'ancienne République démocratique allemande (RDA) que les efforts considérables entrepris par l'Allemagne depuis sa réunification pour résoudre les graves problèmes de pollution qu'elle a récupérés en même temps que sa partie orientale. Ici, la nature elle-même est mise à contribution pour réparer les excès de l'homme : ces sacs verts, qui recouvrent hermétiquement la surface du sol, sont des filtres biologiques. Ils contiennent des copeaux d'écorce sur lesquels vivent des micro-organismes, capables de transformer en sulfate inodore le sulfure d'hydrogène nauséabond qui se dégage des boues industrielles en décomposition et traverse les filtres.

22 août

Musée juif de Berlin, Allemagne (52°30' N – 13°25' E).

En choisissant de laisser le rez-de-chaussée de ce musée entièrement vide, Michael Blumenthal, son directeur, fils d'un Juif allemand déporté à Büchenwald, a souhaité l'emplir de la mémoire des six millions de juifs exterminés sous le IIIe Reich. L'architecte américain Daniel Libeskind, concepteur de l'édifice, lui a attribué la forme d'une étoile de David brisée pour communiquer, à travers cette architecture chaotique, l'atrocité de ce qui constitue le plus terrible souvenir de la conscience européenne. Inauguré le 9 septembre 2001, le Musée juif de Berlin retrace 1700 ans d'histoire des Juifs en Allemagne, et commémore avec émotion l'Holocauste de la Seconde Guerre mondiale, le génocide le plus massif du XXe siècle. D'autres massacres de peuples ont été perpétrés, notamment ceux des Arméniens par les Turcs en 1915-1916 (1,2 million de victimes), des Cambodgiens par les Khmers rouges entre 1975 et 1979 (1,7 million), des Tutsis au Rwanda en 1994 (500 000)… Pourtant, depuis 1948, le droit international considère le génocide comme un crime.

23 août

Briqueterie à l'est d'Agra, Uttar Pradesh, Inde (27°04' N – 78°53' E).

De nombreuses briqueteries se sont développées dans la périphérie d'Agra, agglomération de 1,2 million d'habitants de l'Uttar Pradesh, État qui abrite 1/6 de la population indienne. Ces petites entreprises sont pourvoyeuses de travail dans une région fortement touchée par le chômage et le sous-emploi, à l'image de l'ensemble du pays. En effet, l'Inde se classait en 1999 au 144e rang mondial pour son PIB par habitant (corrigé des différences de pouvoir d'achat de sa monnaie). La production de ces briques en terre cuite est plus particulièrement destinée aux centres urbains, les ruraux se contentant généralement d'habitations en pisé (terre argileuse crue), d'un moindre coût mais plus sensibles aux intempéries. L'importante croissance urbaine de l'agglomération d'Agra, qui en vingt ans a vu sa population augmenter de moitié, laisse entrevoir un avenir prospère pour les entreprises de matériaux de construction de la région.

24 août

Fazenda (ranch) dans les eaux du rio Vermelho, Pantanal, État du Mato Grosso, Brésil (17°00' S – 56°54' O).

Le Paraguay, la Bolivie et les deux États brésiliens du Mato Grosso et du Mato Grosso do Sul se partagent la vaste dépression sédimentaire du Pantanal. Cette zone inondable (*pantano* signifie marais), de 140 000 km², se trouve enchâssée au sein de hautes terres d'où s'écoulent d'innombrables affluents du fleuve Paraguay qui la traverse. Son absence de déclivité et ses pluies abondantes (1 250 mm d'eau par an) la soumettent à des crues récurrentes : les prairies couvertes de graminées, propices à l'élevage extensif en saison sèche, sont submergées de novembre à mars. Elles forment alors d'immenses lacs (*baías*), d'où émergent des îlots (*cordilheiras*) où se rassemble le bétail. Ce milieu exceptionnel (plus de 270 espèces d'oiseaux) demeure vulnérable à la pollution et à l'ensablement des fleuves que provoquent le défrichement et les activités minières. Plus de 500 000 animaux sauvages disparaissent chaque année au Pantanal, clandestinement expédiés vers les animaleries des pays riches, ou illégalement chassés. Le jacaré (caïman), convoité pour sa peau, est aujourd'hui élevé à cet effet, et une partie de chaque nichée de crocodiles nés en captivité est réintégrée dans le milieu naturel.

25 août

 Rizière au nord de Pokhara, Népal (28°14' N – 83°59' E).

La chaîne himalayenne qui s'allonge au nord du Népal sépare ce pays de son voisin géant, la Chine, et le couronne d'un diadème arborant huit sommets de plus de 8 000 m sur les quatorze que compte la Terre. L'agriculture, base de l'économie, occupe 80 % de la population active et représente 41 % du PIB de ce pays parmi les plus pauvres du monde. Des générations de paysans ont apprivoisé le relief escarpé et jugulé l'érosion des terres arables en aménageant des terrasses. Les rizières s'étagent ainsi jusqu'à 3 000 m d'altitude, et couvrent 45 % des terres cultivées du Népal. Constituant principal de l'alimentation de 3 milliards d'Asiatiques, dont 25 millions de Népalais, le riz sert aussi à produire le *tchang* (boisson fermentée à base de riz) ou le *rashki* (alcool de riz ou de blé). La planète consomme chaque année 400 millions de tonnes de riz, mais les quantités ingérées diffèrent selon les continents : plus de 100 kg par personne et par an en Asie, de 40 à 60 kg en Afrique et en Amérique latine, et seulement 5 kg par an pour un Européen. Chaque année, la population de l'Asie s'accroît de 50 millions de mangeurs de riz, celle de l'Afrique de 5 millions, celle de l'Amérique latine de 2,5 millions.

26 août

 Nomades sur le Züün Saïkhan, gobi Ömnögov, Mongolie (45°32' N – 107°00' E).
Enclavée entre la Russie et la Chine, la Mongolie actuelle, appelée aussi Mongolie « extérieure » pour la distinguer de sa sœur chinoise, la Mongolie intérieure, recouvre un territoire vaste comme trois fois la France à une altitude moyenne de 1 580 m. Ces terres, peuplées en majorité de nomades turco-mongols, ont fourni les plus grands conquérants de l'histoire contre lesquels la Chine dressa sa Grande Muraille dès les Ve-IVe siècles avant J.-C. Au XIIIe siècle, le prince mongol Gengis Khan entreprit la conquête du plus vaste empire de l'histoire de l'humanité qui, à son apogée, se déployait du Pacifique aux rives de la Volga et du Cambodge à l'Iran. Morcelé ensuite, déchiré entre Turcs, Russes et Mandchous, le territoire mongol fut en totalité mandchou de 1696 à 1911, année pendant laquelle une partie de la Mongolie extérieure prit son indépendance. Après soixante-dix ans de régime communiste, le XXe siècle s'est achevé sur une difficile restructuration économique doublée d'une des plus grandes sécheresses du siècle, qui amena un tiers des Mongols en dessous du seuil de la pauvreté.

27 août

Village près de l'île de Panducan, Philippines (6°15' N – 120°36' E).

La région de Panducan, située dans le groupe d'îles de Pangutaran, fait partie de l'archipel de Sulu. Ces îles abritent, entre autres, les Tausug, le « peuple des courants marins », au nombre de 400 000. Naguère contrebandiers, ils vivent du négoce et de la pêche, répartis dans de petits hameaux de maisons en bambou sur pilotis, dispersés sur les côtes frangées de coraux. Les récifs coralliens des Philippines représentent 9 % du total mondial et possèdent la plus grande diversité biologique. Cependant, endommagés à près de 70 %, ils sont aussi les plus menacés. La pratique courante de la pêche au cyanure ou à l'explosif engendre des effets dévastateurs sur les récifs coralliens et sur la faune marine qui en dépend. Ils souffrent également de l'envasement provoqué par les dépôts de sédiments et d'alluvions, conséquence indirecte du retrait de la végétation fixatrice du sol. Cette détérioration devient préoccupante pour nombre de communautés côtières dont la subsistance dépend de la bonne santé des coraux.

28 août

 Extraction de marbre, Carrare, Alpes Apuanes, Italie (44°05' N – 10°06' E).
À 10 km de la côte toscane, les Alpes Apuanes peuvent s'aborder à 800 m d'altitude par les montagnes de Carrare, d'une blancheur si étincelante qu'elles semblent scintiller sous une neige éternelle. C'est là que, depuis l'époque romaine, on vient extraire le fameux marbre blanc de Carrare. Son exceptionnelle pureté en fait le marbre statuaire par excellence, prisé de Michel-Ange mais aussi de toute la Renaissance européenne : dès le XVe siècle, le commerce de Carrare a franchi les limites du bassin méditerranéen et exporté vers l'Angleterre et les Pays-Bas. Les marbriers carrarais associent ainsi l'expression de traditions d'exploitation locales fortes de 2 000 ans d'existence à une large ouverture au négoce international. Moins employé en sculpture aujourd'hui, le marbre carrarais est surtout utilisé, comme à l'époque romaine, dans la construction et le parement d'édifices publics prestigieux telle la Grande Arche de la Défense à Paris.

29 août

Delta et rivière de pétrole dans le désert, Tunisie (34°00' N – 9°00' E).

Naturellement confiné entre deux couches de roches, l'or noir ne devrait pas former de rivières à la surface de notre planète. À moins qu'il ne s'échappe d'un oléoduc, comme ici au milieu du désert tunisien. Les hydrocarbures circulent dans 580 000 km de pipelines à travers le monde, soit quatorze fois la circonférence de la Terre. Les fuites, générées par l'usure, par les catastrophes naturelles ou la malveillance, contaminent les nappes phréatiques et les terres fertiles. Dans les pays du golfe Persique, l'extraction pétrolière intensive provoque de fréquents déversements d'hydrocarbures dont 10 % se retrouvent dans l'écosystème marin. En janvier et février 1991, lors de la première guerre du Golfe, 1,5 milliard de litres se sont déversés dans la mer. En France, la négligence a provoqué, le 4 août 1990, l'écoulement de 13 000 m^3 d'hydrocarbures dans une nappe phréatique située près d'une raffinerie de Seine-Maritime. Dans ce dernier cas, des mesures d'urgence ont permis de restaurer rapidement l'état de l'environnement, mais des régions plus isolées manquent de moyens pour faire face à de telles situations.

30 août

Volcans sur l'archipel des Galápagos, Équateur (0°20' S – 90°35' O).

Émergées des flots de l'océan Pacifique il y a 3 à 5 millions d'années, les dix-neuf îles d'origine volcanique qui constituent l'archipel des Galápagos présentent une exceptionnelle richesse biologique, en dépit de leur aspect lunaire. Elles abritent notamment la plus importante colonie d'iguanes marins du monde et la tortue géante, ou *galápago*, qui a donné son nom à l'archipel. Si l'enchantement gagne ceux que leur bateau conduit dans ces lieux, Darwin, lui, s'en inspira pour sa théorie de l'évolution des espèces. La reconnaissance des îles Galápagos comme parc national en 1959 et leur inscription sur la Liste du patrimoine mondial de l'Unesco en 1978 n'ont pas empêché l'accroissement démographique et l'introduction d'espèces exotiques et l'essor du tourisme (pourtant sévèrement réglementé depuis 1998) de mettre en péril ce laboratoire naturel de l'évolution. L'archipel a été miraculeusement épargné par les quelque 600 tonnes de fioul échappées du pétrolier *Jessica*, naufragé en janvier 2001, mais d'autres rivages n'ont pas eu cette chance.

31 août

Exploitation forestière au nord-est de Yamoussoukro, Côte-d'Ivoire (6°50' N – 5°15' O).

Or vert de la Côte-d'Ivoire, la forêt a longtemps été la première source de richesse du pays. Le « miracle ivoirien » cité en exemple durant de nombreuses années a été le fruit d'une exploitation forestière intensive. Sur 12 millions d'hectares en 1960, la forêt n'en couvrait plus que 2 millions en 1994. Alarmé, l'État ivoirien a décidé de reboiser, de rationaliser l'exploitation du bois et de sensibiliser la population afin qu'elle diversifie ses sources de combustible et cesse d'allumer des feux de brousse pour défricher ou renouveler l'herbe tendre qui alimente les troupeaux. Les exportations de grumes ont ainsi été interdites à partir de 1995 et les producteurs se sont concentrés sur les activités de transformation, qui constituent aujourd'hui 80 % du chiffre d'affaires du secteur. L'industrie du bois souffre néanmoins du haut niveau des coûts de production et des prix élevés des pièces de rechange importées. Vingt pour cent seulement des exploitations sont en bonne santé.

LES TRANSPORTS

Les transports affectent la vie de chacun d'entre nous. En Afrique, au Bangladesh et dans certaines parties de l'Inde, le manque de transports freine considérablement la croissance économique et pèse sur l'existence des femmes qui transportent l'eau, le carburant et les récoltes sur des centaines de kilomètres. Dans d'autres régions du monde, le développement excessif des transports est source d'embouteillages, de pollution, de troubles de la santé chez les enfants. En Californie, dans le sud-est de l'Angleterre et dans les environs de Francfort en Allemagne, les conditions de circulation, très difficiles, entraînent la perte de milliards de dollars pour l'économie ainsi que de graves perturbations dans la vie des citoyens. Dans l'ensemble des pays développés, les accidents mortels sur la route, qui se chiffrent à plus de 3 000 par jour, posent un problème préoccupant de santé publique et constituent une menace sérieuse pour la vie des piétons, des cyclistes et des usagers des transports en commun. Toutes ces difficultés s'amplifient au fil des années, à mesure que s'accroît la demande en transports à travers le monde et, parallèlement, la construction de routes, d'aéroports et de voies de chemin de fer. Ces investissements amputent largement les budgets nationaux à une époque où les coûts afférents à la santé, aux retraites et aux infrastructures sociales grimpent à un rythme prodigieux un peu partout dans le monde. Le développement des transports contribue en grande partie à l'effet de serre résultant des émissions de gaz et à tous les problèmes liés aux changements climatiques. Les conséquences fâcheuses des transports sont rarement évoquées dans les débats relatifs au développement durable ou à la promotion de modes de transport qui protègent l'environnement, comme la marche ou la bicyclette. Chaque année, nous nous déplaçons de plus en plus loin pour vaquer aux occupations quotidiennes comme les études et le travail. Si les véhicules sont de moins en moins polluants, l'augmentation du nombre de kilomètres parcourus annule les bénéfices obtenus et accentue l'effet de serre. Plus nous nous déplaçons en abandonnant les moyens de transport favorables à l'environnement, plus nous menaçons l'avenir de la planète. La construction de routes et d'autoroutes participe également à la détérioration de l'environnement. Dans les pays de l'Europe de l'Est, de nouvelles autoroutes empiètent sur des sites à l'équilibre précaire, polluant l'atmosphère et les cours d'eau. En Grande-Bretagne, de nouvelles routes comme l'itinéraire de délestage au nord de Birmingham amputent des campagnes traditionnellement préservées. Elles favorisent le développement du trafic routier, provoquant la multiplication des véhicules privés au détriment des transports en commun. La construction des routes modifie en outre les données géographiques, contribuant à l'« étalement » des activités humaines. L'apparition, en dehors des centres urbains, de parcs d'affaires, de centres commerciaux et de villes-dortoirs – phénomène perceptible des États-Unis à Calcutta, en Inde – est une conséquence directe du développement des autoroutes. Le gouvernement britannique a montré que les investissements en matière de transports profitent en priorité aux plus aisés. Les dépenses dans ce domaine, inéquitables, se révèlent source de fragmentation sociale. Ce sont les riches, et non les pauvres, qui utilisent l'avion et l'automobile. Ainsi, les investissements publics profitent avant tout à ceux qui se déplacent sur de longues distances et à des vitesses rapides. En Grande-Bretagne, les impôts des contribuables financent les infrastructures aériennes à raison de 10 milliards de livres sterling par an (14 milliards d'euros), et les nuisances liées au trafic aérien, comme le bruit et la pollution, affectent les pauvres plus que les riches. Généralement, la solution aux problèmes de transports et de circulation consiste à investir dans de nouvelles infrastructures – davantage de routes, davantage d'aéroports, davantage de trains à grande vitesse. Même les pays en voie de développement, où les budgets nationaux sont largement sollicités, ont tendance à investir dans ces modes de transport s'adressant aux privilégiés. Ils font abstraction des besoins des populations défavorisées, tant à la campagne que dans les villes – il suffit de penser aux métropoles asiatiques ou indiennes comme Bombay. La politique récemment mise en œuvre dans la capitale colombienne de Bogotá prouve néanmoins que des approches différentes sont possibles. L'ancien maire de Bogotá a élaboré une série de mesures radicales relatives aux transports et un système de financement approprié, afin de répondre aux besoins des plus pauvres et de ceux qui travaillent ou sont scolarisés à proximité de leur domicile. Désormais, à Bogotá, les principales artères sont interdites aux véhicules à moteur tous les dimanches pendant sept heures, afin que les habitants puissent y pratiquer le vélo, le jogging, ou simplement se rencontrer – 120 km de rues sont actuellement fermés à la circulation automobile. Pour favoriser les déplacements à bicyclette, 300 km de pistes cyclables ont été aménagés. À raison de 5 millions de dollars au kilomètre investis dans les bus du TransMilenio, plus de 540 000 déplacements s'effectuent chaque jour en bus. L'approche de Bogotá a initié de nouvelles normes dans les politiques en faveur de l'environnement durable. Mis en service à Londres en février 2003, le péage visant à lutter contre les embouteillages s'inscrit dans le même esprit. La taxe, de 5 livres (7 euros) par jour et par véhicule, représente un gain journalier de 500 000 livres (700 000 euros), qui sera en partie investi dans des infrastructures destinées aux piétons, aux cyclistes et aux usagers des bus londoniens. Cette mesure répond à un souci de justice sociale. Désormais, 20 % seulement des personnes entrant à Londres chaque jour empruntent une voiture – ce qui représente néanmoins une menace sérieuse pour les habitants défavorisés de la capitale qui ne peuvent échapper à la pollution. La taxe a réduit la circulation d'environ 20 % pour le bien-être de tous. Pour la première fois depuis soixante-dix ans, les cyclistes et les usagers des bus bénéficient de meilleures conditions de circulation. Il est possible d'améliorer les conditions de vie et de travail dans toutes les villes du monde, ainsi que dans les zones rurales les plus démunies. Il n'y a rien à perdre et tout à gagner. Le seul véritable obstacle reste la mentalité conservatrice, les vues erronées des responsables politiques, qui pensent qu'en œuvrant en faveur de l'environnement et de l'égalité sociale ils perdront des voix. Ils se trompent. Une nouvelle approche en matière de transports doit être définie de toute urgence, au profit des cyclistes, des piétons, des usagers des bus – tandis que les conducteurs de voitures et de camions doivent payer le prix des nuisances qu'ils imposent à l'environnement et à la société tout entière. Une évolution se dessine en ce sens, mais la mise en application d'une telle politique nécessite des personnalités aussi déterminées et perspicaces que Enrique Penalosa, ancien maire de Bogotá, ou Ken Livingstone, maire actuel de Londres. Chacun de nous utilise les transports, et nous sommes tous conscients des conséquences qu'ils entraînent. Nous savons que des solutions existent pour protéger l'environnement, vivre dans une société équitable et préserver l'avenir de nos enfants. Il nous manque seulement la vision politique nécessaire et les dirigeants qui conviennent pour réaliser ces objectifs.

Professeur John Whitelegg et Gary Haq
Institut de l'environnement de Stockholm
Université de York, Royaume-Uni

1er septembre

Embarquement d'un tas de sciures au nord de Calbuco, Chili (41°45' S – 73°10' O).

Le quai mécanique achemine jusqu'au bateau les sciures de bois qui serviront à la production de cellulose, à la fabrication de papier ou à la construction de meubles en contreplaqué. Principalement destinées à l'exportation, elles proviennent des forêts pluviales de la région, mais aussi de plantations. Depuis les années 1970, des incitations économiques ou fiscales encouragent en effet le reboisement des zones forestières exploitées. Mais si ces nouvelles plantations permettent de fournir 85 % du bois utilisé dans l'industrie forestière chilienne, elles ne remplacent pas tout à fait les forêts anciennes. Établies surtout à partir d'espèces exotiques comme l'eucalyptus (12 %) ou le pin (80 %), elles ne régénèrent pas les écosystèmes d'origine nécessaires à la survie de la faune. En outre, elles ne suffisent pas à compenser les 20 000 hectares de forêts que le Chili perd chaque année. Dans le monde, ce sont 9,4 millions d'hectares de forêts qui partent chaque année en fumée, en sciures ou en mobilier. Comme si chaque habitant de la Terre en possédait 6 000 m² et en perdait 12 m² par an.

2 septembre

Cultures maraîchères aux environs de Tombouctou, Mali (16°46' N – 3°00' O).

Dans la région aride de Tombouctou, au cœur du Mali, la culture maraîchère est rendue difficile par un sol sableux peu fertile et par des conditions climatiques extrêmes : les températures diurnes peuvent atteindre 50 °C et les précipitations n'excèdent guère 150 mm par an. L'eau provient de la nappe phréatique. Elle est collectée au moyen de puits traditionnels, simples trous creusés dans le sol dont les parois sont stabilisées par des pierres maçonnées ou du béton projeté à la truelle. La durée de vie de ces ouvrages dépasse rarement vingt ans. Les « jardins des sables », constitués d'une juxtaposition de parcelles d'environ un mètre de côté, produisent des légumes (pois, fèves, lentilles, haricots, choux, salades, arachides…) essentiellement destinés à la consommation locale. Le développement croissant du maraîchage au Mali est une conséquence des grandes sécheresses des années 1973-1975 et 1983-1985 qui, en décimant le cheptel des éleveurs nomades du nord du pays, ont contraint une partie d'entre eux à se sédentariser pour se reconvertir dans l'agriculture.

3 septembre

Mexcaltitán, État du Nayarit, Mexique (21°54' N – 105°28' O).

Sur la côte pacifique au nord-ouest du Mexique, sur le rivage de l'État du Nayarit, le village de Mexcaltitán, isolé sur un promontoire de sable de 400 m de long, émerge des méandres marécageux d'une vaste lagune côtière. Vers la fin de la saison des pluies, en septembre, les eaux de la lagune inondent les ruelles du village, contraignant les habitants à circuler en canoë, et donnent à l'ensemble des airs de « Venise mexicaine ». Certains historiens voient en ce village de pêcheurs la mythique île d'Aztlán d'où seraient originaires les Aztèques. Mi-terrestre mi-aquatique, Mexcaltitán est à l'image du riche patrimoine naturel qui l'entoure : un entrelacs de canaux se faufilant dans la mangrove, où plus de 300 espèces d'oiseaux ont été identifiées. À l'échelle du territoire, la diversité biologique est l'une des plus élevées de la planète : sur seulement 1,4 % des terres émergées, le Mexique est le premier pays au monde pour le nombre d'espèces de mammifères (450), et abrite, pour chaque genre animal et végétal, 10 % des espèces connues.

4 septembre

 Rejets de la mine d'uranium d'Arlit, massif de l'Aïr, Niger (19°00' N – 7°38' E).

Le massif de l'Aïr, épine dorsale du Niger, est la terre d'origine des Kel-Aïr, une tribu des nomades touareg qui a dominé l'ensemble du Sahara occidental. En 1965, la découverte de gisements d'uranium dans cette zone aride draina des populations venues de toute l'Afrique de l'Ouest, attirées par une promesse de travail. Depuis, les mines d'Arlit extraient chaque année près de 3 000 tonnes du précieux minerai, soit 8 % de la production mondiale, et placent le Niger au troisième rang des producteurs derrière le Canada et l'Australie. Tributaires de l'uranium, les recettes des exportations du Niger ont enregistré une baisse de 16 % entre 2000 et 2001, due notamment à la baisse des cours du minerai qui alimente le parc nucléaire européen. Malgré la richesse de son sous-sol, indispensable à l'indépendance énergétique de quelques pays occidentaux, ce pays du Sahel est le deuxième plus pauvre au monde.

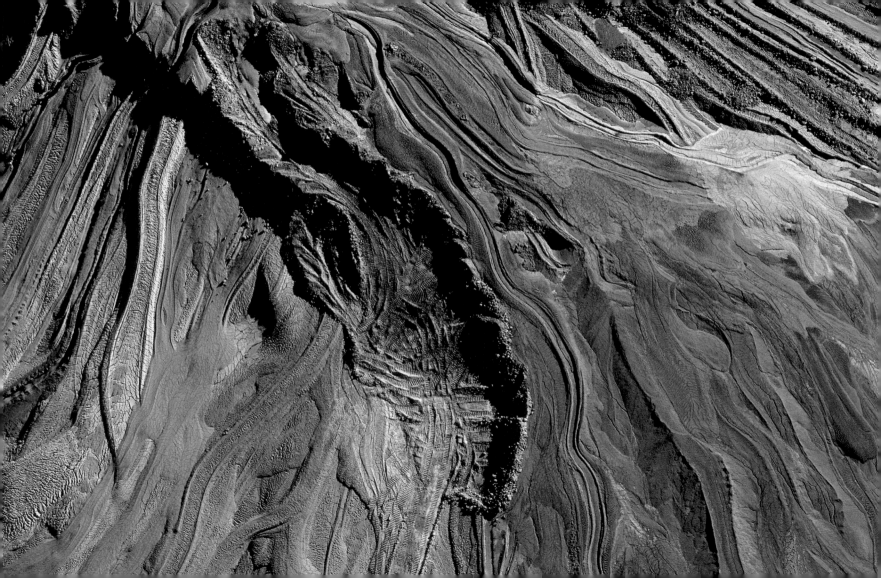

5 septembre

Langues de neige sur la chaîne du Mont-Liban, Liban (34°09' N – 35°59' E).

Sur le versant occidental de la chaîne du Mont-Liban, qui culmine à 3 083 m, le soleil printanier efface lentement les zébrures dessinées par ces langues de neige. Les entailles où s'amasse la neige sont creusées par l'érosion qui ravine ces pentes sablonneuses, dénudées par le surpâturage et le déboisement excessif (1 300 hectares par an). L'érosion affecte en outre 65 % des terres du pays. Dans cette région, le développement prometteur des sports d'hiver contribue à la reprise de l'industrie touristique qui connaît une croissance annuelle de 10 % (742 000 visiteurs en l'an 2000). Avant la guerre, ce secteur assurait 20 % du PIB (1,5 million de touristes en 1974). Une majorité de visiteurs en provenance du monde arabe était attendue pour la saison estivale 2002. En effet, moins à l'aise en Europe et en Occident depuis les événements du 11 septembre 2001, ces touristes plébiscitent le Liban, où le mélange des cultures arabe et occidentale constitue un atout appréciable.

6 septembre

Le Reichstag et sa coupole, Berlin, Allemagne (52°31' N – 13°25' E).

Le Nouveau Berlin se dévoile au rythme des inaugurations. Depuis sa réunification, douze années de reconstruction ont transformé la capitale allemande, et le symbole de la division européenne d'hier est désormais un lieu de rencontre entre l'Europe de l'Est et l'Europe de l'Ouest. Dans cette cité historique à l'urbanisme moderne, le verre et l'acier se mêlent à l'architecture des XIXᵉ et XXᵉ siècles. Le Reichstag, siège du Bundestag allemand, édifié de 1884 à 1894 suivant les plans de Paul Wallot, s'est ainsi vu confié pour rénovation au talent de l'architecte britannique sir Norman Foster, entre 1995 et 1999. Le bâtiment, qui avait perdu son imposante coupole dans l'incendie perpétré en 1933 par les nazis, a recouvré sa silhouette originelle. Dans le dôme translucide, une rampe s'élève en spirale contre la verrière et permet l'accès au faîte de la structure, à 47 m de haut. Le panorama sur la ville a attiré 24 000 visiteurs le jour de l'ouverture.

7 septembre

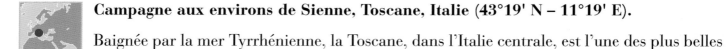

Campagne aux environs de Sienne, Toscane, Italie (43°19' N – 11°19' E).

Baignée par la mer Tyrrhénienne, la Toscane, dans l'Italie centrale, est l'une des plus belles régions de la péninsule, et doit une part de sa notoriété à ses collines. Recouvertes de vignes, d'oliviers, de champs d'orge et de maïs, ponctuées de villages médiévaux, elles ont donné de leur chair pour édifier les villes de la région, fournissant l'argile dont le pigment caractéristique ocre-rouge porte le nom de terre de Sienne. Conscients des atouts que possède la douce harmonie de leurs paysages, conscients aussi des dangers de la spéculation immobilière, du tourisme de masse (37 millions de visiteurs en l'an 2000) et de l'industrialisation, les Toscans – pionniers en Europe – ont choisi de préserver et de rentabiliser ce patrimoine naturel et culturel en développant l'« agritourisme ». L'acquisition de la norme « SA 8000 », qui atteste de bonnes pratiques écologiques et sociales, oriente désormais les efforts des entreprises locales, notamment de l'artisanat (cuir, marbre, textile et meuble). Une autre approche du développement économique…

8 septembre

La Montaña de Taco près de Buenavista sur l'île de Tenerife, îles Canaries, Espagne (28°21' N – 16°48' O).

La Montaña de Taco, dôme volcanique culminant à 322 m, semble veiller sur la région agricole de Buenavista. L'ancien cratère a été transformé en réservoir pour distribuer de l'eau aux cultures bananières qui recouvrent la plaine littorale du nord-ouest de Tenerife. La culture de ce fruit, favorisée par des terres volcaniques fertiles et un climat subtropical, représente un tiers de la production agricole de l'archipel des Canaries. Les îles souffrent en revanche d'une grave pénurie d'eau douce, due principalement à une faible pluviosité et à l'absence de rivières. Deux des sept îles sont presque totalement approvisionnées en eau de mer dessalée. Les problèmes d'approvisionnement en eau potable touchent plus de 20 % de la population insulaire et l'afflux touristique, déjà considérable, ne cesse d'accroître la demande.

9 septembre

Tombes modernes dans un cimetière d'Assiout, vallée du Nil, Égypte (27°11' N – 31°11' E).

L'idée de vie éternelle chère à l'Égypte ancienne s'exprime dans une architecture funéraire qui résiste au temps. Les tombes se divisent en deux parties, l'une représentant l'existence du défunt et l'autre abritant la dépouille et des objets usuels susceptibles d'améliorer la vie dans l'au-delà. Le monde des vivants coexiste avec celui des morts et les cimetières font face aux villes. La cité des morts égyptienne, qui peu s'étendre sur plusieurs kilomètres, s'organise comme une ville et se distingue par la diversité et la richesse des espaces et des architectures. Au fil du temps, l'interpénétration du monde des vivants et de celui des morts est devenue plus visible : la déréglementation des loyers, une grave pénurie de logements sociaux et des expulsions forcées sans mesures de relogement ou d'indemnisation ont amené certains à s'installer dans les cimetières. La célèbre cité des morts du Caire, mégalopole de 16 millions d'habitants, abriterait ainsi entre 500 000 et un million de défavorisés dont au moins 20 000 dans des tombes.

10 septembre

Gamla Stan, Stockholm, Suède (59°20' N – 18°03' E).

À l'endroit où la gracieuse Stockholm s'est établie, les eaux douces du lac Mälaren se heurtent au ressac salé de la mer Baltique et la terre est comme déchiquetée. Pour la romancière suédoise Selma Lagerlöf, Stockholm est « la ville qui flotte sur l'eau ». La capitale occupe en effet 14 îles reliées par 40 ponts et d'innombrables ferries. Elles appartiennent au vaste archipel de Skärgården qui éparpille ses 24 000 îles dans la mer Baltique. Cette photographie immortalise Stockholm lors de son 750e anniversaire. Des milliers de personnes parmi les 750 000 citadins ont envahi les étroites rues pavées de Gamla Stan pour fêter l'événement du printemps 2002. La « vieille ville », cœur médiéval de la cité, abrite le château royal (Kungliga Slottet) dont on discerne l'imposante bâtisse carrée. La première Conférence des Nations unies sur l'environnement s'est réunie à Stockholm en 1972. Depuis, l'homme n'a toujours pas rompu avec certaines pratiques et politiques non viables à long terme et qui, en portant atteinte à l'environnement, « affectent le bien-être des populations et le développement économique dans le monde entier ».

11 septembre

Femmes et enfants dans une rizière à l'ouest de Katmandou, Népal (27°45' N – 88°15' E).

Au Népal, le climat subtropical, les fortes pluies de la mousson et la fertilité des sols alluviaux sont favorables à la culture du riz, première production agricole du pays. Mais les investissements manquent et le morcellement des terres impose une agriculture de subsistance dans une économie qui reste fondée sur le troc. Avec 42 % de sa population vivant en dessous du seuil de pauvreté, le Népal fait partie des pays les plus pauvres et les moins développés de la planète. En l'an 2000, l'espérance de vie à la naissance ne dépassait pas cinquante-neuf ans en moyenne (contre soixante-dix-neuf ans en Suisse). Les enfants sont particulièrement touchés par la pauvreté et les conditions de vie difficiles : sur 1 000 naissances, 82 enfants n'atteignent pas l'âge de un an, alors qu'en France, par exemple, ce taux est de 4,5 ‰. Bien que la Constitution interdise le travail avant seize ans dans les industries et avant quatorze ans dans les fermes, 40 % des 6,2 millions d'enfants népalais âgés de cinq à quatorze ans travaillent. Les 60 % restant combinent le travail avec l'école.

12 septembre

Lignes électriques au milieu d'un champ près d'Idaho Falls, Idaho, États-Unis (43°28' N – 112°02' O).

La concentration de la population américaine sur les côtes atlantique et pacifique laisse presque vide l'immense territoire s'étendant entre les deux. Les grandes plaines et les montagnes Rocheuses sont exploitées pour produire énergie et denrées à destination des populations côtières. Ainsi, dans l'Idaho, au nord des montagnes Rocheuses, le cours de la Snake River (« rivière du serpent ») a été fractionné par des barrages qui fournissent de l'électricité et créent des retenues d'eau permettant d'irriguer de riches terres agricoles. La construction des barrages et la culture des terres s'effectuent à grande échelle de manière hautement mécanisée par de grosses entreprises ou par des coopératives. Aussi paradoxal que cela puisse paraître, ces exploitations évoquent les kolkhozes soviétiques de triste mémoire. Les hauts rendements et la faible main-d'œuvre assurent à l'Amérique sa compétitivité et son statut de plus grand exportateur de céréales. Elle en domine le marché mondial et n'hésite pas à utiliser cette situation comme arme politique.

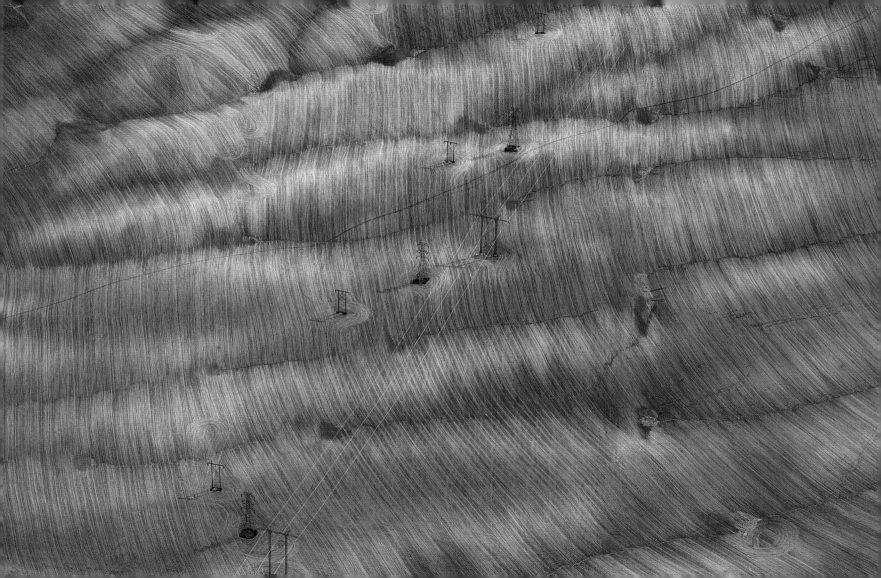

13 septembre

Village perché de Phumi Kantrab sur le lac Tonle Sap, Cambodge (13°11' N – 103°57' E).

Véritable mer intérieure classée Réserve de la biosphère par l'Unesco en 1997, le lac Tonle Sap est soumis à d'amples variations de son niveau d'eau. Sa superficie oscille entre 3 000 km² durant la saison sèche et 10 000 km² lors de la mousson, ce qui lui confère un rôle de régulateur des crues du Mékong. Ce cycle naturel et l'abondante couverture forestière font de cette zone humide l'un des écosystèmes d'eau douce les plus prolifiques au monde. Le lac hébergerait 850 espèces de poissons, dont le rare poisson-chat géant du Mékong pouvant mesurer 3 m, et les forêts inondées abritent la plus grande colonie d'oiseaux d'eau d'Asie du Sud-Est. Offrant une manne de nourriture et des terres fertiles, le Tonle Sap accueille quelque cent soixante-dix villages flottants ou installés sur pilotis. La région est néanmoins menacée par une intense sédimentation (liée à une érosion des sols accélérée par la déforestation), et les nombreux projets de barrage sur les cours laotien et chinois du Mékong risquent de bouleverser le régime des crues du fleuve, essentiel à la bonne santé du lac.

14 septembre

 Cavaliers gauchos dans la province de Neuquén, Argentine (39°00' S – 70°00' O).
Indissociables de l'immense pampa, les gauchos arborent souvent la tenue traditionnelle, chapeau noir et poncho indien bicolore. Ces cavaliers chevronnés sont issus de métissages entre les Indiens et les colons espagnols, souvent des fugitifs ou des aventuriers. Nomades épris de liberté, ils ont été en grande partie sédentarisés dès la fin du XVIII siècle avec l'accroissement de la propriété privée, et voués à la surveillance des troupeaux. La culture gaucha, subsistant dans les zones reculées d'Argentine, est encore liée aux *estancias*, ces gigantesques exploitations agricoles qui ont contribué à faire du pays le premier exportateur mondial de viande bovine durant de nombreuses années. Alors que l'Argentine est toujours le quatrième exportateur de nourriture, 20 % des enfants y souffraient de malnutrition en 2002. Depuis la crise économique et politique qui a éclaté en décembre 2001, la situation sociale ne cesse de s'aggraver. À l'heure actuelle, plus de la moitié des Argentins vivent sous le seuil de pauvreté, soit une augmentation de 40 % de 2001 à 2002.

15 septembre

 Coucher de soleil sur le massif du Grossglockner, chaîne des Hohe Tauern, Grandes Alpes, Autriche (47°04' N – 12°42' E).

2002 était l'Année internationale de la montagne. À l'initiative de cet événement, les Nations unies ont attiré l'attention sur les problèmes qui menacent des régions d'altitude fragiles dont dépendent des communautés entières et sur l'importance de l'aménagement durable des chaînes de montagnes de la planète. Celle des Alpes, la plus importante d'Europe, s'étire sur plus de 1 000 km, de la Méditerranée jusqu'à Vienne, en Autriche. Pour ce pays, occupé aux deux tiers par l'extrémité orientale de l'arc alpin et ses quelque 680 sommets de plus de 3 000 m, la montagne est une véritable culture. En témoigne l'aménagement de plus de 22 000 km de pistes de descente, de 16 000 km de pistes de ski de fond et de plus de 500 refuges d'altitude gardés. Le parc national des Hohe Tauern, établi en 1981, englobe 1 800 km² de pentes sur le versant est du Grossglockner, le point culminant des Alpes autrichiennes (3 797 m). On y combine harmonieusement les impératifs économiques liés au tourisme et la préservation du patrimoine naturel et culturel.

16 septembre

Brûlis près de la retenue d'eau artificielle du Guri, région de Bolivar, Venezuela (7°30' N – 62°50' O).

Aux environs du plus grand barrage hydroélectrique du monde – celui du Guri, dans l'État de Bolivar, au sud-est du Venezuela – et de son immense lac de retenue, de petits paysans cultivent sur brûlis du manioc et du maïs. Cette forme d'agriculture itinérante, qui conduit à l'abandon des sols devenus infertiles après deux ou trois ans de culture, utilise le feu pour faire place à des cultures de subsistance et marchandes. Le brûlis est considéré comme la première cause de déforestation en Amérique latine. Si près de la moitié de cette région est encore couverte par une forêt naturelle, le rythme de sa déforestation est rapide. Quelque 7,5 millions d'hectares (0,77 %) de forêts disparaissent chaque année, et en tout près de 190 millions d'hectares (l'équivalent de la superficie du Mexique) ont été détruits ces trente dernières années. C'est en Amérique centrale et au Mexique que le taux de déboisement est le plus élevé du monde, soit 1,6 % par an.

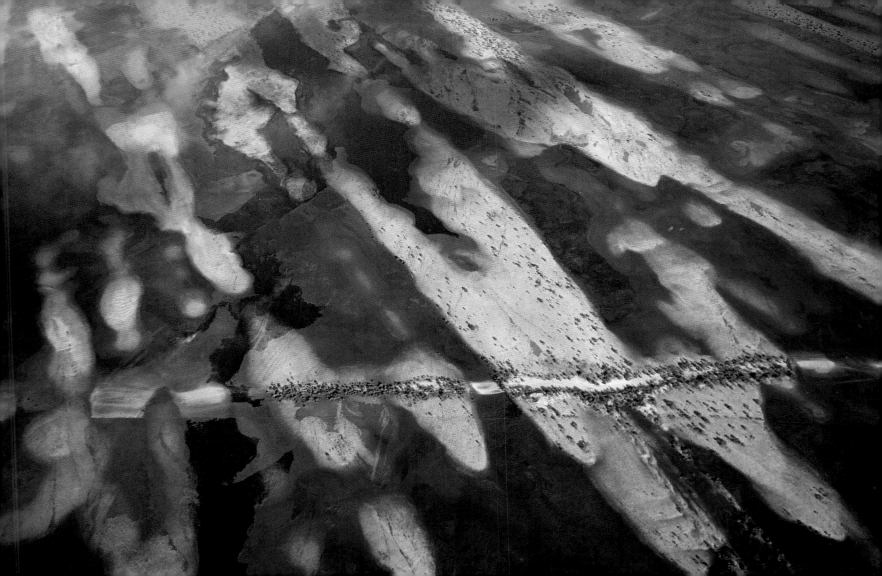

17 septembre

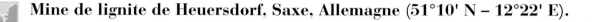 **Mine de lignite de Heuersdorf, Saxe, Allemagne (51°10' N – 12°22' E).**

Véritable héritage culturel, les paysages miniers abondent au sud de Leipzig, à l'est de l'Allemagne. Utilisé pour la production d'énergie dans les centrales thermiques, le lignite, issu de la décomposition de végétaux, se trouve à faible profondeur, d'où son exploitation à ciel ouvert sur de vastes surfaces, comme ici à Heuersdorf. À l'automne 1990, l'Allemagne a relevé le défi de transformer un système communiste centralisé et obsolète en une économie de marché compétitive. Assainissement de zones industrielles, amélioration des rendements énergétiques, mise aux normes écologiques et harmonisation des salaires ont mobilisé des sommes colossales. Le fossé entre l'Est et l'Ouest, séparés durant plus de quarante ans, n'est pas encore comblé (le taux de chômage est de 18 % en ex-RDA, le double de celui des anciens Länder). Le gouvernement fédéral allemand a toutefois investi 600 milliards d'euros en dix ans pour l'unification du pays. L'Union européenne en consacrera quinze fois moins (pas plus de 0,08 % de son PIB par an) aux trois premières années qui suivront son élargissement à dix nouveaux membres, en 2004.

18 septembre

Peinture murale, Mexico, Mexique (19°20' N – 99°45' O).

Jailli de la révolution mexicaine en 1910, le mouvement muraliste, a puisé sa force dans l'histoire du pays et le monde ouvrier. Expressionniste et nationaliste, le muralisme cultive une forme d'art typiquement mexicaine qui a étonné, voire scandalisé le monde entier. Récupérant les murs pour contourner la censure, les muralistes devinrent presque des artistes d'État quand, en 1921, le nouveau gouvernement les sollicita pour lancer une campagne de développement populaire. De gigantesques fresques se sont alors épanouies sur les murs des bâtiments officiels. Destiné à la foule, porteur de messages, le muralisme a permis à l'art mexicain de s'affirmer. On le considère aujourd'hui comme un vivier d'idées et de formes d'expression. Son influence a été immense dans toute l'Amérique latine et dans quelques villes des États-Unis, notamment à San Francisco.

19 septembre

Champ sur les collines de la vallée de Ksar, gouvernorat de Tataouine, Tunisie (33°08' N – 11°25' E).

Cette forme animalière peinte sur les collines est une parcelle labourée pour la culture céréalière. Les lignes de labour et le pourtour du champ, construit en « banquette », respectent les courbes de niveau du sol et retiennent l'eau des pluies, rares mais diluviennes. L'eau, dont le ruissellement est ainsi contenu, est rendue disponible pour la culture et la terre précieuse des sols est gardée. Limiter l'érosion des sols et conserver les eaux de pluie sont des chantiers prioritaires de l'État tunisien. Le pays perd en effet plus de 15 000 hectares de sol par an, et l'on estime que 500 millions de mètres cubes d'eau de pluie rejoignent la mer par ruissellement. Sur l'ensemble de l'Afrique, le risque d'une dégradation importante des sols dans l'avenir n'est pas à négliger. La croissance démographique et la pauvreté de la population en certaines zones font craindre un défrichage important des forêts existantes pour répondre aux besoins accrus d'aliments, de combustible, de médicaments et de constructions. Le sol, dénudé, serait alors encore plus exposé à l'érosion.

20 septembre

 Pavillon d'or à Kyoto, Japon (35°00' N – 135°45' E).

L'ancienne Heian, appelée aujourd'hui Kyoto, abrita la cour impériale onze siècles durant, de 794 à 1868. C'est pendant la période Heian, autour de l'an mil, que Murasaki Shikibu, dame d'honneur à la cour, y écrivit l'un des monuments de la littérature japonaise et mondiale, les *Dits du Genji*, chronique de la vie de cour, célèbre pour la fine psychologie de ses portraits et qui fait de son auteur la première romancière de l'histoire. Kyoto fut ainsi pendant des siècles le lieu d'une vie raffinée et d'une richesse artistique intense, même pendant les périodes d'instabilité interne que connut l'archipel. En témoigne ce Pavillon d'or, édifié en 1397 par le shogun (Premier ministre) Ashikaga Yoshimitsu selon le style shoin avec tatamis, parois et cloisons mobiles qui furent ensuite repris pour nombre d'édifices. La finesse et la subtilité de l'art japonais ont grandement influencé l'Occident, notamment depuis la fin du XIXᵉ siècle avec la naissance de l'Art nouveau puis de l'Art déco, dont l'esthétique s'inspire directement de celle cultivée au pays du Soleil-Levant.

21 septembre

 Mine de cuivre de Chuquicamata, Chili (22°19' S – 68°56' O).

La mine de Chuquicamata est la plus grande mine à ciel ouvert du monde. Large de 2 km sur 3 km de long, elle s'enfonce à plus de 700 m de profondeur. Son minerai, très prisé, est le plus riche en cuivre de la planète. Malheureusement, il contient aussi une teneur élevée en sulfate. Cet élément toxique se retrouve dans les nuages de poussière libérés par le ballet incessant des camions et par les explosions servant à détacher le minerai des parois du puits. Les ouvriers respirent ces particules sulfurées à longueur de journée et, même s'ils n'ont pas le droit de travailler plus de trois ans dans la mine, ils prennent le risque d'être atteints plus tard d'un cancer des poumons. Les autres habitants de la région ne sont pas épargnés par cette pollution. On note un nombre élevé des maladies respiratoires dans la ville voisine de Chuquicamata. Dans les pays en développement, 500 000 personnes meurent chaque année du fait de la concentration élevée de particules en suspension et de dioxyde de soufre (SO_2) dans l'atmosphère.

22 septembre

 Puits à Fatehpur Sikri, Uttar Pradesh, Inde (27°06' N – 77°40' E).

Le Grand Moghol Akbar, empereur de l'Inde, fit construire en 1573 la ville de Fatehpur Sikri pour célébrer sa victoire sur les Afghans. À 38 km de la cité impériale d'Agra, il logea magnifiquement sa cour dans des palais de grès rouge au sommet d'un plateau rocheux. On a souvent comparé Fatehpur Sikri à un Versailles dont Agra aurait été le Paris. La similitude des destins s'arrête là, car Fatehpur Sikri fut désertée quinze ans après son achèvement. Cet abandon est vraisemblablement dû à l'épuisement rapide de la nappe phréatique par l'entretien des parcs et des pièces d'eau, comme en témoigne la profondeur des puits dont se servent actuellement les paysans. En Inde, la consommation d'eau dépasse la reconstitution naturelle des eaux souterraines. Le niveau de la nappe phréatique a ainsi baissé de 1 à 3 m sur plus de 75 % du territoire. Ce déficit remet en cause la sécurité alimentaire des Indiens et constitue une menace pour le maintien des lacs, des rivières et des autres écosystèmes des zones humides.

23 septembre

Cité médiévale de Dubrovnik, Croatie (42°39' N – 18°04' E).

La liberté ne se vend pas, même pour tout l'or du monde : la devise trône à l'entrée de Dubrovnik, cité de la côte dalmate fondée au VIIe siècle. La « perle de l'Adriatique », redoutable rivale maritime de Venise jusqu'au XVIIIe siècle, sut toujours garder son autonomie jusqu'à l'invasion de Napoléon en 1808. Qualifiée de « paradis sur terre » par le dramaturge irlandais Bernard Shaw, cette citadelle conservait derrière d'impressionnants remparts ses églises, monastères et palais de styles gothique, Renaissance et baroque. À l'automne 1991, plus de 2 000 projectiles vinrent s'abattre sur ces merveilles architecturales, touchant 563 des 824 bâtiments existants. Ces bombardements, perpétrés par l'armée serbe de Milosevic en réponse à la déclaration de souveraineté de la Croatie, poussèrent alors l'Unesco à classer la cité sur la Liste du patrimoine mondial en péril. En 1998, le travail acharné d'architectes, de sculpteurs et de restaurateurs avait sauvé ce patrimoine unique. Mais les six mois de conflit en territoire croate auront coûté 13 000 vies humaines, fait 40 000 blessés et des centaines de milliers de « déplacés ».

24 septembre

Île de Surtsey, îles Vestmann, Islande (63°16' N – 20°32' O).

Surtsey est la plus jeune île du monde. Le 14 novembre 1963, à une vingtaine de kilomètres de l'archipel Vestmann, dans des cataractes de projections volcaniques et des nuages de cendres, une brèche s'ouvrit au cœur du bouillonnement des eaux. L'éruption ne prit fin que quatre ans plus tard. Quatre îles volcaniques ont surgi de cette fissure, et parmi elles une seule, consolidée par un important volume de lave déposé, a résisté à la double action des vents et de la mer. L'île, dite de Surtsey, tient son nom du dieu Surt, par qui le feu se répand dans le monde. Quarante ans plus tard, l'érosion a fait disparaître près de la moitié de ce petit bout de terre, qui fait désormais moins de 2 km². Surtsey, zone protégée, offre aux scientifiques l'occasion d'étudier l'implantation d'un écosystème sur une zone vierge de toute vie. Dans ce laboratoire naturel, cinquante types de plantes se sont installées. Les graines ont été apportées par le vent, la mer et les oiseaux, parmi lesquels sept espèces nicheuses et plus de trente espèces visiteuses.

25 septembre

Vestiges d'un piège antique ou *desert-kite*, entre As Safawi et Qasr Burqu, Mafraq, Jordanie (32°28' N – 37°34' E).

Au nombre de sept cents à huit cents environ dans tout le Proche-Orient, les *desert-kites* doivent leur nom de « cerfs-volants du désert » aux aviateurs britanniques de la poste aérienne des années 1920. Construits par les chasseurs, probablement nomades, du néolithique, ils servaient à rabattre entre deux murets longs de 1 ou 2 km, les troupeaux de gazelles présents dans les vallées. Leur forme en entonnoir conduisait le gibier à un enclos de plusieurs centaines de mètres de circonférence, souvent dissimulé derrière la ligne de crête. Affolés, les animaux se dispersaient dans l'espace circulaire autour duquel les attendaient, dans leurs abris, les différents groupes de chasseurs armés de lances. On retrouve des pétroglyphes de ces scènes du Caucase au Sinaï. Les graveurs utilisaient la surface de la roche-support comme relief du paysage, reproduisant ainsi, en maquette, le site du *kite*.

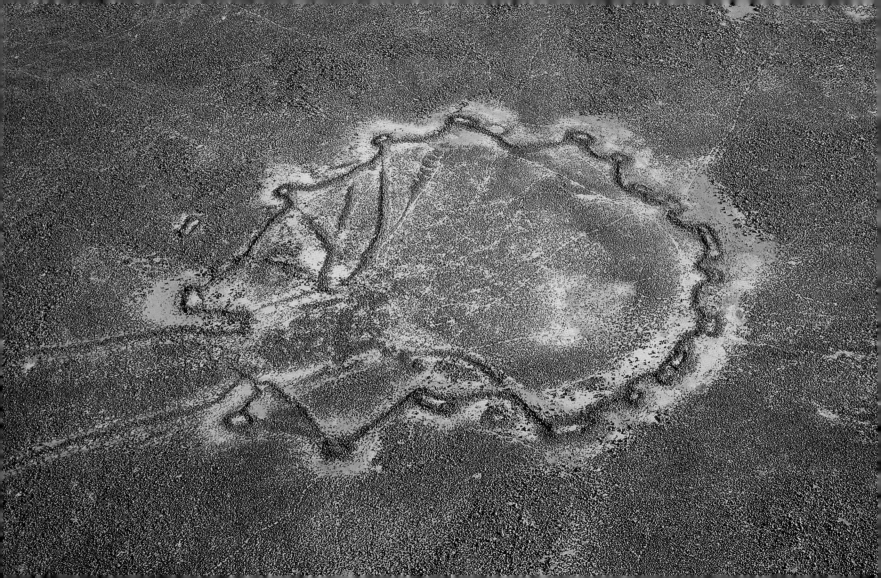

26 septembre

Cité inca du Machu Picchu, région de Cuzco, Pérou (13°05' S – 72°35' O).

Le site inca de Machu Picchu fut construit vers 1450 dans la vallée de l'Urubamba, à environ 100 km au nord-est de Cuzco. À 2 500 m d'altitude, le sanctuaire de blocs de pierre taillée est posé à califourchon sur la crête d'un contrefort andin. Le terrain fut transformé en terrasses pour y construire des édifices et y pratiquer l'agriculture. Aussi, l'ensemble se fond-il admirablement dans son environnement. Depuis 1982, le site est inscrit sur la Liste du patrimoine mondial de l'Unesco au double titre de bien culturel et de bien naturel. Cependant, l'endroit est fragile et constamment menacé de dégradation. Tout d'abord, la pluie induit une érosion permanente sur cette zone escarpée. Et la pression du tourisme est plus préoccupante encore. C'est que les autorités doivent choisir : protéger l'un des patrimoines les plus étonnants de l'humanité ou bénéficier des recettes du site touristique le plus attrayant du pays.

27 septembre

 Süleymaniye Camii, Istanbul, Turquie (41°00' N – 28°57' E).

La mosquée impériale, la plus imposante réalisation ottomane, fut édifiée par Sinan entre 1550 et 1557 sur l'ordre de Soliman le Magnifique. Dominant la Corne d'Or, la mosquée trône au cœur d'un vaste complexe : cinq écoles élémentaires et supérieures, un imaret pour la soupe populaire, un hospice gratuit pour les voyageurs, un hôpital, des bains. Ce brillant foyer intellectuel et artistique est emblématique de l'époque où l'Empire ottoman rayonnait sur le monde arabe et l'Europe, peu avant son déclin. Aujourd'hui, la Turquie est à un nouveau tournant de son histoire. Le principe de sa candidature pour intégrer l'Union européenne a été accepté en 1999, mais le gouvernement turc ne prend toujours pas les mesures attendues. Son épineux héritage, du problème kurde au contentieux avec la Grèce et jusqu'à la question des droits de l'homme, pourrait bien compromettre ses ambitions. Même si les cas de torture et de détention arbitraire ont baissé durant le premier semestre 2000, on compte encore en Turquie dix mille prisonniers d'opinion.

28 septembre

Le Pinatubo, volcan au nord de Manille, île de Luçon, Philippines (15°08' N – 120°21' E).

En 1991, l'éruption du volcan Pinatubo, la plus importante du XXe siècle, a injecté dans l'atmosphère, jusqu'à 25 km d'altitude environ, 30 millions de tonnes de sulfates, formant un voile d'aérosols qui a temporairement abaissé de 200 W/m² à 196 W/m² le rayonnement solaire disponible pour la planète. Cet épisode géologique a entraîné en 1992-1993 une baisse des températures terrestres de plusieurs dixièmes de degrés. Les conséquences de deux autres éruptions violentes, celles du mont Agung (Indonésie) en 1963 et d'El Chichón (Mexique) en 1982, avaient déjà été remarquées. Les effets atmosphériques et climatiques de tels événements sont toutefois limités dans le temps et ne doivent pas faire oublier les risques de réchauffement global des climats terrestres liés aux activités humaines, en particulier la déforestation et la consommation croissante de combustibles fossiles, déjà multipliée par quatre en cinquante ans alors que la population mondiale ne faisait que doubler.

29 septembre

Troupeau de chèvres parmi les cheminées du lac Abbé, république de Djibouti (11°06' N – 41°50' E).

Les contraintes géographiques rendent les conditions de vie difficiles dans la république de Djibouti. Le climat désertique, aux précipitations très irrégulières, a été la cause de plusieurs sécheresses (dont celle très grave de 1980 qui a décimé la quasi-totalité des troupeaux). Il explique la végétation clairsemée, constituée d'arbustes et de buissons épineux, qui nourrit à peine les troupeaux d'ovins, de chameaux et de caprins. L'extension de la sécheresse – en trente ans la pluviométrie a chuté de 6 % à 15 % en moyenne – a entraîné un déclin progressif du nomadisme pastoral auquel se livrent près de 80 000 pasteurs appartenant aux deux ethnies dominantes de Djibouti, les Afars (37 %) et les Issas-Somali (50 %). La fin des colonies et le déclin des routes traditionnelles du commerce avec l'Orient ont durement frappé Djibouti et plus encore Aden, qui lui fait face sur l'autre côte de la mer Rouge, jadis escale obligée des navires britanniques sur la route des Indes.

30 septembre

Faille de Pingvellir à l'est de Reykjavik, Islande (64°18' N – 21°08' O).

La roche brisée par d'énormes tensions devrait apprendre aux riverains que l'écartement va se poursuivre beaucoup plus longtemps que la durée de vie de dix générations. L'Islande est située sur l'émergence de la dorsale sous-marine médio-atlantique, et se trouve ainsi à la jonction de deux plaques tectoniques. L'île s'étire au gré de l'activité volcanique de ce rift, qui, par production de magma, écarte l'Europe de l'Amérique du Nord au rythme moyen de 2 cm par an. Notre Terre est ainsi faite que l'échelle de ses mouvements est fondamentalement différente de celle des actions humaines. La petite route qui frôle les craquelures, tout comme les maisons au bord de l'eau, révèle une hardiesse dont les sociétés humaines sont coutumières et montre, paradoxalement, leur confiance dans la nature. Chaque nuit de sommeil tranquille est le résultat d'un pari gagné contre les craquements sinistres, jusqu'au jour où...

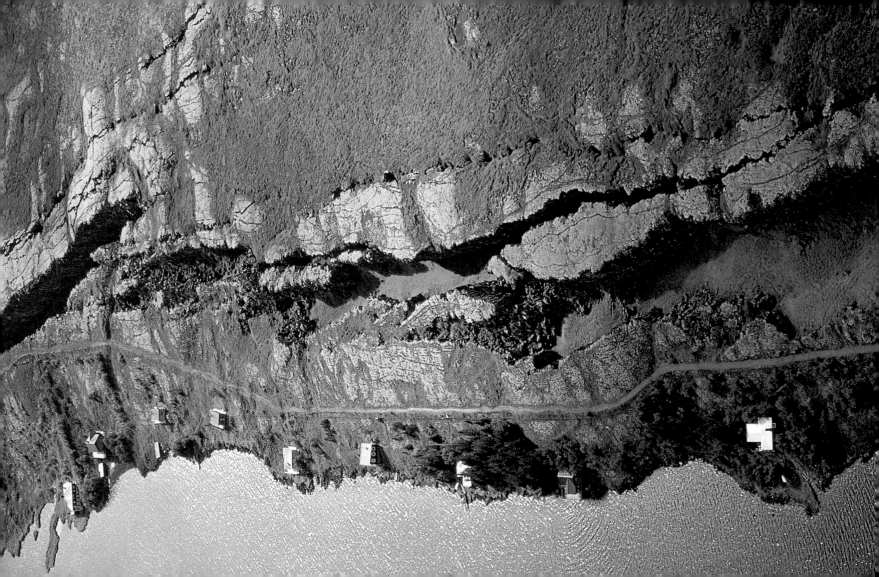

ABOLIR LA PAUVRETÉ

Le monde entre dans le XXIe siècle fort d'une dynamique économique qui a mis en valeur les ressources de la terre de manière assez riche et variée pour faire face aux besoins de toute l'humanité et en assurer l'avenir. Cette dernière, composée de six milliards d'individus et promise à en compter neuf ou davantage dans une génération, est pourtant loin de former un tout homogène devant les chances de cet avenir que permet l'expansion, par-dessus et à travers toutes les cultures, d'une civilisation mondiale d'efficience économique par la globalisation, dont nous sommes les témoins depuis plusieurs décennies. Un être humain sur quatre vit aujourd'hui dans des conditions misérables et déshumanisantes. Cela signifie une souffrance de chaque jour pour des centaines de millions de femmes, de vieillards et d'enfants, l'insalubrité, les maladies, le danger, la mort. Notre monde à l'enseigne du progrès, capable de s'émouvoir beaucoup pour quelques touristes égarés, s'accommode d'abandonner plus d'un milliard de personnes à une condition inhumaine. Le passage du millénaire a été pour la communauté internationale l'occasion de prendre de grandes résolutions, et d'abord celle de réduire de moitié, d'ici à 2015, le nombre de personnes dont le revenu est inférieur à un dollar par jour – critère retenu pour définir l'extrême pauvreté, même si cela signifie tout autre chose d'un pays à l'autre. L'objectif est louable. L'atteindre supposera de très grands efforts et de vrais changements systémiques, tout en laissant inchangée la situation insoutenable de centaines de millions d'hommes et de femmes. Le problème que soulève la pauvreté est plus vaste que cette opération arithmétique : au-delà de l'aspect bien réel du niveau de ressources, et le conditionnant, il faut voir le déni d'un ensemble de droits humains comme source et effet se cumulant du paupérisme. Des cinq familles de droits fondamentaux – droits civils, culturels, économiques, politiques et sociaux – proclamés par la Déclaration universelle des droits de l'homme comme inhérents à la personne humaine, la pauvreté viole toujours la dernière, et trop souvent la plupart des autres. Réciproquement, la violation de l'un quelconque de ces droits dégénère rapidement en pauvreté. La conférence internationale de Vienne de 1993 sur les droits de l'homme a très justement reconnu ce lien organique entre violation des droits et pauvreté. C'est de là qu'il faut partir si l'on entend venir à bout de la pauvreté. L'engagement pris de réduire la pauvreté est méritoire, mais il est insuffisant, et défaillant quant au fond. La pauvreté n'est pas un problème de degré, mais de nature. L'affaire n'est pas de la réduire, mais de l'abolir, en tant que violation des droits de l'homme, puisqu'on ne peut tolérer que ceux-ci, indivisibles, soient ouvertement violés de manière en quelque sorte structurelle. On n'atténue pas une violation des droits ; on la fait cesser, et l'on cherche à y apporter réparation. Indiscutable sur le fond, cette approche est en outre la seule opératoire dans la forme. Reconnaître des droits crée des devoirs aux gouvernements et autres instances de la gouvernance mondiale ; et, en même temps, donne des capacités aux pauvres eux-mêmes, qui y trouvent une créance à faire valoir. La mise en mouvement de ces deux forces, la conscience pour les détenteurs effectifs de souveraineté d'un devoir impératif s'imposant à eux, et la découverte par les pauvres d'une légitimité à revendiquer une sorte de crédit, est seule capable de subvertir une fois pour toutes le paupérisme – la rémanence durable d'une misère structurelle. Les meilleurs des grands programmes visant à réduire le niveau de pauvreté ne portent pas remède au fait proprement dit, en lui-même insoutenable, que la pauvreté perdure et inscrit tous les jours dans l'histoire un déni massif des droits humains. Non que l'abolition de la pauvreté signifie l'égalité des conditions, utopie qui a dans l'histoire engendré des misères plus abominables encore. Il s'agit simplement d'assurer à tous et à chacun l'exercice effectif de tous ses droits humains, et donc d'éliminer tout ce qui les lèse, dont la misère constitue un exemple flagrant. Ce levier du droit est extrêmement puissant pour peu qu'on le prenne au sérieux, c'est-à-dire qu'il oblige. Cela ne tient qu'à la conviction et à l'action des pouvoirs en place et de leur fondement de souveraineté que sont les citoyens. L'opinion publique peut être gagnée à cette évidence choquante que consentir plus longtemps à la pauvreté est un déni de ses propres valeurs, une atteinte à ses propres droits fondateurs. L'esclavage, l'Apartheid ont été vaincus par ce moyen. La misère est leur équivalent structurel. En vérité, elle additionne les deux, et les perpétue à notre honte, mais nous nous le dissimulons en méconnaissant qu'il s'agit aussi d'une violation de droits humains. Reconnaissons-le. C'est un devoir de lucidité à un triple titre : d'abord du point de vue de la cohérence de nos propres droits et valeurs ; ensuite en termes d'efficacité envers un problème majeur qu'un demi-siècle de politiques palliatives n'a nullement su enrayer ; enfin en termes de clairvoyance pour l'avenir, tant il est vrai qu'un monde qui escamoterait le problème de son unité de droit et de l'égalité en droit de tous ses habitants serait dans l'incapacité totale de parvenir à un développement durable, que ce soit du point de vue du rapport à la planète ou en termes de tolérance sociale. Si le respect de nos propres ancrages dans les droits de l'homme n'y suffit pas, l'intérêt à agir plus efficacement, et surtout la conscience d'un enjeu capital de sécurité humaine mondiale à terme très rapproché devraient suffire à engager chaque État et chaque citoyen dans le combat pour l'abolition de la pauvreté. L'axe de ce combat est le concept de justice, que les droits existants suffisent à caractériser sans qu'il y faille aucune idéologie particulière : faire respecter effectivement les droits humains au bénéfice de toute personne. La liberté et l'humanité feront le reste. L'infinie richesse de la diversité humaine saura tirer le meilleur des ressources de la terre, des acquis de l'histoire, de la vitalité du présent, pour construire sur cette base la matrice sans cesse renouvelée d'un développement durable à l'échelle du monde.

Pierre Sané
Sous-directeur général de l'Unesco
pour les sciences sociales et humaines

1er octobre

Barques sur le lac Rose (lac Retba), environs de Dakar, Sénégal (14°45' N – 17°25' O).

Ces hommes ne pagayent pas à côté de leur barque. Munis d'un bâton, ils cassent la croûte de sel déposée sous les eaux du lac qui doivent leur couleur à des micro-organismes aquatiques. Vingt ans plus tôt, le lac Rose – autrefois appelé lac Retba – attirait plutôt les pêcheurs pour ses eaux poissonneuses. Celles-ci étaient alimentées par les pluies d'hiver que restituaient progressivement les dunes environnantes. Mais la sécheresse persistante, en interrompant l'apport en eau douce, a considérablement réduit la surface du lac. Du fait de l'intense évaporation, sa salinité s'est alors élevée au point de devenir comparable à celle de la mer Morte, avec 320 g de sel par litre (30 g pour l'Atlantique). À l'activité de pêche a naturellement succédé l'exploitation des cristaux de chlorure de sodium dont on récolte chaque jour une trentaine de tonnes. Comme les autres pays de la ceinture sahélienne, le Sénégal est menacé par la désertification. Il est néanmoins l'un des pays africains les mieux lotis en matière d'eau potable : 78 % de sa population dispose d'un accès à cette ressource vitale.

2 octobre

Tremblement de terre à Golçük, rivage de la mer de Marmara, Turquie (40°43' N – 29°48' E).

Le séisme qui a frappé la région d'Izmit le 17 août 1999 à 3 h 02 avait une magnitude de 7,4 degrés sur l'échelle de Richter, qui en compte 9. L'épicentre était situé à Golçük, ville industrielle de 65 000 habitants. Ce tremblement de terre a provoqué la mort d'au moins 15 500 personnes, ensevelies pendant leur sommeil. L'effondrement partiel ou total de 50 000 immeubles a suscité une polémique mettant en cause les entrepreneurs, accusés de ne pas avoir respecté les normes de construction antisismique. Le sud et le nord de la Turquie coulissent le long de la faille nord-anatolienne à une vitesse relative moyenne de 2,5 cm par an, mais les avancées se produisent en réalité de façon brutale, sous la forme de séismes : 3 m en moins d'une minute pour celui d'Izmit. Les régions situées en bordure de plaques tectoniques, comme la zone transasiatique qui court des Açores à l'Indonésie en passant par la Turquie, l'Arménie et l'Iran, sont particulièrement exposées aux séismes. Plus rares que les tempêtes ou les inondations, les tremblements de terre ont néanmoins provoqué la mort de 169 000 personnes à travers le monde entre 1985 et 2000.

3 octobre

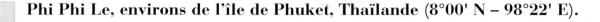

Phi Phi Le, environs de l'île de Phuket, Thaïlande (8°00' N – 98°22' E).

L'archipel des Phi Phi, à 40 km de la côte thaïlandaise, est composé des îles Phi Phi Don et Phi Phi Le. Inhabitée, Phi Phi Le est la plus préservée car le gouvernement thaïlandais souhaite contrôler le trafic illégal des nids d'hirondelles. Ces oiseaux, en vérité une variété de martinets, nichent dans des caves karstiques creusées dans les falaises calcaires hautes de 374 m. Les pêcheurs viennent cueillir cette denrée rare en arpentant de fragiles échafaudages de bambou. Les nids d'hirondelles, constitués de filets de salive durcis, sont appréciés pour leurs vertus revigorantes. L'« or blanc » se vend jusqu'à 3 000 euros le kilogramme et aurait rapporté 65 millions d'euros au début des années 1990. Entre 1995 et 1999, la vente annuelle d'animaux sauvages a notamment concerné 1,5 million d'oiseaux vivants, 150 000 fourrures et 1 million de peaux de serpents. La Convention sur le commerce international des espèces de faune et de flore sauvages menacées d'extinction (CITES), entrée en vigueur en janvier 1975, est ratifiée par 150 pays, tenus de réglementer le trafic des 30 000 espèces en voie de disparition.

4 octobre

Église monolithique de Bieta Ghiorghis à Lalibela, Éthiopie (12°02' N – 39°02' E). Au cœur des hauts plateaux de l'Ouest éthiopien surgit du sol l'église cruciforme de Bieta Ghiorghis. Cette construction de 11 m de haut, sculptée à même la roche de grès rose, est le chef-d'œuvre de l'architecture rupestre du sanctuaire chrétien de Lalibela. Il regroupe onze églises monolithes édifiées au XIIIᵉ siècle sous le règne du roi Gadla Lalibela. À cette époque, marquée par la conquête musulmane de Jérusalem, le monarque voulut offrir aux chrétiens un lieu de pèlerinage de remplacement. Aujourd'hui, des dizaines de milliers de fidèles, orthodoxes coptes pour la plupart, continuent de converger chaque année vers cet ensemble troglodyte, inscrit dès 1978 sur la Liste du patrimoine mondial de l'Unesco. La foi chrétienne orthodoxe représente la religion majoritaire en Éthiopie, État qui compte plus de 30 millions de chrétiens et 25 millions de musulmans. Dans ce pays œcuménique, la quasi-totalité des femmes sont excisées, quelle que soit leur religion.

5 octobre

 Piétons dans les rues de Tokyo, Honshu, Japon (35°42' N – 139°46' E).

L'ancienne Edo, rebaptisée Tokyo ou « capitale de l'est » par l'empereur Meiji en 1868, est aujourd'hui la plus grande mégalopole du monde avec 28 millions d'habitants, étendue sur un rayon de 140 km le long de la côte. Détruite par les incendies, les séismes et surtout les bombardements de la Seconde Guerre mondiale, Tokyo est en mutation permanente et voit fleurir les constructions les plus audacieuses. Mais au-delà des grandes artères et du ciel barré d'autoroutes, se niche un Tokyo de village aux maisons individuelles et aux petits immeubles où le piéton et le vélo sont rois. Dans ce constant passage de l'anonymat de la mégalopole à la convivialité de la vie de voisinage, la ville de Tokyo surprend avec ses maisons sans adresse, sa sécurité (le taux de criminalité y est un des plus bas au monde) et le civisme de ses habitants qui rapportent les objets égarés dans un magasin, un train ou une rame de métro.

6 octobre

Mines d'or près de Poconé, Mato Grosso do Norte, Brésil (16°15' S – 56°37' O).
Cette exploitation minière doit ses reflets étonnants à une méthode d'enrichissement du minerai aurifère par le mercure. En raison de son faible coût, de son usage aisé et de son efficacité, cette technique s'est généralisée. Cependant l'exposition aux vapeurs de mercure est tout à fait néfaste pour les populations exploitantes, de l'orpailleur au raffineur, qui risquent l'empoisonnement – d'autant que l'hygiène tient peu de place dans le cadre des activités minières. La toxicité du mercure – est en effet souvent méconnue, et les équipements de protection sont trop chers pour les petits groupes d'orpailleurs. En outre, depuis la fin des années 1970, on estime que 5 000 tonnes de mercure ont été déversées dans les forêts et l'environnement urbain d'Amérique latine. Les rejets de mercure sont ainsi presque aussi importants que les quantités d'or produites.

7 octobre

Rivière Rakaia près de Canterbury sur l'île du Sud, Nouvelle-Zélande (43°20' S – 171°26' E).

À l'est des Alpes de l'île du Sud, principale chaîne de montagnes du pays, la rivière Rakaia compose un véritable réseau de chenaux, méandres et vastes bancs de gravier. Dans les plaines de Canterbury, plusieurs cours d'eau conservent encore ce type de tracé sinueux, dû à un régime hydraulique très variable, préservé qu'il est des artificialisations humaines. Ils forment un grand ensemble de rivières « libres », un écosystème rare qui ne se retrouve à une telle échelle que dans l'Himalaya et en Amérique du Nord. Les myriades d'îles alluviales sont le refuge de vingt-six espèces d'oiseaux d'eau qui viennent pondre leurs œufs entre les galets ou se nourrir d'une abondante manne d'insectes et de poissons. Plusieurs espèces d'échassiers ne se retrouvent nulle part ailleurs dans le monde et sont malheureusement menacées de disparition. Ainsi l'élégante échasse noire, *Himantopus novazelandiae*, ne comptait plus que quarante-huit représentants en l'an 2000. L'aménagement de digues et la construction de barrages sont en grande partie responsables de l'appauvrissement biologique de ce milieu naturel.

8 octobre

 Musée Guggenheim de Bilbao, Pays basque, Espagne (43°15' N – 2°58' O).
Inauguré en 1997, trois ans après la pose de la première pierre, le musée Guggenheim de Bilbao s'inscrit dans le cadre d'un programme de reconversion de cette ville industrielle. D'un coût de 100 millions de dollars, le bâtiment a été conçu par l'architecte californien Frank O. Gehry à l'aide d'un programme informatique utilisé dans l'aéronautique. Sa structure de verre, d'acier et de pierre calcaire, en partie couverte de titane, évoque la tradition de construction navale de la ville. D'une superficie totale de 24 000 m², le musée offre 11 000 m² d'espace d'exposition répartis en dix-neuf salles, dont une des plus grandes galeries du monde (130 x 30 m). Comme l'ensemble des musées américains ou européens gérés par la fondation Solomon R. Guggenheim, du nom du célèbre mécène, le musée présente des œuvres d'art contemporain. Cette attraction culturelle a propulsé le nombre annuel de visiteurs à Bilbao de 260 000 à plus de 1 million. En dynamisant l'économie locale (le PIB du Pays basque s'est vu multiplié par cinq), il a redonné un nouveau souffle à la ville.

9 octobre

 À marée basse dans le golfe du Morbihan, Morbihan, France (47°34' N – 2°49' O). Les vasières exondées emprisonnent dans leurs mâchoires les voiliers abandonnés à marée basse. Les marées représentent l'agent fondamental de la géomorphologie du golfe du Morbihan, remodelant sans cesse cette véritable mer intérieure longue de 20 km et presque aussi large. Les variations cycliques du niveau des océans sont dues aux forces d'attraction des corps célestes qui se déplacent autour de la Terre. La Lune étant la plus proche, c'est elle principalement qui entraîne les déformations des masses d'eau. Mais lorsque le Soleil et la Lune sont alignés dans le même axe, on assiste alors à des mouvements amplifiés, le phénomène des grandes marées. Dans le golfe du Morbihan, l'écoulement de l'eau est ralenti par le deuxième plus grand herbier de zostères en France. Ces plantes aquatiques contribuent à alimenter quelque 130 000 oiseaux venus passer l'hiver sur la zone. Cette abondance a motivé le classement de 23 000 hectares en site Ramsar, du nom de la convention sur les zones humides d'importance internationale.

10 octobre

Hélicoptère dans le cirque de Salazie sur l'île de la Réunion, France (21°01' S – 55°32' E).

Dans le centre montagneux de l'île, les cascades zèbrent la végétation accrochée aux parois abruptes du cirque de Salazie. Dominé par le piton des Neiges (3 069 m), ce vaste cratère de 100 km² est le plus accessible des trois cirques réunionnais. L'activité volcanique permanente confère à l'île le relief le plus accidenté des Mascareignes, appellation qui regroupe la Réunion, l'île Maurice et Rodrigues. L'ensemble de cette région est tristement célèbre pour les extinctions en chaîne d'espèces animales et végétales, intervenues dès l'arrivée des premiers Européens au XVIe siècle. Si l'élimination fulgurante du dodo de l'île Maurice, englouti par l'appétit des marins, est la plus symbolique, au moins six autres oiseaux et cent plantes, tous endémiques, ont disparu de la zone – donc à jamais de la surface du globe. Un petit rapace, le faucon crécerelle de l'île Maurice, a pu être sauvé *in extremis* : de quatre individus sauvages en 1974, sa population est passée à quatre cents couples en 1996 grâce à la protection de son habitat et à la réintroduction d'exemplaires issus de captivité.

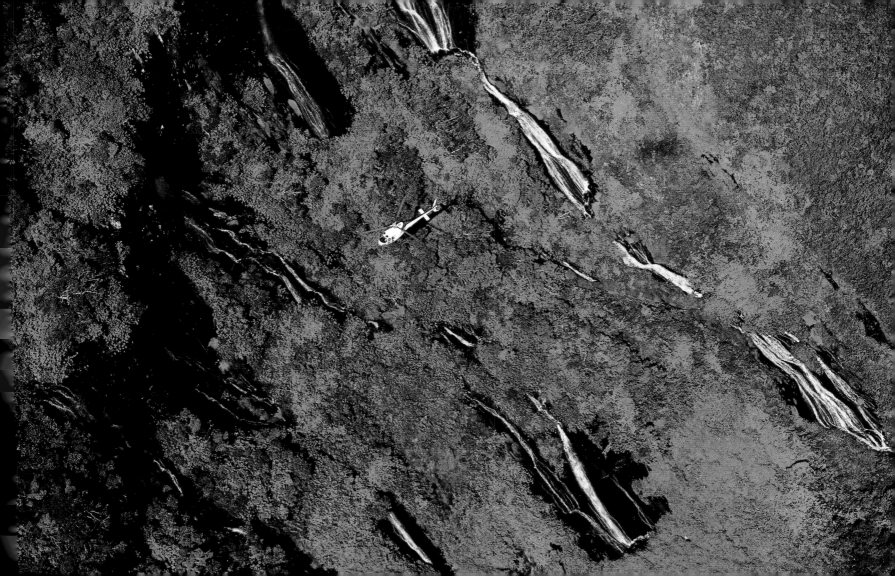

11 octobre

Cobes lechwe dans le delta de l'Okavango, Botswana (18°45' S – 22°45' E).
Il y a 2 millions d'années, la rivière Okavango rejoignait le fleuve Limpopo pour se jeter dans l'océan Indien, mais les failles créées par une intense activité tectonique l'ont déviée de son parcours initial. Le « fleuve qui ne trouve jamais la mer » achève ainsi sa course au Botswana, en un vaste delta intérieur de 15 000 km^2 à l'entrée du désert du Kalahari. Ce dédale de marais abrite 400 espèces d'oiseaux, 95 de reptiles et d'amphibiens, 70 de poissons et 40 de grands mammifères. Dissimulés dans les îlots de végétation qui leur procurent nourriture et protection face aux prédateurs, les cobes lechwe, antilopes caractéristiques des milieux marécageux, abondent dans les eaux du delta de l'Okavango. Depuis 1996, ce delta est désigné au titre de la convention de Ramsar, relative aux zones humides d'importance internationale, concernant 1 075 sites dans le monde, où l'on cherche à concilier durablement les activités sociales et économiques avec le maintien des équilibres naturels.

12 octobre

 Paysan labourant son champ, région de Lassithi, Crète, Grèce (35°09' N – 25°35' E). En Crète, la pratique de l'agriculture et l'accès aux champs sont rendus difficiles par le relief escarpé. L'âne, moyen traditionnel de locomotion, de portage et de traction, est certainement l'animal le mieux adapté à la topographie de l'île, et son utilisation y est encore généralisée, comme dans cette plaine fertile du plateau de Lassithi. Le climat local, considéré comme l'un des plus salubres et des plus doux d'Europe, favoriserait la longévité exceptionnelle des habitants de la Crète. Mais les vertus du régime alimentaire crétois, où les olives et l'huile d'olive sont à l'honneur, y contribueraient également. Les Crétois ne sont cependant pas les seuls à traverser communément un siècle entier : la vallée de Vilcabamba, en Équateur, compte également nombre de centenaires. Les progrès de la médecine et l'amélioration de la situation sanitaire mondiale allongent progressivement l'espérance de vie moyenne de l'humanité, qui est actuellement de 66 ans. Mais la durée d'existence sur terre reste très inégale : au Japon ou au Canada, on vit en moyenne jusqu'à 80 ans, alors que trois personnes sur quatre meurent avant l'âge de 50 ans dans les pays les moins avancés.

13 octobre

Épave échouée dans l'archipel des Pescadores, Taïwan (23°37' N – 119°33' E).
Coincées entre Taïwan et la Chine, les îles Pescadores – les îles des pêcheurs – cristallisent dans leur nom la colonisation espagnole du XVIe siècle. Cette épave, suspendue entre mer et basalte, reflète la densité actuelle du trafic maritime de Taïwan, cinquième place portuaire au monde. Le 14 janvier 2001, un pétrolier grec s'abîmait tout près de la réserve naturelle marine de Lungkeng, au sud de l'île, éradiquant coraux et poissons pour plusieurs années. Les récifs coralliens de l'île – l'un des dix centres d'endémisme récifal du globe – sont parmi les plus riches au monde. Mais l'ensemble des récifs de Taïwan, qui hébergent pas moins de 300 espèces de coraux et 1 200 espèces de poissons, est moins menacé par les marées noires que par les pêches destructices faisant grand usage de dynamite. À l'échelle mondiale, 27 % des zones de coraux ont déjà été détruites, et 14 % devraient subir le même sort d'ici dix à vingt ans.

14 octobre

 Brûlis près de Kazalinsk, région de Kazalinsk, Kazakhstan (45°46' N – 62°07' E). Les steppes kazakhes s'étendent à perte de vue, de la mer Caspienne au nord de la Chine. Elles recouvrent 2 700 000 km² de terres, sur lesquelles se déplacent près de 9 millions de nomades, descendants de tribus turques et mongoles islamisées au XVᵉ siècle. Aujourd'hui, ces Kazakhs ne représentent que la moitié de la population du pays. Ils vivent avec des Russes, des Ukrainiens, des Ouzbeks et des Allemands, envoyés ou déportés par l'Empire russe qui a occupé le pays jusqu'en 1991. Ces derniers ont introduit une agriculture céréalière qui fit un moment espérer qu'un nouveau grenier était apparu à l'est. Mais la mise en culture continue des terres a contribué à mettre à nu un sol déjà pauvre et érodé par les vents. D'ici 2025, le Kazakhstan devrait perdre près de la moitié de ses terres de culture, ce qui menace les moyens d'existence de ses agriculteurs et de ses éleveurs, soit 20 % de sa population. Au niveau mondial, au moins un milliard d'agriculteurs et d'éleveurs subiront les conséquences d'une dégradation de leurs sols, par érosion...

15 octobre

Exploitation céréalière à l'est de Kalundborg sur l'île de Sjælland, Danemark (51°41' N – 11°06' E).

Les agriculteurs danois sont les plus productifs au monde : chacun d'eux peut nourrir 140 personnes. Le Danemark développe une agriculture de haute technologie, pionnière dans la prise en compte des impacts environnementaux. L'implantation de bandes enherbées le long des cours d'eau, des bois et des routes, limite le ruissellement des eaux de pluie et le transfert des pesticides et des engrais vers les rivières et les nappes phréatiques où est puisée l'eau de consommation. La pollution par les fertilisants d'origine agricole, industrielle ou domestique conduit à un développement accéléré des algues dans les rivières et les estuaires. Cette prolifération végétale étouffe la faune aquacole et favorise le développement d'algues toxiques. Le rejet sauvage des déchets, la surconsommation de produits d'entretien sont autant d'actes quotidiens nuisibles à notre ressource en eau. Lutter contre de telles pollutions est l'un des défis actuels des pays développés.

16 octobre

Oliveraies en bordure de la retenue de Vadomojon, province de Jaén, Espagne (37°37' N – 4°12' O).

La retenue d'eau de Vadomojon est une île cernée par un océan de terres arides piquetées d'oliviers, à cheval sur les provinces andalouses de Jaén et de Cordoue. À elles seules, ces deux régions fournissent 40 % de la production mondiale d'huile d'olive et placent l'Espagne loin devant les autres pays du pourtour méditerranéen. Les oliveraies, qui recouvrent un tiers de la province de Jaén, sont une source d'emploi essentielle : le taux de chômage passe ainsi de 10 % pendant les récoltes à 45 % durant l'été. Voulant tirer le meilleur profit de cet or vert, la région a doublé les surfaces irriguées entre 1990 et 2000, notamment grâce aux aides de l'Union européenne. Mais l'Andalousie se trouve déjà confrontée à de graves pénuries d'eau et nombre de ses rivières, surexploitées, souffrent de déficit hydrique. Le Plan hydrologique national, présenté en 2000, prévoit de transvaser de l'eau du nord vers le sud de l'Espagne et la construction de soixante-dix nouveaux barrages. Mais ce projet suscite bien des polémiques.

17 octobre

La « tour des snipers » à Beyrouth, Liban (33°53' N – 35°29' E).

L'intérieur de cette tour, criblée d'impacts de balles, dissimule des graffitis représentant la colombe de la paix. Certains quartiers de Beyrouth sont encore un musée à ciel ouvert du conflit qui a enflammé le Liban. Provoquée par une rupture de l'équilibre entre les communautés chrétienne et musulmane du pays, la guerre civile aura duré seize ans, de 1975 à 1991, coûté 150 000 vies et laissé un pays en ruines. Il s'est depuis relevé avec un grand dynamisme ; le centre de Beyrouth est presque entièrement reconstruit, et le PIB a enregistré de forts taux de croissance jusqu'en 1998. Les tensions communautaires se sont apaisées depuis que le partage du pouvoir est plus équitable, avec un président toujours de confession chrétien ne maronite et un Premier ministre musulman. Malgré cela, les dissensions sont récurrentes au sujet des 30 000 soldats syriens présents sur le sol libanais, une occupation beaucoup mieux tolérée par les musulmans. Ainsi, le 5 août 2001, 200 militants chrétiens opposés à la politique de Damas (capitale de la Syrie) furent arrêtés par les autorités, ce qui provoqua une nouvelle crise politique.

18 octobre

Île de Kornat, archipel du parc national des Kornati, Dalmatie, Croatie (43°50' N – 15°16' E).

La bordure orientale de la mer Adriatique baigne les 150 îles et îlots de l'archipel croate des Kornati. La plus grande île, Kornat, avec 32,5 km², représente les deux tiers des terres émergées. Le plissement montagneux des Kornati résulte de la collision des plaques adriatique et européenne. La fonte des glaciers et la montée des eaux après la dernière ère glaciaire, il y a 20 000 ans, en ont fait un archipel, modelé par le pouvoir érosif de la mer et du vent qui a mis à nu de fines stries de calcaire. Il y a un siècle, les habitants des îles voisines ont édifié ces pierres en murets pour parquer leurs moutons et isoler leurs cultures d'olivier et de vigne. La surexploitation des maigres herbages a considérablement appauvri la faune et la flore terrestres. Cette désertification contraste avec l'exubérance des fonds marins de l'archipel, où l'on recense la plupart des espèces de poissons et de mollusques méditerranéens. Néanmoins, la forte pression de la pêche, aux méthodes parfois illicites, menace les ressources halieutiques. Dans le monde, près de 30 % des espèces de poissons sont déjà éteintes ou en voie d'extinction.

19 octobre

 Retour de pêche à Saint-Louis, Sénégal (16°02' N – 16°30' O).
Bénéficiant d'une alternance saisonnière de courants froids riches en matières minérales venant des îles Canaries et de courants chauds équatoriaux, les 700 km du littoral sénégalais abondent en faune marine. Cette richesse locale alimente la pêche côtière, à 80 % artisanale, qui se pratique à bord de pirogues en bois de baobab ou de fromager, au moyen de lignes ou de filets. Mais elle attire aussi les chalutiers européens, plus performants, qui, une fois passés les accords de pêche requis, exploitent intensivement les ressources, les soustrayant aux pays riverains. Avec une production annuelle de près de 400 000 tonnes, la pêche demeure la première ressource économique du Sénégal et alimente principalement le marché local ; thons, sardines et merlus sont pour l'essentiel vendus à même la plage, sur les lieux de débarquement des pirogues. Les Sénégalais, comme un milliard de personnes dans les pays en développement, dépendent du poisson qui fournit 40 % des protéines consommées par la population.

20 octobre

Village de Bacolor sous une coulée de boue, île de Luçon, Philippines (14°59' N – 120°39' E).

En 1991, le volcan Pinatubo, sur l'île de Luçon aux Philippines, entra en éruption après six siècles de sommeil, projetant jusqu'à 35 000 m d'altitude un nuage de 18 millions de m³ de gaz sulfureux et de cendres qui anéantit toute vie dans un rayon de 14 km. Des coulées de boues dévastatrices, les *lahars*, provoquées par les pluies d'un cyclone mêlées aux cendres, surviennent dans les jours qui suivent et, occasionnellement, plusieurs années après l'éruption, comme à Bacolor en 1995. Avant l'éruption cataclysmique du 15 juin 1991, l'évacuation de 60 000 personnes a permis de limiter le bilan à 875 morts et 1 million de sinistrés. Quelque 600 millions d'habitants de notre planète vivent sous la menace de volcans ; mais, en dépit de leur puissance, les éruptions volcaniques n'affichent pas le plus lourd bilan. Au cours des quinze dernières années, 560 000 personnes ont péri lors de catastrophes naturelles majeures (120 000 durant les seules années 1998 et 1999) : 15 % des décès furent imputables à des tempêtes, 30 % à des tremblements de terre, et la moitié à des inondations, un phénomène naturel dont les conséquences ont été sensiblement aggravées par l'action de l'homme sur l'environnement.

21 octobre

 **Bateau coulé au large de Lamu, Kenya (02°16' S – 40°55' E).**

Seule la passerelle de cette épave n'est pas rouillée. Elle reste hors de l'eau car le bateau, qui a probablement coulé après avoir percuté des récifs coralliens, repose sur des hauts-fonds. Dans le monde, un grand bâtiment fait naufrage tous les trois jours. Mais les navires ne sombrent pas toujours par accident. Des armateurs laissent parfois s'enfoncer leurs vieilles carcasses dans l'océan, sans toujours prendre la peine de les dépolluer au préalable. Elles sont souvent trop détériorées pour intéresser les ferrailleurs, dont le métier est de récupérer pour les recycler les métaux réutilisables des bateaux, mais aussi des voitures et des appareils électroménagers. Le recyclage d'une tonne d'acier dans des aciéries électriques permet notamment d'économiser 1,5 tonne de minerai de fer et 0,5 tonne de coke par rapport à la fabrication d'une tonne d'acier dans une fonderie classique. Cela consomme aussi trois fois moins d'énergie : 0,2 tonne d'équivalent pétrole contre 0,6 tonne pour une tonne fabriquée. Ainsi, le recyclage réduit la quantité de déchets produits tout en limitant l'impact environnemental des aciéries.

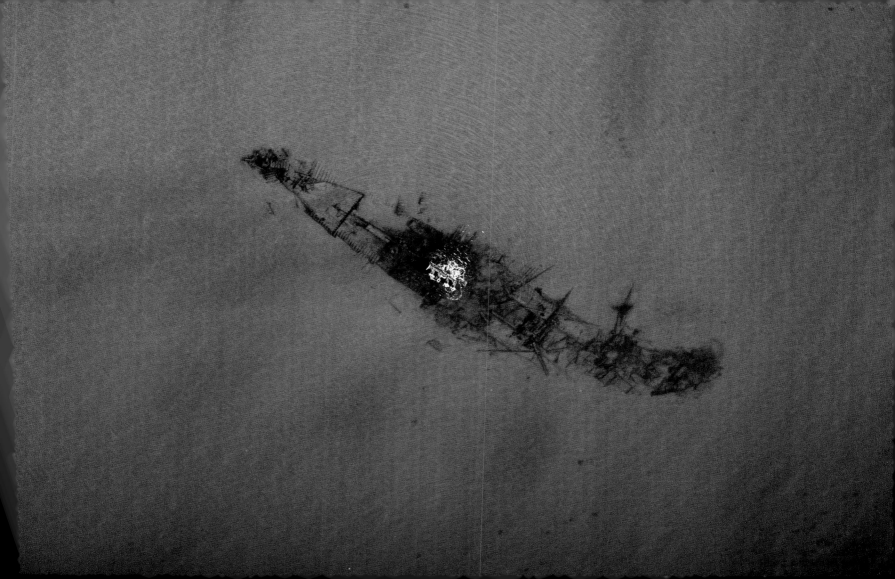

22 octobre

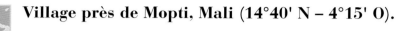

Village près de Mopti, Mali (14°40' N – 4°15' O).

Dans ce village de la région de Mopti, les maisons et la mosquée centrale, construites en banco (mélange de terre et de fibres végétales), semblent tout droit sorties du sol. Afin de résister au lessivage des pluies, le banco doit être recrépi tous les ans. La mosquée se couvre alors d'échafaudages dressés sur les pics en bois de rônier (palmier) qui ornent sa façade. Après les récoltes, les toits en terrasse servent au séchage du sorgho. Sorgho et mil occupent à eux seuls 41 % des terres cultivées du Mali. Mais l'autosuffisance alimentaire du pays est précaire, prise dans l'étau de la croissance démographique (près de 3 % l'an) et de la désertification. Le désert avance aujourd'hui de 5 km par an sur un front de 2 000 km. Mais depuis l'avènement de la démocratie en 1991, la situation générale, notamment celle de l'éducation, s'améliore avec la création d'écoles primaires, de lycées et même d'une université, inaugurée à Bamako en 1996. Ces avancées restent timides car le pays est pris à la gorge par sa dette extérieure à laquelle il consacre 48 % de ses recettes budgétaires.

23 octobre

Orage sur les collines de Loita, Kenya (1°50' N – 35°80' E).

Le Kenya connaît des précipitations très irrégulières, rencontrant de longues périodes pluvieuses d'avril à juin et de brèves ondées de novembre à mi-décembre. Souvent violentes, les pluies s'accompagnent d'orages impressionnants, comme sur les collines de Loita qui semblent ici rattachées au ciel par d'effrayantes colonnes d'eau. Les longues sécheresses sont néanmoins fréquentes au Kenya, l'un des huit pays africains les plus affectés par ces épisodes. Dépendante de l'agriculture et des ressources naturelles, l'économie du pays est très vulnérable face aux aléas climatiques. En 1999 et 2000, le faible niveau des réserves d'eau douce dû à la sécheresse a provoqué une réduction de la production hydroélectrique et nécessité le rationnement en eau et en électricité, ce qui s'est soldé par une forte baisse du produit intérieur brut. L'incidence de ces catastrophes – qui avaient déjà causé la mort d'un million d'Éthiopiens en 1984 – sera probablement renforcée par le changement climatique.

24 octobre

Arbres abattus par la tempête dans la forêt des Vosges, France (48°39' N – 7°14' E). Le 26 décembre 1999, le département des Vosges s'est réveillé avec 348 de ses 515 communes privées d'électricité, 10 % de ses forêts à terre, le trafic ferroviaire interrompu et 60 000 lignes téléphoniques coupées. La région Lorraine fut la plus gravement touchée par la tempête qui venait de traverser la France en provoquant 79 morts, un événement sans précédent dans le pays au cours des derniers siècles. Des vents violents (169 km/h à Paris) ont couché plus de 300 millions d'arbres sur l'ensemble du territoire, l'équivalent, pour les forêts publiques, de trois années de récolte (dont 70 % seront toutefois vendus). L'Office national des forêts, qui a entrepris la reconstitution de ces boisements, entend désormais privilégier des forêts naturellement plus résistantes sans compromettre l'économie marchande, en favorisant la diversité biologique et en évitant l'alignement systématique. De ce point de vue, les conséquences de la catastrophe n'auront pas toutes été négatives.

25 octobre

 Archipel des Boucaniers, West Kimberley, Australie (16°17' S – 123°20' E).

Au large des côtes très découpées et érodées du nord-ouest de l'Australie émergent des milliers d'îlots restés sauvages, comme ceux de l'archipel des Boucaniers. Les activités agricoles et industrielles étant peu présentes sur le littoral, l'eau de la mer de Timor qui s'insinue entre les îles est relativement épargnée par la pollution, ce qui permet à des espèces fragiles, comme celle des huîtres *Pinctada maxima*, de se développer dans les meilleures conditions. Prélevés dans leur milieu naturel, sur les fonds marins, ces mollusques sont exploités pour l'élaboration de perles de culture. Les perles australiennes, qui représentent 70 % de la production des mers du Sud, sont deux fois plus grosses (12 mm de diamètre, en moyenne) et, d'après les experts, plus belles que celles du Japon, pays pourtant pionnier de l'activité (depuis le début du XXᵉ siècle) et premier producteur mondial.

26 octobre

 Château de Neuschwanstein, Bavière, Allemagne (47°35' N – 10°44' E).

La Route romantique qui traverse la Bavière mène à Füssen par la vallée de la Lech. C'est là, au pied des Alpes autrichiennes, que Louis II, roi de Bavière, fit édifier le château de Neuschwanstein. Monté sur son éperon rocheux, ce joyau serti de tours et de pinacles emprunte au domaine des songes son extravagante architecture qui inspira Walt Disney. Commencée en 1869, selon les plans d'un décorateur de théâtre, Christian Jank, la construction de cet ensemble n'était pas encore achevée dix-sept ans plus tard, à la mort du souverain. Il ne résida que 172 jours dans sa demeure royale, où il se vit signifier sa destitution le 10 juin 1886, après avoir été déclaré atteint de troubles mentaux. Matérialisations de rêves et décors de contes, les châteaux de Linderhof, Neuschwanstein et Herrenchiemsee, jadis gouffre financier pour le monarque bâtisseur, représentent aujourd'hui un atout pour le tourisme bavarois. Premier Land d'Allemagne pour le tourisme, la Bavière attire près du quart des visiteurs qui se rendent dans le pays.

27 octobre

Forage hydraulique villageois près de Doropo, région de Bouna, Côte-d'Ivoire (9°47' N – 3°19' O).

Partout en Afrique la collecte de l'eau est un rôle habituellement dévolu aux femmes, comme ici près de Doropo. Les forages hydrauliques, équipés de pompes généralement manuelles, remplacent peu à peu les puits traditionnels des villages, et les récipients en matière plastique, en métal émaillé ou en aluminium supplantent les canaris (grandes jarres en terre cuite) et les calebasses pour transporter la précieuse ressource. Puisée dans les nappes phréatiques, l'eau de ces forages présente moins de risques sanitaires que celle des puits traditionnels qui, dans plus de 70 % des cas, est impropre à la consommation. Aujourd'hui, 20 % de la population mondiale ne dispose pas d'eau potable. En Afrique, cela représente deux personnes sur cinq en moyenne, mais plus de 50 % de la population en zone rurale n'a pas accès à une eau salubre. Les maladies dues à l'insalubrité de l'eau constituent la première cause de mortalité infantile des pays en développement : ainsi, la diarrhée emporte chaque année la vie de 2,2 millions d'enfants avant qu'ils aient cinq ans. En Afrique et en Asie, face à l'accroissement attendu de la population, l'amélioration de l'accès à l'eau potable se présente comme l'un des grands défis des décennies à venir.

28 octobre

Salar de los infieles, Aguilar, cordillère des Andes, Chili (25°53' S – 68°53' O).
Formation montagneuse issue du plissement de la plaque Amérique sous la poussée de la plaque Pacifique, la cordillère des Andes présente un chapelet de salines qui lui donne son nom de « cordillère de sel ». Au cours des mouvements de l'écorce terrestre, des terrains autrefois sous-marins sont progressivement portés en haute altitude. Les mers asséchées se transforment en bassins fermés qui accumulent l'eau provenant des glaciers. Ces eaux contiennent en suspension des sels provenant des volcans. L'ardeur du soleil et la faible humidité ambiante vaporisent l'eau, ne laissant que des dépôts salins en surface, riches en lithium et autres minéraux. Cette abondance d'oligo-éléments attire les compagnies minières, mais le développement potentiel de cette nouvelle industrie nécessiterait l'exploitation intensive des eaux souterraines de la région, menaçant ainsi l'écosystème local.

29 octobre

Filets de pêche étalés sur la plage de Saham, Oman (63°00' N – 24°20' E).

La senne, très long filet de pêche qui se traîne sur les fonds sableux, est de nouveau prête à l'emploi. Les pêcheurs l'ont patiemment repliée à côté de leurs embarcations et ils n'auront plus qu'à tirer les deux extrémités du dispositif pour moissonner leurs proies. La pêche traditionnelle fournit plus de 80 % de la production omanaise de poissons, mais le sultanat aimerait moderniser ce secteur. Conscient de la limite de ses réserves en pétrole (700 000 tonnes de brut), il souhaite diversifier son économie et fait de la formation des pêcheurs l'une de ses priorités. Grâce à de jeunes diplômés, il espère accroître la production nationale, tout en instaurant une gestion durable des stocks de pêche. Car si le golfe d'Oman est riche en poissons, certaines espèces y sont menacées. La surexploitation des ressources halieutiques concerne l'ensemble de la planète et les prises déclinent partout. Dans l'Atlantique Nord, grande zone de pêche, elles ont par exemple chuté de 25 % depuis 1970.

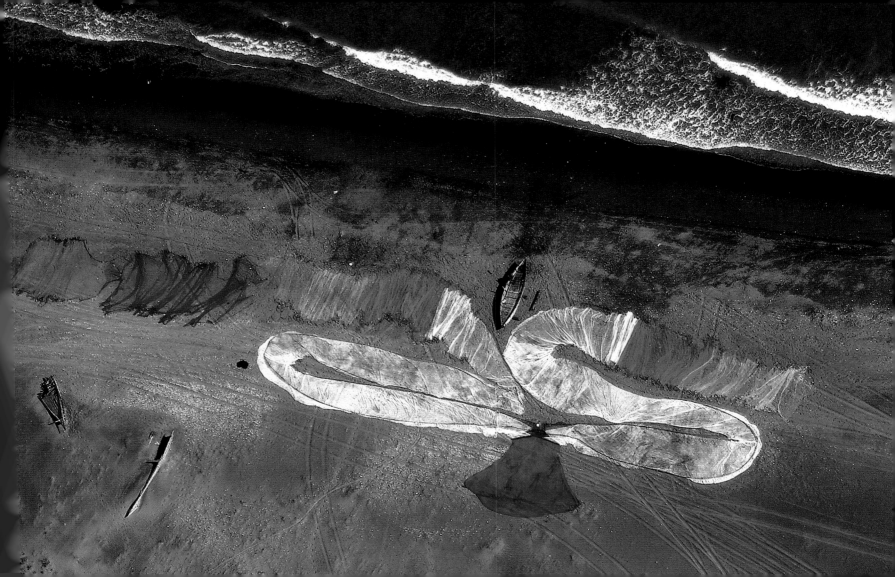

30 octobre

Tower Bridge à Londres, Royaume-Uni (51°30' N – 0°06' O).

Londres est une mégalopole tentaculaire. Son cœur urbain reflète autant le dynamisme, le pouvoir politique et financier de la City que la technologie de pointe et la mode avant-gardiste. Dotée des plus beaux monuments, comme la cathédrale de Westminster, la ville peut s'enorgueillir aussi de l'un des plus célèbres ponts au monde, le Tower Bridge, qui unit les deux rives de la Tamise. Achevé en 1894 après huit années de travaux, le pont est emprunté par 150 000 véhicules chaque jour. Plus de 900 fois l'an, cette célèbre architecture s'ouvre, laissant le passage aux hauts navires, aux bateaux de croisière et autres larges embarcations. La visite de ses tours gothiques plonge dans une histoire fascinante montrant, dans les salles de machines originelles d'époque victorienne, le fonctionnement hydraulique du système de levage qui utilisait autrefois la puissance de la vapeur pour actionner les énormes pompes. L'armature des tours et des trottoirs nécessita plus de 11 000 tonnes d'acier et fut ensuite revêtue de granit de Cornouailles et de pierre de Portland, pour des raisons tant utilitaires (protection) qu'esthétiques.

31 octobre

Pli de lave refroidie, mont Maelifell, région du Myrdalsjökull, Islande (63°40' N – 19°05' O).

Le mont Maelifell, fruit d'une éruption sous-glacière, est formé de l'accumulation de cendres et de projections de laves solidifiées. Ce paysage qui surgit de la rencontre du feu et de la glace illustre la géologie unique de l'Islande. Les forces qui modèlent notre planète y sont en effet constamment à l'œuvre. Le pli ici façonné évoque la condition originale de l'Islande, située à cheval sur la plaque tectonique d'Amérique du Nord et sur celle d'Europe. Le pays s'étend ainsi continuellement, d'environ 2 cm en moyenne par an, sous l'action de la faille volcanique médio-atlantique. Cette île de 60 millions d'années, donc relativement jeune à l'échelle des temps géologiques, est ainsi le théâtre du volcanisme – une éruption tous les cinq ans –, du mouvement des glaces – aujourd'hui 12 % de la superficie de l'île – ou encore des séismes – un tremblement de terre important tous les cent ans, soit autour de 7 sur l'échelle de Richter.

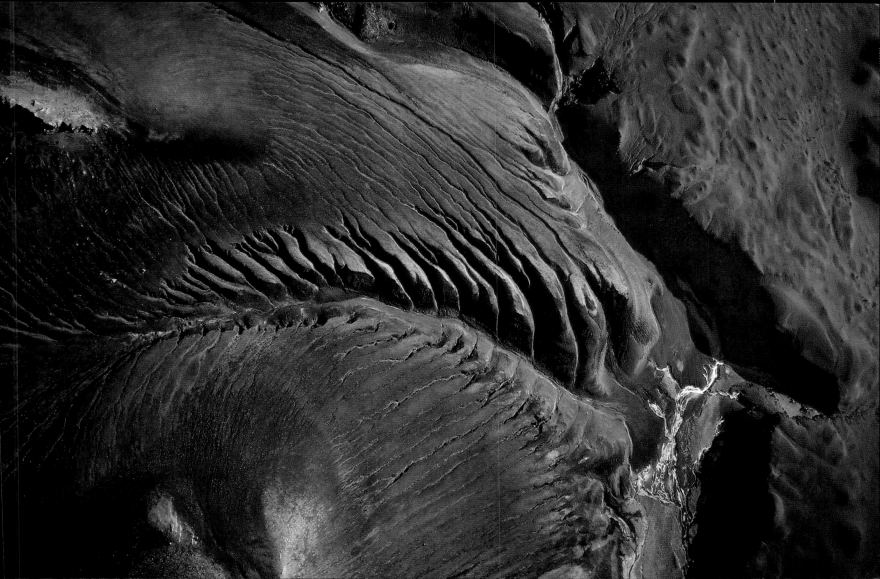

CROISSANCE, DÉVELOPPEMENT, DÉVELOPPEMENT DURABLE

L'économie a pour objet de transformer la nature afin de satisfaire au mieux les besoins humains. Aujourd'hui, avec l'ordinateur, une mutation technologique sans précédent déplace les moteurs de cette activité du champ de l'énergie (vapeur, électricité, pétrole…) à celui de l'information et de l'immatériel. Dans sa relation avec la nature, le monde se trouve donc au carrefour de deux phases : l'une, énergétique, est marquée par une capacité de bouleversement et de destruction considérables des milieux ; l'autre, informationnelle, est quant à elle caractérisée par la perspective d'un développement économe et moins traumatisant. À la fin du XVIIIᵉ siècle, le chimiste allemand Lichtenberg racontait un rêve étrange. Alors qu'il se vantait de pouvoir identifier la nature de n'importe quel objet, un vieillard mystérieusement apparu le mettait au défi d'analyser une forme sphérique sortie de sa poche. Le savant relevait le défi. Et, broyant, malaxant, analysant, il était bientôt en mesure d'énumérer tous les éléments dont la sphère était constituée ; carbone, hydrogène, oxygène, azote, soufre, phosphore… « Fort bien, lui répondit le vieillard, mais cette boule était la Terre… » Le savant comprit alors subitement qu'il se trouvait en face du Créateur, et qu'en ne considérant que l'aspect matériel de l'objet il l'avait détruit. Bien plus qu'un objet, la Terre est un système de fonctions et de régulations grâce auxquelles la vie a pu apparaître et s'épanouir. L'économie ne doit donc pas seulement se préoccuper de la dimension matérielle des choses, mais aussi de la pérennité des régulations naturelles dans lesquelles s'inscrivent le vivant et l'activité productive des humains. Pendant longtemps ce problème ne s'est pas posé. Lorsque les niveaux de vie se situaient dans des zones proches du minimum vital et que l'activité économique ne dégradait pas le milieu naturel, le « plus », orienté vers la satisfaction des besoins fondamentaux (plus de blé…), était aussi le « mieux », comme il l'est encore pour les populations pauvres d'aujourd'hui. La croissance, concept unidimensionnel et quantitatif, exprimant l'augmentation du produit national, se confondait alors avec le développement. Les choses ont changé au début des années 1970, lorsque se sont multipliés les accidents dommageables pour l'*environnement*. En 1972, le rapport du Club de Rome [1] révélait que la croissance, telle qu'elle se déroule, détruit la nature où elle puise ses ressources et rejette ses déchets. La même année, l'économiste américain d'origine roumaine Nicolas Georgescu-Roegen [2] soulignait qu'on ne peut pleinement appréhender l'évolution économique qu'en la situant dans la dégradation – « entropie » – du flux d'énergie solaire qui parvient sur notre planète. L'activité économique, selon lui, ne peut qu'accélérer cette dégradation. Puis, dans les années 1980, apparurent les atteintes « globales » à

---

1. Club de Rome, *Halte à la croissance ?*, Fayard, 1972.
2. Nicolas Georgescu-Roegen, *The Entropy Law and the Economic Process*, Harvard University Press, 1971.

la nature : le trou de l'ozone stratosphérique, l'effet de serre, la réduction de la biodiversité… Ce sont les régulations mêmes, par lesquelles la planète maintient son aptitude à porter la vie, qui se trouvent menacées. Ce n'est donc plus de dysfonctionnements qu'il faut parler, mais d'un conflit entre deux logiques : celle qui détermine la croissance économique et celle par laquelle la *biosphère* assure sa reproduction dans le temps. Alors, le « développement » se sépare de la « croissance ». Dans les années 1960, François Perroux avait déjà amorcé la distinction [3]. En 1979, c'est dans le double mouvement de *destruction créatrice* que représente le rayonnement solaire (dégradation sans doute, mais aussi apport énergétique permettant l'apparition et le développement de la vie) que, pour ma part, j'ai inscrit l'évolution économique [4]. L'économie ne détruit la biosphère que si elle franchit les limites de ce mouvement de reconstitution. Dans cette conception, *une croissance n'est un développement que si elle respecte les mécanismes assurant la reproduction des sphères humaine et naturelle dans lesquelles elle s'accomplit.* En 1987 enfin, le « Rapport Brundtland [5] » a vulgarisé le concept de *développement durable* défini comme celui « qui permet de satisfaire les besoins présents sans

3. François Perroux, *L'Économie du XXᵉ siècle*, PUF, 1961.

4. René Passet, *L'Économique et le vivant*, Economica, 1996.
5. *The World Commission on Environment and Development, Our Common Future*, Oxford University Press, 1987.

compromettre la capacité des générations futures de satisfaire leurs propres besoins ». Les menaces qui pèsent sur la nature résultent donc essentiellement de conceptions productivistes réduisant le développement économique – et humain – à la seule croissance quantitative des produits nationaux. Cette confusion, commune hier aux économies planifiées de l'Est et aux économies libérales de l'Ouest, se trouve particulièrement aggravée aujourd'hui, dans le système de type « actionnarial » qui domine la planète. À partir des années 1980, la priorité donnée à la libre circulation des capitaux dans le monde a entraîné la subordination des systèmes économiques aux impératifs d'une logique ayant pour objectif premier la fructification rapide des patrimoines financiers. Le très court terme de la gestion financière s'est alors imposé au détriment du très long terme des régulations naturelles. De plus en plus, la nature, la vie, l'espèce humaine elle-même n'ont d'autre statut que celui de moyens au service de cette fin. Une certaine conception de l'optimisation économique, ignorante des contraintes de reproduction de la biosphère qui la porte, mène le monde à sa perte. Il est grand temps de remettre l'économie et la personne à leurs places respectives, aujourd'hui inversées, d'instrument et de finalité.

René Passet
*Professeur émérite d'économie à
l'université Paris I-Panthéon-Sorbonne*

1er novembre

Marabouts dans le Jebel Krefane, gouvernorat de Tozeur, Tunisie (33°55' N – 8°08' E).

L'Ifriqiya (l'Afrique) fut conquise par les Arabes dès la fin du VIIe siècle. Mais l'arabisation et l'islamisation, assez lentes au début, ne se sont accélérées qu'à partir du XIe siècle. Comme dans les autres territoires tardivement islamisés, c'est le soufisme qui s'est implanté. En Afrique, ce courant prend appui sur le maraboutisme, culte des saints qui devient un élément essentiel de la dévotion populaire : des tombeaux à coupoles (ou marabouts) parsèment villes et campagnes. Le marabout renvoie à l'origine au *murabit*, moine guerrier vivant dans un couvent fortifié (ou *ribat*). Puis il en vient à désigner un personnage qui s'est illustré par sa piété, sa charité, sa science religieuse ou ses dons de guérisseur. Le terme s'applique aussi à son mausolée, lieu de pèlerinage où les adeptes viennent le vénérer par des cérémonies chantées et dansées. Aujourd'hui, les marabouts ont conservé une grande influence spirituelle, la *baraka*, qui peut influencer non seulement la vie quotidienne des fidèles mais aussi la vie politique du pays.

2 novembre

Couple de Himbas, région du Kaokoland, Namibie (18°15' S – 13°26' E).

La région du Kaokoland, au nord de la Namibie, abrite 3 000 à 5 000 Himbas, éleveurs nomades de vaches et de chèvres réparties le long du fleuve Cunene. Ce peuple, qui a conservé ses traditions et vit en marge du modernisme, a subi durant les années 1980 une longue sécheresse qui a fait périr les trois quarts de son bétail, ainsi que les effets de la guerre entre l'armée sud-africaine et la SWAPO (South West Africa People's Organization). Aujourd'hui, les Himbas doivent affronter une menace tout aussi importante : le projet de construction d'un barrage hydroélectrique sur les chutes d'Epupa. Cette réalisation, qui permettrait d'alimenter en énergie une usine de dessalement d'eau dans un pays qui importe près de 50 % de son électricité et manque cruellement de ressources hydriques, aurait également pour conséquence d'inonder des centaines de kilomètres carrés de pâturages, contraignant les pasteurs himbas à migrer.

3 novembre

Tombeaux royaux du Wat Phra si Sanphet (temple de Sanphet), Ayutthaya, Thaïlande (14°20' N – 100°34' E).

Île artificielle au confluent de la Chao Phraya et des rivières Prasak et Lopburi, Ayutthaya fut la capitale du royaume du Siam pendant plus de quatre siècles, de 1350 à 1767. Sa splendeur, son dynamisme culturel et économique éblouirent l'Europe du XVIIᵉ siècle. L'étendue du Wat Phra si Sanphet, sanctuaire royal de la ville depuis 1491, témoigne de cette magnificence. De l'ensemble du temple, seuls trois *chedi* – équivalents des stupas indiens – sont encore intacts. Leur mât symbolise les étages à gravir pour accéder au Nirvana et abrite ici les cendres de souverains siamois. Le bouddhisme, religion de 95 % des Thaïlandais, a constitué le ciment de l'unité du pays. Les temples, autrefois principaux centres d'éducation, hospices et orphelinats, restent au cœur de la vie publique. Presque chaque Thaïlandais, à un moment ou un autre de sa vie, endosse temporairement l'habit de moine, parfois pour quelques semaines, souvent pour trois mois durant la saison des moussons.

4 novembre

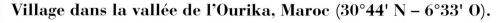

Village dans la vallée de l'Ourika, Maroc (30°44' N – 6°33' O).

Tandis que les verdoyantes cultures en terrasses de la vallée de l'Ourika contrastent avec les reliefs de l'Atlas alentour, les maisons berbères se fondent dans le paysage rocheux. Construites en pisé, mélange compacté de terre, de paille et de gravier, elles sont très solides sauf en cas d'inondation. Pour s'en protéger, les villages berbères de la vallée, aussi appelés douars, s'accrochent au flanc des montagnes. Les crues de l'oued Ourika, fréquentes et redoutées, peuvent être catastrophiques. Lorsque la rivière sort de son lit, alimentée par la fonte des neiges ou les orages d'été, elle charrie tout sur son passage. Son débit peut alors atteindre plus de 1 000 m³ par seconde. Depuis les désastres de 1995, les autorités marocaines ont mis en place des systèmes de prévention qui ont déjà permis de limiter les dommages lors de l'inondation de 1999. Elles les ont encore perfectionnés en 2001 pour qu'ils assurent une meilleure alerte.

5 novembre

Citadelle d'Enfé (Anfeh), district d'El-Koura, Liban (34°20' N – 35°41' E).

Enfé, petite cité côtière au sud de Tripoli, vit de la pêche artisanale et de ses oliviers, de ses vignes et de ses marais salants. Cet ancien port phénicien, auquel il est fait référence sous le nom d'Ampi au VIIe siècle avant J.-C. dans les tablettes d'argile d'Al-Amarna, connut l'occupation des croisés au début du XIIe siècle. La presqu'île, qui s'avance de 400 m dans la Méditerranée, abritait alors le château de « Nephin », redoutable forteresse hérissée de douze tours, isolée sur son promontoire par une tranchée taillée dans le roc de l'isthme, et qui fut détruite en 1289 par les Mamelouks. Témoins d'un passé plurimillénaire mouvementé, ces ruines classées ont échappé au bétonnage du littoral. La zone côtière héberge, sur 16 % du territoire, 70 % de la population libanaise (en moyenne 1610 habitants/km²), et l'urbanisation anarchique et mal contrôlée qui y sévit depuis les années 1980 menace l'héritage culturel et l'environnement naturel. Désormais, la relance économique et la croissance du secteur touristique doivent tenir compte des impératifs du développement durable.

6 novembre

Sandwich Harbour, région de Swakopmund, Namibie (23°22' S – 14°30' E).
Sandwich Harbour se situe à une cinquantaine de kilomètres au sud de la ville namibienne de Walvis Bay, sur la côte atlantique. Son nom lui vient d'un baleinier anglais, le *Sandwich*, qui opérait dans cette région à la fin du XVIIIᵉ siècle et se ravitaillait périodiquement en eau douce dans la lagune. Actuellement protégée et interdite d'accès sans autorisation spéciale, Sandwich Harbour abrite jusqu'à 250 000 oiseaux migrateurs, et en particulier 40 % des flamants roses d'Afrique australe, ce qui en fait une des zones littorales les plus importantes de cette partie du monde. La côte de Namibie héberge d'immenses colonies d'oiseaux marins (cormorans, pingouins, sternes) qui bénéficient des eaux poissonneuses du Benguela, un courant froid à l'origine d'une profusion de plancton, manne alimentaire pour les poissons. Mais dans le monde les oiseaux marins sont de plus en plus menacés par certaines techniques de pêche comme les palangres dans le Pacifique, ces lignes longues de 60 à 80 km dont les appâts attirent les oiseaux qui finissent par s'accrocher aux milliers d'hameçons et meurent noyés.

7 novembre

Embouchure de la rivière Markarfljót, région du Myrdalsjökull, Islande (63°32' N – 20°05' O).

Alimentée par le Myrdalsjökull, un dôme de 800 km² de glace au sud de l'île, la rivière Markarfljót contourne le petit glacier Eyjafjallajökull par le nord, dessinant un tracé hésitant sur un large lit de sédiments basaltiques, et termine sa course sur une plage de sable noir bordant l'Atlantique. Comme tous les torrents glaciaires, elle se répand sur une plaine d'évacuation glaciaire en un réseau dense et complexe d'affluents entrelacés. Son cours varie constamment et atteint son débit maximal en juillet et en août, lors de la fonte des glaces. Le changement climatique, provoquant une intensification du phénomène, pourrait perturber ce rythme saisonnier naturel. Des glaciologues islandais ont signalé que la calotte du Vatnajökull, le plus grand glacier du pays avec une surface de 8 300 km² (l'équivalent de tous les glaciers d'Europe continentale réunis), recule en moyenne d'un mètre par an depuis quelques années, tandis que la pluie se substitue à la neige en deçà de 1 000 m. Si cette tendance se poursuit, le glacier pourrait avoir disparu en 2100.

8 novembre

Carte de l'Union européenne dans la cour du lycée André-Malraux, Montereau-Fault-Yonne, Seine-et-Marne, France (48°23' N – 2°57' E).

Il n'y a qu'au lycée André-Malraux, à Montereau-Fault-Yonne au sud-est de Paris, que les élèves peuvent réviser leurs cours en Grèce, croquer dans un sandwich au Portugal et discuter un moment au Danemark. Cette carte de l'Union européenne, peinte par des lycéens avec la complicité d'un de leurs enseignants, orne la cour de l'établissement scolaire depuis avril 2002, année du passage à la monnaie unique pour douze des quinze pays de l'Union. Malgré leur contraste sur ce dessin, les limites étatiques tendent à disparaître en Europe tandis que persistent les vraies frontières, invisibles : entre Basques et Espagnols, entre Wallons et Flamands, entre catholiques et protestants à Belfast. La bordure orientale vient de s'ouvrir aux dix nouveaux États membres, attirés par cette Europe empreinte de démocratie et de prospérité. L'Union s'apprête à dépenser 25 milliards d'euros pour ces nouveaux venus au cours des trois premières années de l'élargissement (soit 0,08 % de son PIB total), un budget qui ne dépasse pas le dixième de ce que l'Allemagne a consacré à sa réunification depuis 1990. Les élèves, eux, en seront quittes pour reprendre leurs pinceaux en 2004.

9 novembre

Village à la pointe nord de Santorin, Cyclades, Grèce (36°27' N – 25°29' E).
Située en mer Égée orientale, l'île de Santorin est perchée sur un ancien volcan dont l'explosion il y a plus de 3 500 ans ne laissa qu'un rebord de cratère et des accumulations de cendres et de débris entre lesquels les maisons et les chapelles se sont installées. En 1967, l'archéologue grec Marinatos découvrit sur l'île les restes d'une culture semblable à celle de Minos en Crète. Il émit l'hypothèse qu'avant le cataclysme, la Crète minoenne et Santorin appartenaient à un même continent, l'Atlantide, où siégeait cette civilisation brillante et raffinée qui fut ensevelie sous l'eau et les flammes comme le raconte Platon. L'explosion du volcan, en entraînant un énorme raz de marée et des nuages de cendres qui masquèrent une partie de la lumière solaire pendant plusieurs années, mit fin à la domination minoenne. Mais le mystère demeure quant à l'existence de la fabuleuse Atlantide dont Santorin serait l'un des vestiges. Si depuis 1950 le volcan est « à l'état dormant », on ne peut exclure une prochaine éruption, ce qui menacerait la sécurité des 10 000 habitants et des nombreux touristes qui séjournent dans l'île l'été.

10 novembre

Paniers à dattes retournés, rive gauche de la vallée du Nil, Égypte (25°40' N – 32°35' E).

Près de 800 000 tonnes de dattes sont récoltées et séchées chaque année en Égypte. Si cette production permet au pays de se placer au deuxième rang mondial, elle est cependant insuffisante. Les palmiers-dattiers, comme les autres cultures agricoles, ne répondent plus à la demande d'une population égyptienne qui s'accroît de 1,69 % par an. Celle-ci devrait ainsi passer de 69 millions à 100 millions de personnes en 2025, tandis que l'agriculture restera toujours confinée aux seules terres irriguées. Le pays, qui importe déjà la moitié de ses aliments, souhaiterait limiter cette dépendance mais il doit aussi tenir compte de sa faible disponibilité en eau. Avant 2025, l'Égypte pourrait faire face à une pénurie d'eau douce, tout comme les deux tiers de la population mondiale. L'accroissement démographique, l'expansion de l'agriculture irriguée et le développement industriel devraient en effet accroître de 40 % la consommation mondiale de cette ressource, sans lui laisser le temps de se renouveler.

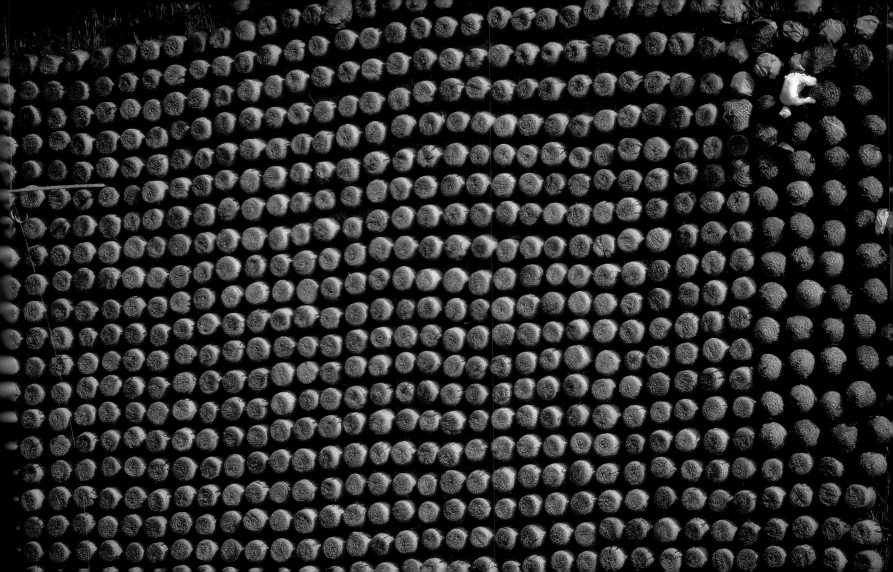

11 novembre

Cimetière militaire national de Notre-Dame-de-Lorette près d'Ablain-Saint-Nazaire, Pas-de-Calais, France (50°23' N – 2°42' E).

Deux conflits majeurs ont ébranlé l'Europe avant que les propos tenus par Victor Hugo (1802-1885) ne devinssent une prophétie. Il avançait : « Plus d'armées, plus de frontières, une seule monnaie continentale [...]. Un jour viendra où les armes vous tomberont des mains. » Avant de s'unir dans la paix, l'Europe a traversé deux guerres mondiales, qui ont respectivement balayé 8 millions et 45 millions de vies. La bataille de Lorette, qui, d'octobre 1914 à octobre 1915, opposa Français et Allemands pour la possession du plateau stratégique de l'Artois, fit couler sur ces champs du nord de la France le sang de plus de 100 000 victimes. Les 20 000 croix de ce cimetière militaire, alignées sur 13 hectares, et ses huit ossuaires où reposent plus de 22 000 soldats inconnus commémorent ces disparus. Hugo disait aussi : « Un jour viendra où il n'y aura plus d'autres champs de bataille que les marchés s'ouvrant au commerce et les esprits s'ouvrant aux idées. » Ce jour-là aussi est venu, mais l'issue de cette bataille reste inconnue.

12 novembre

Monastères des Météores dans la plaine de Thessalie, Grèce (39°46' N – 21°36' E).

Au nord-est de la plaine thessalienne s'élèvent les Météores, pitons de grès sculptés par l'érosion fluviale au cours de l'ère tertiaire. Des moines s'y sont installés dès le XI⁰ siècle, cherchant la solitude au sommet de ces éminences rocheuses. Ils ont peu à peu formé une importante communauté d'ermites et, entre le XIV⁰ et le XVI⁰ siècle, ont construit vingt-quatre monastères perchés entre 200 et 600 m d'altitude au-dessus de la vallée du Pinde. Longtemps ces édifices sont restés difficilement accessibles, treuils et cordages étant les seuls moyens d'y pénétrer. Ce n'est qu'à partir de 1920 que furent installés des escaliers et des passerelles permettant aux touristes de visiter ces sites, inscrits sur la Liste du patrimoine mondial de l'Unesco depuis 1988. La plupart de ces *Meteorisa monastiria* (monastères suspendus) sont aujourd'hui en ruine. Seuls cinq d'entre eux, dont trois habités, sont encore ouverts aux visiteurs.

13 novembre

Mont Trafalgar dans la réserve Prince Regent, West Kimberley, Australie (15°16' S – 125°03' E).

Entre la mer de Timor et le désert de Gibson, le sauvage plateau du Kimberley est l'une des zones les moins peuplées du globe. C'est par excellence l'*outback*, cet arrière-pays inaccessible de l'Australie-Occidentale qui, malgré son immense superficie – près d'un tiers de celle du pays, soit cinq fois la France –, héberge seulement 1,8 million d'habitants. Le bassin de la rivière de Prince Regent y a été classé Réserve de la biosphère par l'Unesco pour sa nature remarquablement intacte : en 2002, aucune route ne pénétrait encore la région. Autour de la réserve s'étendent les territoires des Aborigènes, les premiers Australiens dont l'étymologie signifie « ceux qui étaient là depuis l'origine ». Décimée par les pionniers européens, la population aborigène s'est rétablie à 265 000 personnes, dont les trois quarts sont métissées. Dans leur culture, le mont Trafalgar symbolise l'harmonie, entre d'une part les hommes et d'autre part la terre, les rochers et les autres êtres vivants créés par les esprits des ancêtres.

14 novembre

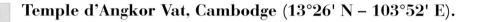 **Temple d'Angkor Vat, Cambodge (13°26' N – 103°52' E).**

Dressées au-dessus de la jungle, les cinq tours du temple d'Angkor Vat symbolisent le mont Meru, axe du monde et lieu de séjour des dieux dans la cosmologie hindoue. Édifié au XIIe siècle, ce monument est le plus imposant et le mieux conservé des sept cents vestiges découverts sur les 400 km^2 du site d'Angkor, ancienne capitale de l'Empire khmer entre les IXe et XVe siècles. Longtemps livré à la végétation et aux assauts des pilleurs, ce parc archéologique, le plus grand de la planète, a été inscrit en 1992 sur la Liste du patrimoine mondial en péril de l'Unesco. Il joue un rôle moteur dans le développement du tourisme qui est aujourd'hui le secteur économique le plus dynamique au Cambodge. De 400 000 visiteurs en 2002, la fréquentation atteindrait un million de personnes en 2010 et nécessiterait alors l'établissement de nouvelles infrastructures, au détriment de la forêt environnante. Si elle recouvre encore 60 % du pays, la superficie de la forêt tropicale est déjà passée de 13 millions d'hectares en 1960 à 11 millions actuellement, et l'abattage illégal est en recrudescence.

15 novembre

Rocher de Gibraltar, territoire britannique de Gibraltar, Gibraltar (36°08' N – 5°21' O).

À l'extrémité méridionale de la péninsule Ibérique, Gibraltar rassemble ses 31 000 habitants autour de sa célèbre sentinelle rocheuse, sur 5,8 km² de terre. Objet de revendication par l'Espagne, Gibraltar demeure une enclave britannique depuis sa conquête en 1704 par une flotte anglo-hollandaise, lors de la guerre de Succession d'Espagne. Tout proche, le détroit du même nom qui unit la Méditerranée à l'Atlantique, où les côtes marocaines ne sont plus qu'à 15 km de l'Europe, constitue un passage vers l'eldorado européen pour les candidats à l'immigration clandestine. Chaque jour, ils s'y risquent par centaines, la plupart sur de petits canots surchargés lorsque la mer est clémente. Au cours des cinq dernières années, 4 000 corps, en majorité de jeunes Marocains noyés au cours de leur tentative, sont venus s'échouer sur les seules côtes espagnoles.

16 novembre

Mont Everest, Himalaya, Népal (27°59' N – 86°56' E).

Dans le massif de l'Himalaya, qui forme la frontière entre le Népal et la Chine, le mont Everest, point culminant de la planète, s'élève à 8 848 m. Sagarmatha, « celui dont la tête touche le ciel » en népali, ou Chomolongma, « Déesse-Mère du monde » en tibétain, porte aussi le nom du colonel britannique George Everest, chargé en 1852 d'établir le relevé cartographique de l'Inde. Depuis l'exploit du Néo-Zélandais Edmund Hillary et du sherpa népalais Norgay Tensing, les premiers à fouler le toit du monde le 29 mai 1953, l'Everest a connu, au prix d'une centaine de vies, plus de 300 ascensions victorieuses. Mais ces décennies d'affluence (jusqu'à 300 alpinistes au camp de base) ont posé des problèmes de pollution, et la consommation de bois de chauffe (atteignant 7 tonnes par expédition) a dénudé les versants, les livrant à l'érosion. Réglementations, opérations de nettoyage (30 tonnes de déchets récoltées lors de la première de ces opérations au camp de base), installation de panneaux solaires et apport du combustible par les expéditions ont cependant permis, depuis une dizaine d'années, d'enrayer la dégradation de ce milieu d'altitude fragile, classé parc national en 1976, et dont dépendent les Sherpas.

17 novembre

Maison isolée près du glacier Snaefellsjökull, péninsule de Snaefellness, Islande (64°50' N – 23°00' O).

La population de l'Islande présente une forte homogénéité génétique. Cette caractéristique, associée à d'exceptionnelles ressources généalogiques consignées dans les registres des églises depuis le XIᵉ siècle, fait de la population islandaise un sujet de choix pour la recherche sur le décryptage du génome humain qui devrait permettre d'identifier les versions défaillantes des gènes, responsables de maladies. Depuis une loi votée en 1998 par le Parlement islandais, la société DeCode Genetics possède, pour une durée de douze ans, le monopole d'un fichier croisant les données médicales, généalogiques et génétiques des insulaires ainsi que les droits exclusifs des retombées de la recherche sur les Islandais. Ces droits, communément appliqués dans le domaine scientifique, prennent une autre dimension dès lors qu'ils s'appliquent au vivant. Il devient ainsi possible de privatiser l'exploitation des vertus d'une plante médicinale utilisée depuis des siècles par les populations locales. Plus largement, les assureurs refusent déjà, dans certains pays, de faire bénéficier de leurs services les personnes dont une analyse génétique révèle l'atteinte future d'une maladie grave.

18 novembre

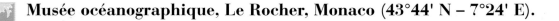

Musée océanographique, Le Rocher, Monaco (43°44' N – 7°24' E).

Le Musée océanographique de Monaco, qui culmine à 85 m au-dessus de la Méditerranée, a été construit en pierre de taille et inauguré par le prince Albert Ier en 1910 après onze années de travaux. C'est au pied de ce haut lieu des amoureux de la faune et de la flore marines que démarra il y a vingt ans la profonde transformation écologique que connaît aujourd'hui la Méditerranée. En 1982, le commandant Cousteau, qui dirigeait encore le musée, acquit une algue verte, la *Caulerpa taxifolia*, qu'on appela bientôt l'« algue tueuse ». À la suite d'une évacuation de l'eau des aquariums, l'algue s'est développée sous les fenêtres du musée avant de contaminer près de 10 000 hectares de hauts-fonds, de l'Espagne à la Croatie. L'algue ne tue pas, mais étouffe la biodiversité de l'écosystème marin. La caulerpe homogénéise les paysages et uniformise les populations de poissons. De l'arrachage à la main à l'introduction de limaces tropicales amatrices de l'algue, aujourd'hui les plans de lutte mécanique et biologique ne se montrent pas efficaces.

19 novembre

Cerisiers dans la région de Bessenay, monts du Lyonnais, Rhône, France (45°46' N – 4°33' E).

Le département du Rhône se place au troisième rang français pour la production de cerises avec une récolte annuelle de 8 000 tonnes. Sur les coteaux aux alentours de Bessenay, à l'ouest de Lyon, 400 hectares de cerisiers s'étagent de 300 à 700 m d'altitude. Enracinés dans des sols légers et riches en magnésie (très appréciée de cet arbre fruitier), ils contribuent, à hauteur de 3 000 tonnes, à la production rhodanienne. Relativement jeune (près de la moitié des arbres ont moins de dix ans), le verger a connu ces dernières années un rythme élevé de plantation. Il se charge de fruits mûrs dès la fin de mai et jusqu'au mois de juillet, assurant au village de Bessenay le titre de « capitale de la cerise ». Dans le département, un millier d'arboriculteurs exploitent 3 100 hectares de cerisiers, poiriers, pommiers, abricotiers et pêchers. Ces petites exploitations ont vu leur effectif baisser de 30 % en douze ans, mais demeurent nombreuses (plus des deux tiers du total). Depuis 1988, environ 250 exploitations agricoles disparaissent chaque année dans le Rhône. À l'échelle nationale, ce chiffre s'élève à 28 000.

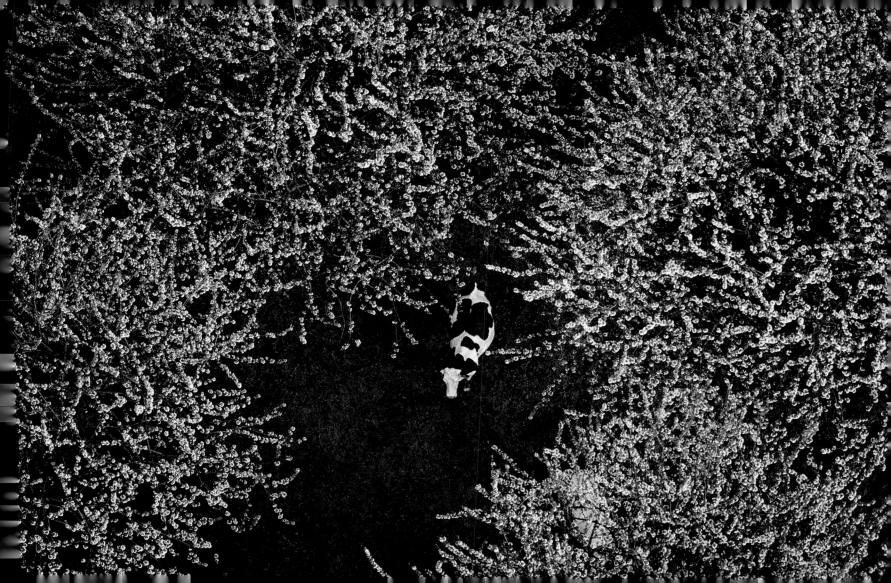

20 novembre

Abattoir près de New Delhi, Inde (28°36' N – 77°12' E).

Les cinquante dernières années ont vu la production mondiale de viande passer de 44 à 216 millions de tonnes, ce qui représente une croissance deux fois plus rapide que la population. Constituée pour l'essentiel de porcins (40 %), de volailles (28 %) et de bovins (26 %), cette production consomme plus d'un tiers de la récolte mondiale de céréales. En effet, en élevage industriel « hors sol » (sans pâturage) et en phase d'engraissement, la production de 1 kg de bœuf nécessite la consommation de l'équivalent de 7 kg de céréales (2 kg de céréales pour 1 kg de volaille). Dans un monde où la malnutrition affecte encore une personne sur cinq, et où l'augmentation de la production mondiale de céréales ralentit, cette consommation animale de céréales fourragères est pour certains critiquable. Le scandale de la « vache folle » (encéphalite spongiforme bovine, ou ESB, qui a été l'occasion de faire le procès des « farines animales », nutriments utilisant des déchets d'animaux morts) et les litiges relatifs au recours aux hormones pour accélérer la croissance des animaux ont par ailleurs suscité des inquiétudes croissantes quant aux dérives et limites de certains modèles de production.

21 novembre

Séchage de dattes, palmeraie au sud du Caire, vallée du Nil, Égypte (29°43' N – 31°17' E).

Les palmiers-dattiers ne se développent que dans les milieux arides et chauds disposant de quelques ressources hydriques, comme les oasis. La production mondiale de dattes atteint 5 millions de tonnes par an. L'essentiel de la récolte du Moyen-Orient et du Maghreb est destiné au marché intérieur de chaque pays, l'exportation ne représentant qu'une proportion de 5 %. L'Égypte, deuxième producteur mondial derrière l'Iran, récolte chaque année plus de 800 000 tonnes de dattes, consommées localement à raison de 10 kg par personne et par an, et habituellement conservées de façon artisanale. Fraîchement cueillies, jaunes ou rouges selon leur variété, les dattes sont triées. Elles brunissent progressivement en séchant au soleil, protégées du vent et de l'eau par un muret de terre et de branches, puis sont confinées dans des paniers de palmes tressées. Bien que la consommation directe soit majoritaire, plusieurs produits dérivés (sirop, farine, pâte, vinaigre, sucre, alcool, pâtisseries…) sont fabriqués de façon artisanale ou industrielle à partir de ce fruit.

22 novembre

Récolte des olives près des Baux-de-Provence, Côte d'Azur, France (43°44' N – 4°47' E).

De novembre à février, la Méditerranée récolte ses olives. Ici la cueillette est manuelle, ailleurs elle est souvent mécanisée. Une récolte soignée est pourvoyeuse d'emploi, préserve les sols de la compaction par les engins agricoles lourds et produit une huile de très haute qualité. Dans le monde, l'huile d'olive est appréciée pour ses qualités nutritionnelles et gustatives et elle a sa place dans nombre de cuisines. La consommation a ainsi augmenté de 50 % depuis 1990, passant de 1,6 million de tonnes à 2,4 millions en 1999. Avec 840 millions d'oliviers, la culture de l'olive en Méditerranée a de l'avenir. Valorisant les sols secs dans une région où la gestion des réserves d'eau douce est primordiale et où les sols connaissent une dégradation importante, la culture non irriguée de l'olive est un exemple d'utilisation durable du sol, de valorisation des paysages et de maintien des populations dans les zones rurales marginales. L'oléiculture devrait garder sa place sur une côte où le tourisme dévore l'espace et augmente la pression foncière. La Méditerranée accueille 30 % des touristes internationaux.

23 novembre

 Décharge publique près d'Abidjan, Côte-d'Ivoire (5°20' N – 4°00' O).

En Côte-d'Ivoire, les décharges près des villes et le ramassage irrégulier des ordures constituent une véritable gangrène. Mais l'état d'insalubrité du « Manhattan d'Afrique » ne représente qu'une goutte d'eau sale à l'échelle planétaire. La question de la production des déchets dans les pays industrialisés est autrement plus inquiétante. Ainsi, un habitant des États-Unis jette 53 fois plus de déchets qu'un Ivoirien. Sans oublier que tout kilo de matière dans un produit fini nécessite, en terme de quantité, davantage de ressources et d'énergies prélevées par l'homme dans l'environnement. À titre d'exemple, entre 8 tonnes et 14 tonnes de matière non renouvelable sont nécessaires à la fabrication d'un ordinateur personnel. Alors, chaque année, pour maintenir l'actuel style de vie des pays industrialisés, un individu consomme en moyenne près de 100 tonnes de ressources non renouvelables, auxquelles s'ajoutent plus de 500 tonnes d'eau douce, c'est-à-dire 30 à 50 fois plus que ce qui est disponible dans les pays les plus pauvres.

24 novembre

Vaches laitières paissant entre les dunes, province de Maule, Chili (35°16' S – 73°20' O).

Le vent pousse les cendres noires d'origine volcanique. Le climat, océanique à cet endroit, fait bénéficier les terres d'une humidité qui permet la pousse rapide de l'herbe, favorable à l'élevage. La « folle géographie » du pays l'étend sur 4 200 km du nord au sud – soit 35 degrés de latitude –, alors que sa largeur ne varie que de 100 à 450 km. Ainsi, dans le nord du Chili, d'une grande aridité, l'extraction minière de cuivre, de minerai de fer ou de soufre domine l'activité économique ; le centre, au climat plus méditerranéen, concentre les grandes agglomérations où se trouvent aussi les industries et accueille une agriculture surtout fruitière et viticole. Dans le sud, océanique, les champs font place aux pâturages, aux immenses forêts et aux lacs, jusqu'à ce que, peu à peu, les immenses glaciers de Patagonie prennent place. Le territoire du Chili se termine ainsi à la pointe extrême de l'Amérique du Sud, non loin du cercle polaire antarctique.

25 novembre

Szentendre, Hongrie (47°41' N – 19°03' E).

Située sur le Danube à 20 km au nord de Budapest, la ville de Szentendre, fondée au XVIIe siècle par des colonies serbes qui fuyaient les Turcs, compte environ 21 000 habitants. Les ruelles en lacet, les petites places à l'atmosphère méditerranéenne ainsi que les nombreuses églises serbe-orthodoxes fondent le caractère pittoresque de la ville. La Hongrie est un pays en forte croissance économique (5,2 % en 2000), et l'un des meilleurs candidats à l'entrée dans l'Union européenne. Mais pour de nombreux Hongrois, la transition vers l'économie de marché, après l'effondrement de l'URSS, s'est accompagnée de niveaux de pauvreté et d'inégalités de revenus plus importants. Dans les années 1990, 1,5 million d'emplois ont été supprimés en Hongrie. Le taux de mortalité (13,3 ‰ en 2001) et la dénatalité sont tout aussi préoccupants. Entre 1995 et 2001, la croissance démographique annuelle de - 0,5 % a conduit à diminuer la population de 20 000 personnes par an.

26 novembre

Gorges du Dadès, Maroc (30°55' N – 6°47' O).

Le mince cours d'eau qui s'insinue entre le Haut Atlas et l'Anti-Atlas fait vivre les nombreux villages berbères blottis contre les parois rocheuses de la vallée du Dadès. Construites en pisé (un mélange compacté de terre et de paille), les maisons parviennent à se fondre dans le décor minéral qui les entoure. La présence de l'homme ne passe pas pour autant inaperçue : une multitude de jardins vert tendre viennent adoucir le paysage rocheux. Il s'agit le plus souvent de minuscules champs de céréales ou de pommes de terre cultivées pour la consommation locale. La production la plus typique de la vallée reste le rosier damascena, dont les fleurs sont distillées en eau de rose dans une coopérative. En se regroupant ainsi, les agriculteurs peuvent vendre leur récolte à des prix décents. Seuls, ils l'écouleraient pour de modiques sommes dans les souks locaux ou la solderaient au premier intermédiaire venu. Mais l'organisation en coopérative n'a pas fait d'autres émules que les producteurs de roses, nombre de villageois ne ressentant pas le besoin de changer leurs habitudes.

27 novembre

Stand publicitaire sur le lac Balaton, Hongrie (46°50' N – 17°45' E).

Le lac Balaton est la mer Méditerranée des Hongrois. Cette étendue d'eau de 70 km de long, l'une des plus grandes d'Europe, attire chaque année des millions de touristes. Le « bol du peuple », comme disent les Hongrois. Lorsque l'Europe était coupée en deux, le Balaton était surtout le point de rencontre privilégié des Allemands de l'Est et de l'Ouest. Maintenant que le mur de Berlin est tombé, il arrive que les vacanciers se fédèrent sur le lac autour de quelque publicité flottante, à la dérive sur leur canapé gonflable. Illustration possible d'un monde pacifié et unifié par l'économie de marché. Le libre-échange, comme en témoigne la construction européenne, reste en effet un argument solide pour la paix. Aussi, pour ne pas entraver la circulation de l'information et des produits, les formes d'expression commerciales prolifèrent. Et les plus beaux sites peuvent se transformer en vastes stands publicitaires.

28 novembre

 Salar de Atacama, Chili (23°30' S – 68°15' O).

Seuls quelques flamants roses ponctuent le tableau minéral du Salar de Atacama. Ils profitent des eaux de la rivière San Pedro avant qu'elles ne se perdent dans le paysage, évaporées dans l'air desséché ou aspirées par le sol de cette vaste plaine salée de 3 000 km². Ce salar appartient à la région la plus aride du monde après l'Antarctique : le désert d'Atacama, longue bande de terre de 2 700 km partagée entre le Pérou et le Chili. Il doit son climat ingrat à la double influence du courant marin froid de Humboldt qui, en longeant la côte pacifique du Chili, empêche toute évaporation et d'un anticyclone chaud qui plaque l'air sec au sol. Seule une bruine salissante, la *chamanchaca*, peut s'y former par endroits. Des pluies plus abondantes peuvent aussi apparaître avec le phénomène El Niño qui se manifeste tous les deux à sept ans. Mais celui-ci prend parfois trop d'ampleur, comme ce fut le cas avec les précipitations catastrophiques de 1983 et de 1997.

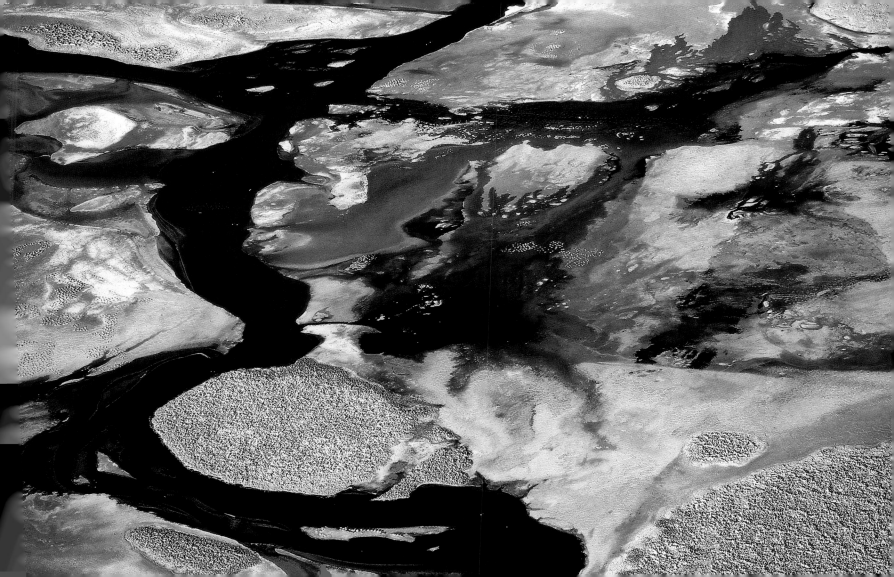

29 novembre

 Maisons inondées au sud de Dacca, Bangladesh (23°21' N – 90°31' E).

Parcouru par un vaste réseau de trois cents cours d'eau, dont le Gange, le Brahmapoutre et la Meghna, qui dévalent les pentes de l'Himalaya pour se jeter dans le golfe du Bengale, le Bangladesh est une plaine deltaïque soumise à des moussons saisonnières. De juin à septembre, quand surviennent ces pluies diluviennes, les fleuves sortent de leur lit et inondent près de la moitié du territoire. Habituée à ce cycle naturel, une partie de la population du pays vit en permanence sur des *chars*, îlots fluviaux éphémères formés de sable et de limon accumulés par les courants. En 1998, les deux tiers du pays sont cependant restés submergés durant plusieurs mois, victimes de la plus forte inondation du siècle, qui a emporté la vie de 1 300 personnes et soustrait leur abri à 31 millions de Bangladais. Territoire parmi les plus densément peuplés du monde, avec 922 habitants/km^2, le Bangladesh est également l'un des pays les plus pauvres : 32 % de la population vit avec moins d'un dollar par jour. La hausse du niveau des mers, conséquence possible du réchauffement climatique, ne ferait qu'aggraver les difficultés de ce pays, qui pourrait voir définitivement disparaître sous les flots une grande partie de ses rizières.

30 novembre

 Champs de dunes bordant la ville de Concón, Chili (32°55' S – 71°31' O).

Les enfants aiment s'amuser avec des luges improvisées sur les champs de dunes qui bordent la station balnéaire de Concón. À en juger par la photo, le sable semble s'apprêter à engloutir la ville. En fait, il s'efface devant elle : les bâtiments, routes et autres infrastructures gagnent du terrain sur la nature. Ainsi, créée en 1996, Concón est la dernière commune à la mode de l'agglomération de Viña del Mar, capitale touristique du Chili. Cette dernière s'étend de façon quasi continue sur 25 km de plages. Comprimée entre les reliefs et l'océan, limitée au sud par le grand port de Valparaiso, elle n'a pas eu d'autre choix que de s'accroître en longueur vers le nord aux dépens des dunes. L'explosion du tourisme, ajoutée à l'accroissement de la population mondiale et à l'augmentation du nombre de citadins, implique l'avancée des surfaces artificielles sur les paysages sauvages. Aujourd'hui, 37 % des gens vivent à moins de 60 km d'une côte – c'est plus que toute la population mondiale en 1950.

SUR LE CHEMIN DU DÉVELOPPEMENT RESPONSABLE ET DURABLE

La disponibilité de ressources énergétiques à faible risque et à faible prix comme le pétrole ou le charbon a permis de soutenir les progrès humains depuis plus de deux siècles. Au cours du XXIe siècle, la population devrait atteindre environ 10 milliards d'habitants, dont plus de 80 % dans les pays en développement. Or, dans ces pays, la plupart des gens manquent d'énergie pour améliorer leur qualité de vie. Cette augmentation de la population et l'aspiration des habitants des pays en développement à atteindre un niveau de vie comparable aux nôtres augmenteraient les besoins énergétiques mondiaux de deux tiers dans les vingt prochaines années ! Il est vital de répondre de manière efficace et responsable à ces défis énergétiques. En effet, des besoins croissants en énergie conduisent à des émissions de gaz à effet de serre toujours plus importantes, qui accélèrent le changement climatique. Vouloir un environnement plus sain tout en consommant plus dans les mêmes conditions qu'aujourd'hui est donc impossible. Un changement fondamental de nos comportements est nécessaire pour satisfaire aux aspirations de tous sans compromettre les perspectives et modes de vie des futures générations. Il s'agit bien d'un défi pour l'humanité, le défi du développement durable.

Les entreprises ont un rôle essentiel à jouer car elles possèdent les moyens de faire face à ces défis. Leurs principaux atouts sont l'organisation, la flexibilité, la créativité, la capacité à prendre des risques au-delà des frontières des pays et à investir des capitaux importants. Elles sont ainsi capables d'initier les changements nécessaires pour répondre à ces nouveaux défis. Le groupe Shell met à profit les structures et les moyens offerts par sa dimension mondiale pour contribuer à un développement durable et faire du futur un « monde meilleur à vivre ». Notre récent engagement dans la pratique du développement durable repose notamment sur la leçon des échecs passés. Les doléances économiques, politiques et humaines des habitants du delta du Niger, où Shell explore le pétrole, ainsi que l'indignation ressentie face à la profanation symbolique de l'océan pendant l'affaire de la plate-forme Brent Spar, que Shell avait décidé de couler en mer du Nord contre l'avis des ONG environnementales, ont bouleversé, dès 1995, notre vision du monde et nous ont fait réagir. Dans un monde où les connaissances se développent et les perceptions évoluent, nous avions beaucoup de choses à apprendre. Mais nous avions surtout la volonté et les capacités de systématiser l'apprentissage et de poursuivre la transformation avec une volonté collective d'aller dans le bon sens. Pour nous, le développement durable consistait à prendre en compte les considérations économiques, sociales et environnementales dans notre stratégie à court et long terme.

Cette approche nouvelle a changé notre manière de travailler. Nous avons en effet acquis de nouvelles

responsabilités à l'égard de la société : comme on a pu le voir dans le passé, notre activité a des effets directs sur notre environnement et notre société, ce qui nous rend aussi capables d'influencer nos choix futurs. Nous ne pouvons décider seuls cette orientation, et c'est pourquoi nous nous efforçons de comprendre les besoins et attentes des citoyens et consommateurs et assurons la transparence quant à notre activité. Lors de rencontres-débats régulières, les pouvoirs publics et les ONG nous font part de leurs mises en garde, et nous tenons compte de leurs remarques constructives pour définir des engagements concrets. Nous récoltons également les avis de nos employés par des évaluations internes anonymes, et Internet nous permet d'être à l'écoute d'un large public. Notre engagement se traduit par des actions concrètes et nous rendons compte de nos réalisations dans un rapport annuel accessible à tous, le *Shell Report* :
– Face aux défis énergétiques, nous travaillons activement pour trouver des solutions adéquates : nous investissons dans la recherche, développons les énergies renouvelables, investissons pour l'aide au développement des pays pauvres.
– En matière de lutte contre l'effet de serre, nous nous étions fixé l'objectif de réduire de 10 % nos émissions de gaz à effet de serre en 2002 par rapport au niveau de 1990. Cette réduction concerne bien entendu notre activité industrielle et non les émissions dues à la vente des produits au consommateur. Nous l'avons atteint en 2002 alors que le Protocole de Kyoto nous donnait jusqu'en 2010. Le rôle et les

objectifs de notre groupe ont évolué. Aujourd'hui, nous ne nous contentons plus seulement d'améliorer la qualité de nos activités de production, nous essayons aussi d'influencer la manière dont le monde peut satisfaire à ses futurs besoins énergétiques en proposant des solutions innovantes.

Nous sommes convaincus qu'une démarche de développement durable est saine à long terme pour l'entreprise parce qu'elle encourage l'écoute, la compréhension des besoins et attentes du citoyen et du consommateur, la productivité et l'innovation. La recherche de durabilité associée à l'engagement de l'entreprise est donc pour nous la voie du progrès. L'engagement des entreprises est essentiel pour que la société progresse vers un développement durable. Mais les réalisations concrètes pour contribuer à ce progrès nécessitent des investissements importants. Les entreprises doivent donc assurer leur rentabilité si elles veulent se donner les moyens de respecter leur engagement. La rentabilité et le succès d'une entreprise dépendent fortement de sa capacité à répondre aux préoccupations et aux attentes des citoyens et des consommateurs. Ces derniers sont donc aussi des acteurs essentiels du développement durable. Le développement de la planète ne sera durable qu'avec l'engagement collectif de tous. Alors, agissons !

Christian Balmes
Président-directeur général des sociétés
du groupe Shell en France

1er décembre

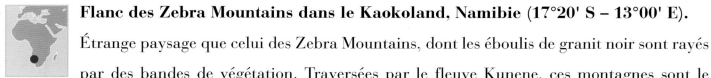

Flanc des Zebra Mountains dans le Kaokoland, Namibie (17°20' S – 13°00' E).
Étrange paysage que celui des Zebra Mountains, dont les éboulis de granit noir sont rayés par des bandes de végétation. Traversées par le fleuve Kunene, ces montagnes sont le théâtre d'un grand projet de barrage hydroélectrique. L'ouvrage, construit au niveau des chutes d'Epupa, devrait contribuer au développement de la Namibie et réduire sa dépendance énergétique envers l'Afrique du Sud. En effet, couplé à l'exploitation de l'énergie éolienne et des gisements de gaz, il limiterait les importations d'électricité à 25 % de la consommation nationale. Mais s'il ne produit pas de gaz à effet de serre, le barrage n'est pas sans conséquences. Il menace le peuple himba en détruisant les pâturages de son bétail, sa principale ressource. Évoquant la rentabilité économique et l'attraction des investissements étrangers, le gouvernement namibien refuse les solutions alternatives, notamment celle d'installer le barrage sur le site de Baynes, en aval d'Epupa. Ce projet – outre qu'il n'inonde que 57 km² au lieu de 380 km² – aurait l'avantage de conserver la culture himba et l'attrait touristique de la région.

2 décembre

Otaries sur un rocher près de Duiker Island, province du Cap, république d'Afrique du Sud (34°05' S – 18°19' E).

Très grégaires, les otaries à fourrure d'Afrique du Sud (*Arctocephalus pusillus pusillus*) se regroupent sur les côtes, en colonies de plusieurs centaines d'individus, principalement pour s'accoupler et mettre bas. Plus à l'aise en milieu marin que sur la terre ferme, ces mammifères semi-aquatiques passent la majeure partie de leur temps à parcourir les eaux littorales en quête de nourriture : poissons, calmars et crustacés. L'espèce présente au cap de Bonne-Espérance ne se rencontre que sur les côtes d'Afrique australe, du cap Cross (Namibie) à la baie d'Algoa (Afrique du Sud), et compte 850 000 représentants. Les otaries, quatorze espèces au total, appartiennent à la famille des pinnipèdes qui englobe aussi dix-neuf espèces de phoques et une de morses ; présents dans la plupart des mers, les pinnipèdes représentent un effectif total de 50 millions d'individus, parmi lesquels 90 % de phoques.

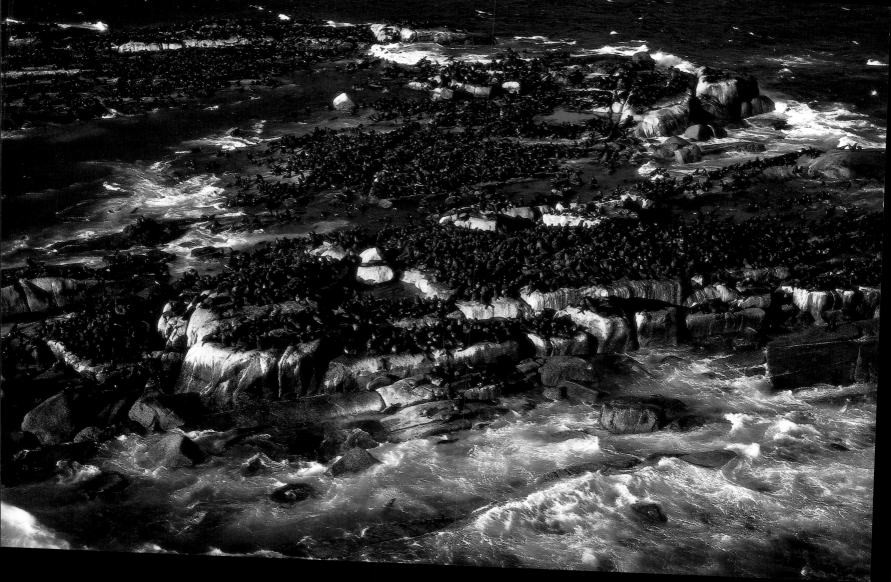

3 décembre

 Méandres de la rivière Tuul au sud de Lün, Mongolie (47°52' N – 105°15' E).
Longue de 819 km, la rivière Tuul prend sa source dans les montagnes Hentii. Elle baigne la capitale, Oulan Bator, puis ses eaux rejoignent celles du lac Baïkal, en Russie. Dans les steppes de la plaine, en aval d'Oulan Bator, la pente devient très faible. La rivière dessine alors de longs méandres et divise son lit entre les bancs de sable limoneux et les traînées pâles des affleurements de sel. Les éleveurs nomades dressent leur tente circulaire et blanche, la yourte, sur les îlots d'herbes rases et de bosquets d'arbres. La Mongolie se singularise par une politique séculaire de réserves naturelles qui a permis de préserver globalement son environnement. Mais la forte expansion de la capitale, dont la population a doublé en dix ans, engendre des pollutions alarmantes. La Tuul accumule les déchets qui contaminent les sols des terrains baignés par la rivière et la qualité de l'air d'Oulan Bator souffre de la croissance du parc automobile, en augmentation de 30 % au cours de la seule année 2002.

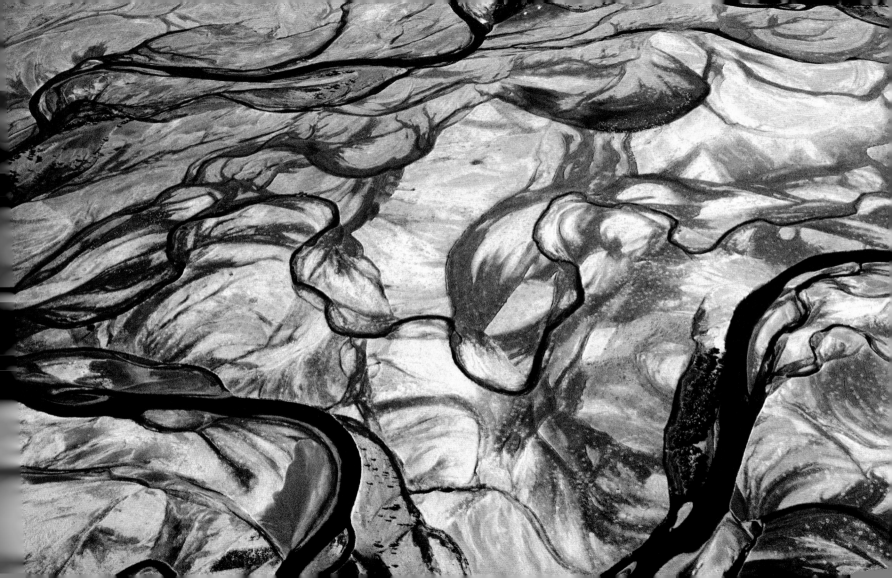

4 décembre

Dune de sable rose de Koïma, près de Gao, Mali (16°15' N – 0°05' O).

Haute de 120 m, la dune « chante » sur la rive droite du fleuve Niger. En soufflant sur le sable, le vent semble célébrer ce cours d'eau qui, avec ses 4 170 km de long, est la plus grande voie de communication d'Afrique occidentale. Jusqu'au XVIIe siècle, le Mali a prospéré grâce aux commerçants qui empruntaient ce fleuve. Mais les échanges économiques, comme les autres trafics continentaux, se sont peu à peu effacés au profit de la côte atlantique, entraînant le déclin général des régions enclavées d'Afrique de l'Ouest. Près des deux tiers de la population de ce pays sont touchés par la pauvreté. Conséquences: un taux élevé d'analphabétisme, une malnutrition importante, une durée de vie réduite, une mauvaise santé, une insalubrité des habitats et un manque de participation à la vie économique et sociale. Alors que ces indicateurs sociaux s'améliorent nettement au niveau mondial, ils s'aggravent dans la plupart des pays d'Afrique subsaharienne.

5 décembre

Lac salé de Maricunga, Chili (26°55' S – 69°05' O).

Le salar de Maricunga n'est pas totalement desséché. Ses étangs couleur émeraude, reliés aux grandes lagunes voisines de Santa Rosa et de Negro Francisco, restent un paradis pour flamants roses et canards sauvages. L'ensemble de la zone humide abrite ainsi, en plein cœur de la cordillère des Andes, quarante et une espèces d'oiseaux dont trois types de flamants roses classés sur la liste rouge des espèces menacées. L'activité minière pèse sur leurs habitats. L'extraction de l'or et du cuivre implique en effet de creuser le terrain, mais aussi de puiser une importante quantité d'eau dans la nappe phréatique qui alimente les lagunes. Depuis 1996, ces dernières ont donc été désignées au titre de la convention de Ramsar, chargée de préserver durablement les écosystèmes ainsi que les activités sociales et économiques dans les zones humides d'importance internationale. On estime que la moitié des zones humides dans le monde a été détruite depuis 1990.

6 décembre

Bateau sur la mer Morte près de l'usine de potasse, région d'Al Karak, Jordanie (30°50' N – 35°30' E).

Mer fermée, longue de 75 km et large de 15 km, la mer Morte est le point le plus bas de la planète, à 408 m au-dessous du niveau des océans. Sa couleur verdâtre est ponctuée de traînées blanches, signe de sa très forte salinité, neuf fois supérieure à la moyenne des océans. Outre le sel commun (chlorure de sodium), les eaux de la mer Morte sont très riches en sels de potasse et mettent la Jordanie au rang de huitième producteur mondial. Toute vie végétale ou animale dans cette partie de la vallée est impossible. Depuis 1972, la mer Morte a perdu 20 % de sa surface : ses eaux et celles du Jourdain qui l'alimente sont détournées pour l'irrigation du désert du Néguev. De plus, l'utilisation excessive des eaux souterraines a entraîné une baisse massive des niveaux de la nappe phréatique et une dégradation de sa qualité en raison de l'intrusion d'eau salée. Dans la steppe syrienne et jordanienne, la salinité des eaux souterraines a augmenté de plusieurs grammes par litre, menaçant la vie de nombreuses espèces végétales et animales.

7 décembre

Travaux dans les rizières entre Chiang Maï et Chiang Raï, Thaïlande (19°25' N – 98°55' E).

Dans les régions montagneuses au-delà de Chiang Maï, au nord de la Thaïlande, ces femmes travaillent à la culture du riz, protégées du soleil par de larges étoffes colorées. Comme partout ailleurs sur le territoire, cette céréale est surtout récoltée à la main. Les exploitations restent souvent familiales et les terres ingrates de ces hauts plateaux enrichissent peu les paysans, à majorité lao en cet endroit. En outre, l'importance des feux de forêts concourt à une déforestation majeure des sols, amplifiée par les sécheresses et le défrichage. Ainsi, 112 000 hectares de forêt thaïlandaise ont disparu entre 1990 et 2000. Ce phénomène, général en Asie du Sud-Est, émet dans l'atmosphère un mélange de polluants qui contribue à la formation d'un nuage brun sur l'ensemble de la région. En réduisant la quantité de lumière reçue à la surface du sol et en déposant des particules acides sur les terres fertiles, cette brume artificielle pourrait avoir de sérieuses conséquences climatiques et agricoles dans l'ensemble de l'Asie du Sud-Est.

8 décembre

 Parc national de Göreme en Cappadoce, Anatolie, Turquie (38°26' N – 34°54' E). Façonnée par le volcanisme et ciselée par l'érosion, la vallée de Göreme doit son prestige autant à ses paysages qu'à ses monuments architecturaux et artistiques irremplaçables. À partir du IVe siècle, les ermites fuyant le monde et les martyrs chrétiens souhaitant échapper aux persécutions romaines s'y réfugièrent puis s'y installèrent, taillant de remarquables églises troglodytiques et cités souterraines dans les reliefs de Cappadoce. À l'arrivée des Ottomans, de nombreuses conversions à l'islam s'ensuivirent, mais les églises et les fresques byzantines qui les décorent ne furent ni détruites ni saccagées. Inscrits sur la Liste du patrimoine mondial de l'Unesco en 1985, le parc national de Göreme et ses sites historiques constituent aujourd'hui l'un des pôles d'attraction touristique majeurs de la Turquie, pays qui accueille près de 9 millions de visiteurs chaque année.

9 décembre

Village sur la rive septentrionale du lac Tchad, Tchad (13°28' N – 14°43' E).
Les îles qui parsèment le nord du lac Tchad accueillent les huttes des Boudoumas, un nom évocateur signifiant « homme des roseaux » en langue kanembou. Les Boudoumas ne sont qu'une des deux cents ethnies peuplant le Tchad, un pays déchiré par les oppositions entre le Nord majoritairement « arabe » et musulman et le Sud « noir » où cohabitent chrétiens et animistes. Depuis le milieu des années 1960, ce clivage a été le terreau de luttes permanentes pour le contrôle d'une nation aux frontières arbitraires – héritage de la colonisation française. Si la dictature clairement affichée d'Hissène Habré a fait 40 000 victimes civiles entre 1982 et 1990, l'actuel président, Idriss Déby, démocratiquement élu, continue d'écraser les ennemis du pouvoir. En 1996, Amnesty International rapportait la pratique courante de la torture au Tchad. Au début du IIIe millénaire, la torture électrique était exercée dans quarante pays, les coups sur la plante des pieds et l'asphyxie partielle dans trente pays, et les simulacres d'exécution dans plus de cinquante pays.

10 décembre

Lotissements à Brøndby, banlieue de Copenhague, Seeland, Danemark (55°34' N – 12°23' E).

Afin de concilier aménagement de l'espace, sécurité et confort, les lotissements de Brøndby, dans la banlieue sud-ouest de Copenhague, sont disposés en cercles parfaits où chaque propriétaire dispose d'une parcelle de 400 m². Ce type de quartier résidentiel, très fonctionnel, se développe de plus en plus en périphérie des grands centres urbains pourvoyeurs d'emplois. En raison de l'expansion industrielle, de l'attrait exercé par les villes et de la croissance propre des grandes agglomérations, le nombre de citadins dans le monde a augmenté de plus de 13 % durant les cinquante dernières années, et la tendance se poursuit. Près de la moitié de la population de la planète (45 %) est aujourd'hui urbaine. En 2025, le monde comptera vingt-cinq mégalopoles hébergeant chacune entre 7 et 25 millions d'habitants. Les trois quarts du milliard supplémentaire de citadins que portera la planète en 2025 vivront dans les pays du Sud.

11 décembre

Filet de pêche au large de Carthagène, région de Murcie, Espagne (37°30' N – 0°59' O). Ce large filet flotte à quelques milles de Carthagène, port du sud-ouest de l'Espagne. Les pays riverains de la Méditerranée extraient chaque année de ses flots 1,3 million de tonnes de poisson (1,5 % de la production mondiale), et en consomment plus de 3 millions de tonnes (l'Espagne se place en tête avec près de 40 kg par an et par habitant). Plusieurs espèces commerciales telles que merlus, soles, bars et baudroies sont déjà exploitées au-delà de leurs capacités naturelles de renouvellement, tandis que la population du pourtour méditerranéen, qui compte 450 millions d'habitants et s'accroît de 150 millions de bouches en période d'affluence touristique, pourrait augmenter de 50 % au cours des vingt-cinq prochaines années. Par ailleurs, les eaux de la « Grande Bleue », mer semi-fermée, constituent l'ultime déversoir de 7 500 tonnes de métaux lourds, 200 000 tonnes de produits chimiques d'origine agricole et jusqu'à 1 million de tonnes de pétrole brut chaque année. De récents accords internationaux attestent cependant des efforts entrepris pour améliorer la gestion conjointe des ressources halieutiques de la Méditerranée.

12 décembre

 Paysage dans la région de Kukës, Albanie (42°05' N – 20°24' E).

Dans la région de Kukës, au nord-est de l'Albanie, s'élève la plus haute chaîne de montagnes du pays, le Korab, qui culmine à 2 753 m. Cette enclave montagneuse, délimitée par la vallée du Drin, a toujours constitué un îlot de résistance où perdure l'application du *Kanun*, une forme de vendetta fondée sur la « vengeance du sang ». Malgré toutes les réformes politiques et juridiques menées par les diverses autorités, les clans du nord, organisés en vastes familles patriarcales, n'ont jamais cessé d'exercer ce droit coutumier, vieux de plus de cinq siècles. Les décrets ottomans en vigueur du XVIe siècle jusqu'à 1912 puis les lois du roi Zog entre les deux guerres n'ont jamais réussi à mettre fin à cette tradition moyenâgeuse. Aujourd'hui, le *Kanun* est donc toujours d'actualité. Il connaît même un regain d'activité depuis la chute du communisme. On estime que 10 000 personnes seraient touchées de près ou de loin par ses méfaits. En 2002, 150 à 800 enfants étaient ainsi privés de scolarité, cloîtrés chez leurs parents de peur qu'ils ne se fassent tuer ou enlever.

13 décembre

Condor des Andes dans la province de Neuquén, Argentine (39°00' S – 70°00' O).

Un condor des Andes, *Vultur gryphus*, étale ses ailes de 3 m d'envergure et plane sans effort au-dessus des feuillages automnaux de Patagonie. Jadis créature sacrée des Incas, le plus grand oiseau volant du monde reste un symbole vivant de la cordillère sauvage. Avant l'arrivée des colons, ces voiliers abondaient dans toutes les Andes, du Venezuela à la Terre de Feu en passant par le littoral péruvien. Victime d'une mauvaise réputation, ce charognard a été tant et si bien persécuté qu'il a disparu de nombreuses régions, notamment au Venezuela et en Colombie. De nos jours, il fait l'objet de programmes de réintroduction dans ces deux pays et conserve des poches de population encore denses en Argentine et au Chili. Les rapaces ont heureusement bénéficié de campagnes de protection et de sensibilisation dans de nombreuses régions du globe. On estime cependant que 12 % des espèces d'oiseaux sont gravement menacées de disparition.

14 décembre

Pirogue sur le lac Tchad près de Bol, Tchad (13°28' N – 14°43' E).

Au milieu d'un entrelacs de roseaux et de papyrus, une étroite pirogue laisse deviner un des innombrables chenaux du lac Tchad. Le quatrième plus grand lac africain est le théâtre d'un incessant trafic de telles embarcations entre le Tchad, le Niger, le Nigeria et le Cameroun. Ces déplacements incontrôlables inquiètent les autorités en raison de la pêche illégale pratiquée dans les eaux tchadiennes, très poissonneuses. Venant du Nigeria mais aussi du Ghana et du Mali, des pêcheurs bien équipés concurrencent terriblement les Tchadiens, dont l'équipement est rudimentaire et soumis à de lourdes taxes. La pêche constitue pourtant une richesse et une source alimentaire irremplaçables pour ce pays, le cinquième plus pauvre au monde. Le Tchad semble néanmoins relever la tête puisque son produit intérieur brut a enregistré une hausse de 11 % en 2002. Cette augmentation est étroitement liée au projet d'oléoduc qui dès 2004 devrait acheminer quelque 225 000 barils de pétrole par jour des puits de Doba, dans le sud, jusqu'au port de Douala au Cameroun.

15 décembre

Pêcheurs sur le lac de Pátzcuaro, État de Michoacán, Mexique (19°35' N – 101°35' O). Au nord de la Sierra Madre del Sur s'étend le lac de Pátzcuaro, habité par les peuples indiens Tarasques et Purhepecha. Réputés pour leur artisanat, ils vivent aussi de l'agriculture sur les collines environnantes et de la pêche. Ces grands filets à la forme de libellule traquent le pecito, poisson blanc à la chair réputée qui malheureusement se raréfie, victime de la surpêche et, surtout, de la modification des pratiques agricoles alentour. La déforestation, l'abandon des cultures en terrasses et des rotations traditionnelles déstabilisent le sol. La terre, qui n'est plus retenue, dévale les collines lors de la saison des pluies et vient combler les fonds lacustres situés en contrebas. De plus, les fertilisants gagnent les eaux du lac où herbes et algues prolifèrent aux dépens des ressources piscicoles. Aujourd'hui, les habitants replantent des arbres sur les collines et bordent les champs de murets afin de contenir la terre. Le maintien des communautés du lac en dépend : certaines ont vu la moitié de leur population émigrer vers d'autres régions du fait de l'épuisement des ressources locales.

16 décembre

Girafes dans le parc national d'Etosha, Namibie (19°00' S – 15°50' E).
Avec ses 114 espèces de mammifères, ses 340 variétés d'oiseaux et ses 16 espèces de reptiles et d'amphibiens, le parc d'Etosha est la plus grande réserve animalière d'Afrique. À l'orée du désert salin, il s'étend sur plus de 22 000 km² de prairies semi-arides où quelques points d'eau voient défiler l'exubérante faune de la savane. Malgré ce vaste espace protégé, la Namibie n'échappe pas au déclin de nombreuses espèces animales comme l'éléphant ou le rhinocéros du désert, qui font l'objet d'un braconnage impitoyable. Le commerce illégal de la faune et de la flore est aujourd'hui estimé à plus de 4,5 milliards d'euros à l'échelle planétaire et représente le troisième trafic illicite après la drogue et l'armement. La situation des parcs nationaux en Afrique centrale est la plus préoccupante. D'autant que ces anciennes réserves de chasse, aujourd'hui surveillées par une garde armée – le plus souvent militaire –, subissent autant les incursions très importantes des braconniers que les conséquences désastreuses des guerres civiles.

17 décembre

 Icebergs au large de la terre Adélie, Antarctique (pôle Sud) (67°00' S – 139°00' E). Ces icebergs à la dérive se sont récemment détachés des glaces de l'Antarctique, comme en témoignent leur forme tabulaire et les strates de glace encore visibles sur leurs flancs. Seule émerge une faible partie du volume de chacun, plus de 80 % restant sous la surface des eaux. Comme les 2 000 km³ de glace détachés chaque année de l'Antarctique, ces icebergs subiront lentement l'érosion des vents et des vagues avant de disparaître. Continent des extrêmes avec une superficie de 14 millions de km², des températures descendant jusqu'à - 70 °C et des vents atteignant 300 km/h, l'Antarctique recèle 90 % des glaces et 70 % de l'eau douce de la planète. Enjeu de revendications territoriales dès le XIXᵉ siècle, il est régi depuis 1959 par le traité de Washington qui lui confère un statut international et limite son utilisation aux activités pacifiques et scientifiques. La station russe Vostok a ainsi prélevé, jusqu'à 3 623 m de profondeur, des carottes de glace qui ont permis de reconstituer plus de 420 000 ans d'histoire du climat et de la composition de l'atmosphère. Aujourd'hui, la teneur atmosphérique en CO_2 est à son niveau le plus élevé depuis 160 000 ans.

18 décembre

Champs entre Ankara et Hattousa, Anatolie, Turquie (40°00' N – 33°35' E).
La régularité des paysages agricoles du plateau anatolien au nord d'une ligne Ankara-Sivas frappe d'emblée avec ses champs ordonnés et nettement découpés, ses sillons bien tracés et ses plantations diversifiées tant de céréales (blé, orge) que de betteraves à sucre. Le secteur agricole turc occupe encore 48 % de la population active (contre 3,9 % en France par exemple) et, surtout, 72 % des femmes actives (contre 49 % dans le monde). Pour bon nombre d'entre elles, et comme dans beaucoup de pays, y compris les plus développés, une grande part de leur travail, consacré aux activités traditionnelles, n'est pas reconnu économiquement. Mais c'est surtout l'écart de scolarisation entre les sexes (26 % des femmes sont analphabètes contre 7,5 % des hommes) qui engendre la plus grande disparité sociale. En effet, la forte migration vers les centres urbains, plus pourvoyeurs en emplois industriels et de services, fragilise en premier lieu les jeunes filles, dont le niveau d'éducation a été traditionnellement moins soutenu, et qui sont donc les moins aptes aux adaptations nécessaires.

19 décembre

Sanctuaire shinto de Meiji-Jingu, Tokyo, Honshu, Japon (35°42' N – 139°46' E). Durement éprouvée par les tremblements de terre et les bombardements de la Seconde Guerre mondiale, Tokyo n'a conservé de son patrimoine religieux que quelques temples dont celui de Meiji-Jingu, sanctuaire shinto commandé par l'empereur Meiji et achevé en 1920. C'est ici que les Tokyoïtes se rassemblent pour fêter le nouvel an. Le culte shinto s'exprime en pratiques rituelles, cérémonies et coutumes autour des *kami*, esprits protecteurs de la communauté des hommes, qui habitent des lieux considérés comme sacrés dans le paysage rural et urbain. Le shintoïsme, qui instaure un rapport simple entre l'homme et les objets naturels ou fabriqués qui l'entourent, s'accompagne très bien du bouddhisme, plus métaphysique, importé au VIe siècle. Ainsi, nombre de Japonais associent les deux religions dans leur vie quotidienne.

20 décembre

Mine de diamants d'Argyle, Australie-Occidentale, Australie (16°00' S – 128°45' E).

La mine à ciel ouvert d'Argyle s'ouvre sur le plus grand gisement diamantifère de la planète. À lui seul, il fournit 20 % de la production mondiale. Mais il s'agit surtout de diamants de qualité moindre, destinés à renforcer les pointes des foreuses, les dents des scies à métaux ou les ponceuses industrielles. Seule une infime part finit en pierres précieuses (5 %) – pas n'importe lesquelles cependant : des diamants roses, les plus rares de tous, qui valent jusqu'à des dizaines de milliers de dollars une fois sertis sur un bijou. Pour de beaux « cailloux » incolores, les diamantaires se tournent plutôt vers l'Afrique. Depuis janvier 2003, ils doivent toutefois s'assurer que les pierres qu'ils achètent ne sont pas des « diamants de la guerre » servant à financer les violents conflits qui déchirent des pays comme l'Angola, la République démocratique du Congo ou la Sierra Leone. Même si ces derniers ne représentent qu'une petite partie du marché, un processus international, dit de Kimberley, a été mis en place pour les bannir.

21 décembre

Élevage de saumon près de Mechuque, dans les îles Chauques, Chili (42°17' S – 73°34' O).

Les eaux froides et non polluées des îles Chauques offrent des conditions propices à l'élevage du saumon. La région, qui en est d'ailleurs le deuxième productreur après la Norvège, profite de l'essor considérable de l'aquaculture dans le monde depuis les années 1970. Mais si ce secteur est une alternative à la diminution des populations naturelles de poissons, il n'est pas suffisamment encadré. Dans la plupart des pays producteurs, aucune réglementation et mesure de contrôle appropriées ne limitent encore l'impact des élevages aquacoles sur l'environnement. Or la concentration des poissons – donc de leurs déjections et des aliments qu'on disperse sur leurs cages – pose un problème d'enrichissement excessif et d'asphyxie du milieu. Outre cette eutrophisation, l'utilisation de médicaments et d'antibiotiques, mal supportés par les saumons eux-mêmes, menace les espèces vivant à proximité des cages. Si les pressions des écologistes et des consommateurs ont permis des améliorations dans les élevages terrestres, peu de recherches sont menées sur les élevages en milieu marin.

22 décembre

Meteor Crater (cratère Barringer), environs de Flagstaff, Arizona du Nord, États-Unis (35°02' N – 111°01' O).

Il ne manque à ce paysage lunaire que les cosmonautes… Ils s'y trouvent parfois, car sa topographie, similaire à celle de la Lune, en a fait un site d'entraînement de la NASA. L'excavation du Meteor Crater vient rompre la platitude rocailleuse et désertique qui s'étend aux environs de Winslow, au sud-ouest des États-Unis. Découverte en 1871, cette cicatrice cosmique de 170 m de profondeur et 1,2 km de diamètre n'est autre que le point d'impact d'une météorite entrée en collision avec la Terre il y a 25 000 ans, à la vitesse de 64 000 km/h. Une certitude aujourd'hui qui, avancée au début du XXᵉ siècle par le géologue Daniel Barringer, suscita à l'époque de vives controverses : l'abondance de cratères volcaniques aux alentours ne plaidait pas en faveur d'une origine météoritique… Le recensement des impacts météoritiques terrestres, facilité par les satellites de télédétection, ignore encore ceux qui se trouvent au fond de l'océan. L'homme connaît d'ailleurs mieux la surface de Mars que les fonds abyssaux de sa propre planète.

23 décembre

 Scheggino, province de Pérouse, Ombrie, Italie (42°43' N – 12°50' E).

L'Ombrie, le « cœur vert de l'Italie », est une des régions de la péninsule dépourvues de rivage marin. Loin des plages, ses collines parsemées de villages fortifiés inventent le doux relief d'une campagne tranquille aux accents médiévaux, célèbre pour ses villes d'art et d'histoire (Assise, Pérouse, Orvieto). À l'est de Spolète, Scheggino, accroché à 367 m d'altitude, garde la vallée du fleuve Nera. En contrebas de la tour, le centre historique du village se blottit derrière les remparts du XIIᵉ siècle, autour de l'église San Nicolò (XIIIᵉ siècle). Du nord au sud de l'Europe, les villages se serrent autour de leur clocher et des calvaires se dressent à la croisée des chemins. Même laïque, l'Europe reste empreinte de chrétienté, jadis moteur de déchirements et de conquêtes. Scheggino se distingue par ses atouts gastronomiques : les truites et les écrevisses pêchées dans les ruisseaux cristallins et sa grande vedette la truffe. La maison Urbani, qui assure 80 % de la trufficulture italienne et 40 % de la production mondiale, est installée sur la commune.

24 décembre

Méandres du fleuve Amazone autour de Manaus, Brésil (3°10' S – 60°00' O).
L'Amazone est le plus grand fleuve du monde par l'étendue de son bassin : près de 7 millions de km² répartis dans sept pays d'Amérique latine. Grâce à lui, les industries forestières peuvent pénétrer au cœur de l'Amazonie. Mais c'est la construction régulière de nouvelles routes qui leur permet vraiment d'intensifier leur activité, donc d'accélérer la déforestation. Celle-ci menace la biodiversité et les écosystèmes, mais aussi les tribus amazoniennes. Depuis 1993, des systèmes de certification du bois ont donc été mis en place pour tenter d'assurer la pérennité des forêts mondiales et de leurs habitants. Grâce à des labels comme celui du Conseil de gestion responsable des forêts (FSC), les consommateurs peuvent désormais s'assurer que le bois qu'ils achètent provient de forêts où le mode d'exploitation, durable, respecte les droits des populations indigènes et permet le renouvellement des zones boisées. Par le choix d'une consommation responsable et avertie, il est ainsi possible d'obliger les pays producteurs à surveiller la gestion de leurs forêts.

25 décembre

Caravane de dromadaires aux environs de Nouakchott, Mauritanie (18°09' N – 15°29' O).

Dans tous les pays riverains du Sahara, comme la Mauritanie, le dromadaire, parfaitement adapté à l'aridité du milieu, représente une partie importante du cheptel national. Sa domestication, il y a plusieurs milliers d'années, a permis à l'homme de conquérir le désert puis de développer des routes commerciales transsahariennes. Véritable « vaisseau du désert », cet animal ne consomme en effet que 10 à 20 kg de végétaux par jour et peut se passer d'eau pendant les trois mois que dure la saison fraîche. En revanche, l'été, il ne peut tenir que quelques jours sans boire, quand un homme dans les mêmes conditions mourrait de déshydratation en 24 heures. La réserve de graisse contenue dans son unique bosse intervient dans sa régulation thermique, ce qui lui permet de supporter un échauffement de son corps sans transpirer pour se refroidir. En Mauritanie, les Maures élèvent le dromadaire pour son lait et sa viande ainsi que pour son cuir et sa laine. En 2001, le cheptel de dromadaires du pays était de l'ordre de un million de têtes.

26 décembre

Lagune de Los Micos dans la région de San Pedro Sula, Honduras (15°47' N – 87°35' O).

Ourlée de mangroves, la lagune de Los Micos (« les singes ») est un condensé d'exubérance tropicale au sein du parc national Jeannette Kawas, baptisé ainsi en hommage à sa regrettée directrice, principale activiste du pays en matière de conservation de l'environnement. Elle fut assassinée en 1995 alors qu'elle luttait contre des projets de développement touristique menaçant le site. Quelques complexes hôteliers récemment installés coexistent depuis avec les villages traditionnels. Malgré l'attrait que représentent les plages de la région, le tourisme est encore très modeste au Honduras, et l'économie du pays est principalement dominée par la culture bananière, aux mains de compagnies américaines. L'extrême pauvreté rend la population très vulnérable aux catastrophes naturelles : le passage de l'ouragan Mitch en 1998 a fait 7 000 morts, 10 000 disparus et laissé 2 millions de sinistrés, sur un total de 6,6 millions d'habitants.

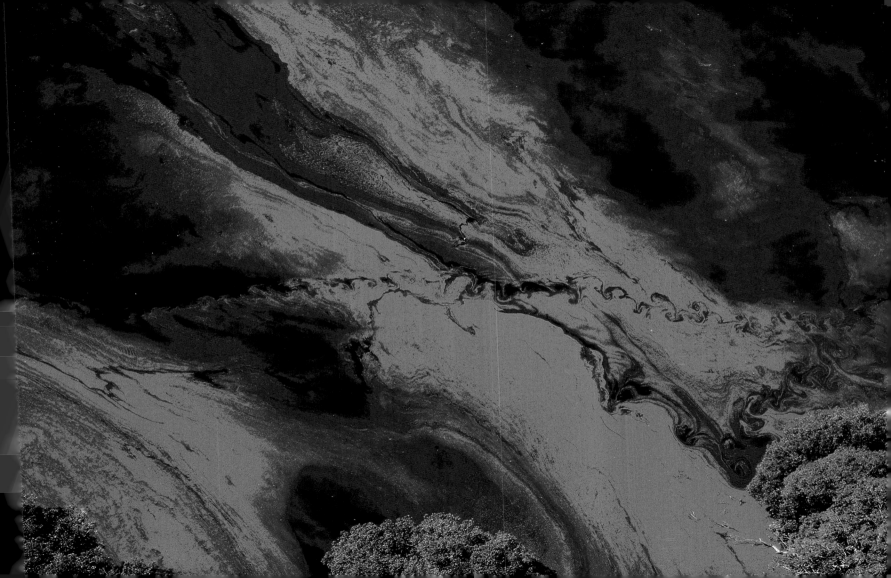

27 décembre

Habitations sur un îlot du fleuve Niger, entre Bourem et Gao, Mali (16°30' N – 0°12' O).

Le Niger doit son nom à l'expression touareg *egerou n-igereou*, qui signifie « le fleuve des fleuves ». En l'appelant ainsi, les nomades souhaitent souligner le caractère inestimable de ce cours d'eau qui, au Mali, s'insinue parmi les sables du désert saharien. Décrivant une large boucle à travers l'Afrique de l'Ouest, ce « Nil occidental » sort chaque année de son lit entre juillet et décembre. Mais les populations locales ne s'en alarment pas. Elles se sont adaptées à ce rythme saisonnier, conscientes des bénéfices des crues pour la fertilisation des sols et la prolifération des poissons. Les gens ne cherchent pas à endiguer le cours du fleuve ; ils évitent juste de construire leurs maisons sur des terres inondables, préférant habiter sur les *togué*, buttes dont les sommets restent émergés tels des îlots lors de la montée des eaux. Leur inquiétude : la sécheresse, qui réduit l'ampleur des crues depuis une trentaine d'années.

28 décembre

Troupeau de moutons, Crète, Grèce (35°29' N – 24°42' E).

L'élevage ovin représente une part importante de l'économie agricole de la Crète. Chaque année, sur les chemins empierrés de l'île escarpée et montagneuse, les bergers accompagnent leur troupeau en quête d'herbe. C'est la transhumance vers les maigres pâturages des hauteurs. La situation pourrait être inquiétante, car les quelque 90 000 chèvres de l'île y dévorent les arbrisseaux. Mais la transhumance est en fait un acteur capital de l'entretien du territoire, car si la forêt envahissait la montagne, le paysage se refermerait. Les bêtes, en débroussaillant, empêchent les incendies de se propager – ainsi leur donne-t-on parfois le nom de « moutons pare-feu ». En outre, une montagne qui n'est pas pâturée présente de plus grands risques d'avalanches : la neige court sur l'herbe folle, quand l'herbe rase la retient.

29 décembre

Embarcation sur le Gange près d'Allahabad, État d'Uttar Pradesh, Inde (25°27' N – 81°51' E).

Né de l'union de deux torrents glacés issus des plus hautes neiges de la planète, et gonflé d'innombrables tributaires dévalant comme lui des sommets himalayens, le Gange étend son bassin sur un quart de l'Inde. De Rishikesh, au nord de l'Uttar Pradesh, où il se dégage de l'Himalaya, jusqu'au golfe du Bengale, le plus long cours d'eau de l'Inde (3 090 km) remplit de multiples usages : voie navigable, réservoir pour l'irrigation, fleuve sacré jalonné de lieux de pèlerinage (Haridwar, Bénarès ou Allahabad, au confluent avec la rivière Yamuna, où il atteint 2 km de large), auquel les hindous confient les cendres de leurs défunts… Le Gange évacue aussi chaque année quelque 3 000 cadavres humains, 9 000 carcasses d'animaux, et les eaux usées des villes, responsables à 75 % de son alarmante pollution. La qualité et la quantité d'eau disponible, enjeux majeurs du XXIe siècle, nécessiteront de reconsidérer certains usages dispendieux : les dix-sept hôtels de luxe de Delhi consomment chaque jour le même volume d'eau (850 000 litres) que 1,3 million d'habitants des quartiers pauvres.

30 décembre

Oryx dans le désert du Namib, région de Swakopmund, Namibie (24°39' S – 15°07' E). Sur la façade atlantique de l'Afrique australe, le désert du Namib couvre la totalité des 1 300 km du littoral namibien et s'étire sur près de 100 km de largeur à l'intérieur des terres, occupant 1/5 du pays. Bien que son nom signifie, en langue nama, « endroit où il n'y a rien », sa richesse biologique en fait un lieu unique au monde. Car le Namib a un secret : les masses d'air humide provenant de l'Atlantique se condensent au contact de la surface du désert qui se rafraîchit durant la nuit, l'enveloppant d'un épais brouillard matinal près de cent jours par an. Cette brume représente 30 mm de précipitations annuelles et constitue la principale source d'eau, donc de vie. En humectant le sable rouge orangé, elle permet à de nombreuses espèces végétales et animales de subsister dans le désert du Namib, notamment une faune d'insectes spécialisés dans la capture de cette vapeur d'eau providentielle. Fruits de l'évolution, seules les espèces présentant les caractéristiques les mieux adaptées aux conditions extrêmes des milieux désertiques (aridité, température, faibles ressources alimentaires) peuvent y survivre, comme cette grande antilope appelée oryx ou gemsbock.

31 décembre

Raccords sur une route près de Denver, États-Unis (39°45' N – 105°00' O).

Tel un réseau informatique, les « pansements » de cette vieille route américaine tissent leur toile sur le bitume. De couleur sombre, ces bandes de raccords, très lisses, font miroir à la lumière. Appliquées sur le revêtement pour en réparer les fissures, elles témoignent d'un long vécu sous les pneus des voitures. Aux États-Unis, l'urbanisation n'est pas récente et… n'est pas terminée. Elle s'accélère même avec l'accroissement démographique et le choix des classes moyennes de se regrouper dans les banlieues résidentielles. Les villes continuent donc de déployer leurs tentacules, empiétant chaque année sur près de 9320 km² de terres agricoles. Dans le monde, elles grignotent les campagnes, mais aussi les forêts et les zones humides placées sur leur chemin. Leur extension menace la diversité biologique et la qualité de l'air. Pourtant, la construction de quartiers plus compacts et le réaménagement des centres-villes, souvent délabrés et abandonnés aux pauvres, permettraient de limiter les impacts de l'urbanisation sur l'environnement tout en favorisant une plus grande mixité sociale.

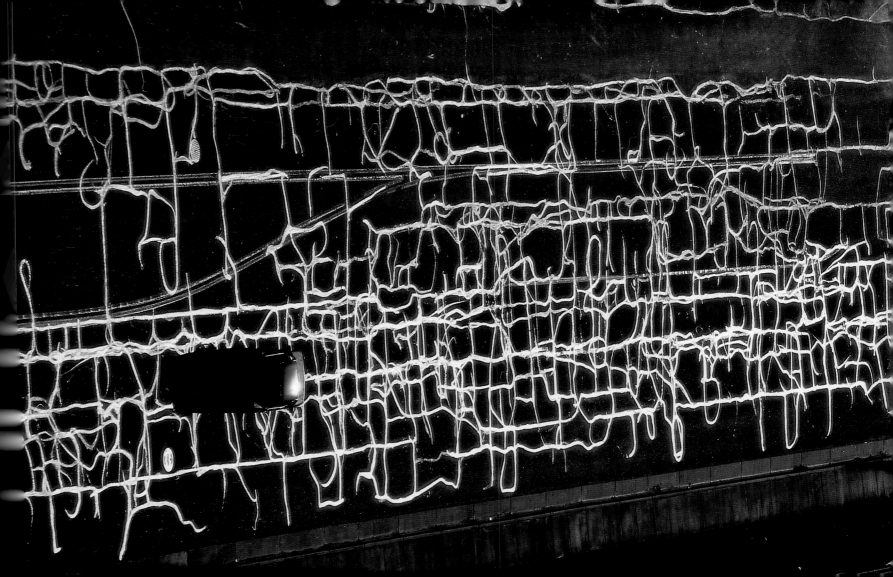

INDEX

REMERCIEMENTS

UNESCO : M. Federico Mayor, directeur général, M. Pierre Lasserre, directeur de la division des Sciences écologiques, Mmes Mireille Jardin, Jane Robertson, Josette Gainche et M. Malcolm Hadley, Mme Hélène Gosselin, M. Carlos Marquès, M. Oudatchine, de l'Office de l'information au public, M. Francesco di Castri et Mme Jeanne Barbière, de la coordination environnementale, ainsi que M. Gérard Huber qui a bien voulu appuyer notre projet auprès de cet organisme. À l'heure où nous terminons cette page qui nous évoque de bons souvenirs aux quatre coins (!) de la planète, nous craignons d'avoir oublié certains d'entre vous qui nous ont aidés à concrétiser ce projet. Nous en sommes sincèrement désolés et vous remercions tous très chaleureusement. Nous avons également une pensée pour tous les « anonymes » qui ont contribué dans l'ombre à cette folle entreprise.

FUJIFILM : M. Masayuki Muneyuki, président, MM. Toshiyuki « Todd » Hirai, Minoru « Mick » Uranaka, de Fujifilm à Tokyo, M. Peter Samwell de Fujifilm Europe et Mme Doris Goertz, Mme Develey, MM. Marc Héraud, François Rychelewski, Bruno Baudry, Hervé Chanaud, Franck Portelance, Piotr Fedorowicz et Mmes Françoise Mou:naneix et Anissa Auger de Fujifilm France

CORBIS (de 1996 à 1999) : MM. Stephen B. Davis, Peter Howe, Malcolm Cross, Charles Mauzy, Marc Walsh, Mmes Vanessa Kramer, Tana Wollen et Vicky Whiley

AIR FRANCE : M. François Brousse et Mme Christine Micouleau ainsi que Mmes Dominique Gimet, Mireille Queillé et Bodo Ravoninjatovo

EUROCOPTER : MM. Jean-François Bigay, Xavier Poupardin, Serge Durand et Mme Guislaine Cambournac

AFRIQUE DU SUD : SATOUR, Mme Salomone South African Airways, Jean-Philippe de Ravel, Victoria Junction, Victoria Junction Hotel

ALBANIE : ECPA, Ltd-Colonel Aussavy, DICOD, colonel Baptiste, capitaine Maranzana et capitaine Saint Léger SIRPA, M. Charles-Philippe d'Orléans, DETALAT, capitaine Ludovic Janot ; Équipages de l'armée de l'air française, MM. Étienne Hoff, Cyril Vasquèz, Olivier Ouakel, José Trouille, Frédéric Le Mouillour, François Dughin, Christian Abgral, Patrice Comerier, Guillaume Maury, Franck Novak, pilotes

ALLEMAGNE : Peter Becker, pilote ; Ruth Eichhorn, Geneviève Teegler et toute l'équipe de *Geo Allemagne* ; Wolfgang Mueller-Pietralla pour *Autostadt* ; Frank Müller-May et Tom Jacobi de *Stern Magazin*

ANTARCTIQUE : Institut français pour la recherche et la technologie polaires ; M. Gérard Jugie ; L'Astrolabe, capitaine Gérard R. Daudon, Sd capitaine Alain Gaston ; Heli Union France, M. Bruno Fiorese, pilote ; MM. Augusto Leri et Mario Zucchelli, Projetto Antartida, Italie Terra Nova

ARGENTINE : M. Jean-Louis Larivière, Ediciones Larivière ; Mmes Mémé et Marina Larivière ; M. Felipe C. Larivière ; Mme Dudú von Thielman ; Mme Virginia Taylor de Fernández Beschtedt ; Cdt Sergio Copertari, pilote, Emilio Yañez et Pedro Diamante, co-pilotes, Eduardo Benítez, mécanicien ; escadron de la police fédérale de l'air, commissaire Norberto Edgardo ; Gaudiero Capt. Roberto A. Ulloa, ancien gouverneur de la province de Salta ; Gendarmerie de Orán, province de Salta, Cdt Daniel D. Pérez ; Institut géographique militaire ; commissaire Rodolfo E. Pantanali ; Aerolineas Argentinas

AUSTRALIE : Mme Helen Hiscocks ; Australian Tourism Commission, Mmes Kate Kenward et Gemma Tisdell et M. Paul Gauger ; Jairow Helicopters ; Heliwork, M. Simon Eders ; Thaï Airways, Mme Pascale Baret ; les Club Med de Lindeman Island et Byron Bay Beach

AUTRICHE : Hans Ostler, pilote

BAHAMAS : les Club Med d'Eleuthera, Paradise Island et Columbus Isle

BANGLADESH : M. Hossain Kommol et M. Salahuddin Akbar, External publicity Wing du ministère des Affaires étrangères, S.E.M. Tufail. K. Haider, ambassadeur du Bangladesh à Paris, et M. Chowdhury Ikthiar, premier secrétaire, S.E. Mme Renée Veyret, ambassadeur de France à Dacca, MM. Mohamed Ali et Amjad Hussain de la Biman Bangladesh Airlines ainsi que Vishawjeet, M. Nakada, Fujifilm à Singapour, M. Ezaher du laboratoire Fujimfilm de Dacca, M. Mizanur Rahman, directeur, Rune Karlsson, pilote, et J. Eldon. Gamble, technicien, MAF Air Support, Mme Muhiuddin Rashida, Sheraton Hotel de Dacca, M. Minto

BELGIQUE : Thierry Soumagne ; Wim Robberechts ; Daniel Maniquet ; Bernard Séguy, pilote

BOTSWANA : M. Maas Müller, Chobe Helicopter

BRÉSIL : Governo do Mato Grosso do Norte e do Sul ; Fundação Pantanal, M. Erasmo Machado Filho et les Parcs naturels régionaux de France, MM. Emmanuel Thévenin et Jean-Luc Sadorge ; M. Fernando Lemos ; S.E.M. Pedreira, ambassadeur du Brésil auprès de l'Unesco ; Dr Iracema Alencar de Queiros, Instituto de Proteção Ambiental do Amazonas et son fils Alexandro ; office du tourisme de Brasilia ; M. Luis Carlos Burti, Éditions Burti ; M. Carlos Marquès, division OPI de l'Unesco ; Mme Ethel Leon, Anthea Communication ; TV Globo ; Golden Cross, M. José Augusto Wanderley et Mme Juliana Marquès, Hotel Tropical à Manaus, VARIG

CAMEROUN : S.E.M. Jacques Courbin, ambassadeur de France au Tchad, Yann Apert, conseiller culturel, Sandra Chevalier-Lecadre et les services de l'ambassade de France au Tchad ; Lael Weyenberg et « A Day in the Life of Africa » ; Thierry Miaillier de RJM aviation ; Jean-Marie Six et Aviation sans Frontières, pilotes ; Gérard Roso

CANADA : Mme Anne Zobenbuhler, ambassade du Canada à Paris et office du tourisme, Mme Barbara di Stefano et M. Laurent Beunier, Destination Québec ; Mme Cherry Kemp Kinnear, office du tourisme du Nunavut ; Mmes Huguette Parent et Christiane Galland, Air Canada ; First Air ; Vacances Air Transat ; André Buteau, pilote, Essor Helicopters ; Louis Drapeau, Canadian Helicopters ; Canadian Airlines

CHILI : Véronica Besnier ; Luis Weinstein ; Jean-Édouard Drouault d'Eurocopter Chili ; capitan Fernando Perez de « Aviación del Ejército de Chile » ; capitan Carlos Lopez, pilote ; capitan Patricio Gallo, directeur des Opérations d'Eurocopter Chili ; capitan Carlos Ruiz, pilote ; capitan Gonzalo Maturana, co-pilote ; capitan Yerko Woldarski, pilote ; capitan Hernán Soruco, co-pilote et le caporal David Espinoza

CHINE : office du tourisme de Hong Kong, M. Iskaros ; ambassade de Chine à Paris, S.E.M. Caifangbo, Mme Li Beifen ; ambassade de France à Beijing, S.E.M. Pierre Morel, ambassadeur de France à Beijing, M. Shi Guangeng du ministère des Affaires étrangères, M. Serge Nègre, cerviliste, M. Yann Layma

CÔTE-D'IVOIRE : Vitrail & Architecture : M. Pierre Fakhoury ; M. Hugues Moreau et les pilotes, MM. Jean-Pierre Artifoni et Philippe Nallet, Ivoire Hélicoptères ; Mme Patricia Kriton et M. Kesada, Air Afrique

CROATIE : Franck Arrestier, pilote

DANEMARK : Weldon Owen Publishing, toute l'équipe de production de « Over Europe » ; Stine Norden

ÉGYPTE : rallye des Pharaons, « Fenouil », organisateur, MM. Bernard Seguy, Michel Beaujard et Christian Thévenet, pilotes ; les équipes du Paris-Dakar 2003 et Étienne Lavigne d'ASO

ÉQUATEUR : MM. Loup Langton et Pablo Corral Vega, Descubriendo Ecuador ; M. Claude Lara, ministère équatorien des Affaires étrangères ; M. Galarza, consulat de l'Équateur en France ; MM. Eliecer Cruz, Diego Bouilla, Robert Bensted-Smith. Parc national des Galapagos ; Mmes Patrizia Schrank, Jennifer Stone, « European Friends of Galapagos » ; M. Danilo Matamoros, Jaime et Cesar, Taxi Aero Inter Islas M.T.B. ; M. Étienne Moine, Latitude 0° ; M. Abdon Guerrero, aéroport de San Cristobal

ESPAGNE : S.E.M. Jesus Ezquerra, ambassadeur d'Espagne auprès de l'Unesco ; les Club Med Don Miguel, Cadaquès, Porto Petro et Ibiza Canaries ; Tomás Azcárate y Bang, Viceconsejería de Medio Ambiente

Fernando Clavijo, Protección Civil de las Islas Canarias ; MM. Jean-Pierre Sauvage et Gérard de Bercegol, Iberia ; Mmes Elena Valdés et Marie Mar, office Espagnol du tourisme ; Pays basque : la présidence du gouvernement basque. M. Zuperia Bingen, directeur, Mmes Concha Dorronsoro et Nerea Antia, département presse et communication de la présidence du gouvernement basque, M. Juan Carlos Aguirre Bilbao, chef de l'Unité des hélicoptères de la police basque (Ertzaintza)

ÉTATS-UNIS : Wyoming : Yellowstone National Park, Marsha Karle et Stacey Churchwell ; Utah : Classic Helicopters ; Montana : Carisch Helicopters, M. Mike Carisch ; Californie : Robin Petgrave, de Bravo Helicopters à Los Angeles et les pilotes Miss Akiko K. Jones et Dennis Smith ; M. Fred London, Cornerstone Elementary School ; Nevada : John Sullivan et les pilotes Aaron Wainman et Matt Evans, Sundance Helicopters, Las Vegas ; Louisiane : Suwest Helicopters et M. Steve Eckhardt ; Arizona : Southwest Helicopters et Jim Mc Phail ; New York : Liberty Helicopters et M. Daniel Veranazza ; M. Mike Renz, Analar helicopters, M. John Tauranac ; Floride : M. Rick Cook, Everglades National Park, Rick et Todd, Bulldog Helicopters à Orlando, Chuck et Diana, Biscayne Helicopters, Miami, le Club Med de Sand Piper ; Alaska : M. Philippe Bourseiller, M. Yves Carmagnole, pilote ; Denver : Elaine Hood de Raytheon Polar Services Company et Karen Wattenmaker

FINLANDE : Dick Lindholm, pilote

FRANCE : Mme Dominique Voynet, ministre de l'Aménagement du territoire et de l'environnement ; ministère de la Défense/SIRPA Préfecture de police de Paris, M. Philippe Massoni et Mme Seltzer ; Montblanc Hélicoptères, MM. Franck Arrestier et Alexandre Antunès, pilotes ; office du tourisme de Corse, M. Xavier Olivieri ;

Comité départemental du tourisme d'Auvergne, Mme Cécile da Costa ; conseil général des Côtes-d'Armor, MM. Charles Josselin et Gilles Pellan ; conseil général de Savoie, M. Jean-Marc Eysserick ; conseil général de Haute-Savoie, MM. Georges Pacquetet, Laurent Guette ; conseil général des Alpes-Maritimes, Mmes Sylvie Grosgojeat et Cécile Alziary ; conseil général des Yvelines, M. Franck Borotra, président, Mme Christine Boutin, M. Pascal Angenault et Mme Odile Roussillon ; CDT des départements de la Loire ; Rémy Martin, Mme Dominique Hériard-Dubreuil, Mme Nicole Bru, Mme Jacqueline Alexandre, Éditions du Chêne, M. Philippe Pierrelee, directeur artistique ; Hachette, M. Jean Arcache ; Moët et Chandon/Rallye GTO, MM. Jean Berchon et Philippe des Roys du Roure ; Printemps de Cahors, Mme Marie-Thérèse Perrin ; M. Philippe Van Montagu et Willy Gouere, pilote SAF hélicoptères, M. Christophe Rosset, Hélifrance, Héli-Union, Europe Hélicoptère Bretagne, Héli Bretagne, Héli-Océan, Héli Rhône-Alpes, Hélicos Légers Services, Figari Aviation, Aéro service, Héli air Monaco, Héli Perpignan, Ponair, Héli-inter, Héli Est ; La Réunion : office du tourisme de La Réunion, M. René Barrieu et Mme Michèle Bernard ; M. Jean-Marie Lavèvre, pilote, Hélicoptères Helilagon ; Nouvelle-Calédonie : M. Charles de Montesquieu, Daniel Pelleau d'Hélicocéan et Bruno Civet d'Héli Tourisme ; Antilles : les Club Med des Boucaniers et de la Caravelle ; M. Alain Fanchette, pilote ; Polynésie : le Club Med de Moorea ; Haute-Garonne : Carole Schiff, Alexandre Antunès, pilote ; Lyon et la région : Béatrice Shawannn, Christophe Schereich, Daniel Pujol (Pilote inondations de la Saône, Taponas) ; Pyrénées-Atlantiques : le DICOD et le SIRPA

Courtney, Irish Rescue Helicopters ; M. David Hayes, Westair Aviation Ltd

GIBRALTAR : David Durie, gouverneur de Gibraltar ; John Woodruffe du bureau du gouverneur ; colonel Purdom ; lieutenant Brian Phillips ; Béatrice Quentin ; Peggy Pere ; Franck Arrestier, pilote ; Jérôme Marx, mécanicien

GRÈCE : ministère de la Culture à Athènes, Mme Eleni Méthodiou, délégation de la Grèce auprès de l'Unesco ; office hellenique du tourisme ; les Club Med de Corfou Ipsos, Gregolimano, Hélios Corfou, Kos et Olympie ; Olympic Airways ; Interjet, MM. Dimitrios Prokopis et Konstantinos Tsigkas, pilotes, et Kimon Daniilidis ; Meteo Center à Athènes

GUATEMALA et HONDURAS : MM. Giovanni Herrera, directeur, et Carlos Llarena, pilote, Aerofoto à Guatemala City ; M. Rafael Sagastume, STP villas à Guatemala City

HONGRIE : le personnel de l'ambassade de France à Budapest ; M. le maire de Budapest ; l'Institut français de Budapest

INDE : ambassade de l'Inde à Paris, S.E.M. Kanwal Sibal, ambassadeur, M. Rahul Chhabra, premier secrétaire, M.S.K. Sofat, général de brigade aérienne, M. Lal, M. Kadyan et Mme Vivianne Tourtet ; ministère des Affaires étrangères, MM. Teki E. Prasad et Manjish Grover ; M.N.K. Singh du bureau du Premier ministre ; M. Chidambaram, membre du Parlement ; Air Headquarters, S. I. Kumaran, M. Pande ; Mandoza Air Charters, M. Atul Jaidka Indian International Airways, Cpt Sangha Pritvipalh ; Ambassade de France à New Delhi, S.E.M. Claude Blanchemaison, ambassadeur de France à New Delhi, M. François Xavier Reymond, premier secrétaire

INDONÉSIE : Total Balikpapan, M. Ananda Idris et Mme Ilha Sutrisno ; M. et Mme Didier Millet

IRLANDE : Aer Lingus ; office national du tourisme irlandais ; Capt. David

ISLANDE : MM. Bergur Gislasson et Gisli Guestsson, Icephoto Thyrluthjonustan Helicopters ; M. Peter Samwell, office national du tourisme à Paris

ITALIE : ambassade de France à Rome, M. Michel Benard, service de presse ; Heli Frioula, MM. Greco Gianfranco, Fanzin Stefano et Godicio Pierino

JAPON : Eu Japan Festival, MM. Shuji Kogi et Robert Delpire ; Masako Sakata, IPJ ; NHK TV ; Japan Broadcasting Corp. ; groupe de presse Asahi Shimbun, M. Teizo Umezu.

JORDANIE : Mme Sharaf, MM. Anis Mouasher, Khaled Irani et Khaldoun Kiwan, Royal Society for Conservation of Nature ; Royal Airforces ; M. Riad Sawalha, Royal Jordanian Regency Palace Hotel

KAZAKHSTAN : S.E.M. Nourlan Danenov, ambassadeur du Kazakhstan à Paris ; S.E.M. Alain Richard, ambassadeur de France à Almaty, Mme Josette Floch ; professeur René Letolle ; Heli Asia Air et son pilote M. Anouar

KENYA : Universal Safari Tours de Nairobi, M. Patrix Duffar ; Transsafari, M. Irvin Rozental

KOWEÏT : Kuwait Centre for Research & Studies, Pr Abdullah Al Ghunaim, Dr Youssef ; Kuwait National Commission for Unesco, Sulaiman Al Onaizi ; délégation du Koweit auprès de l'Unesco, S.E. Dr Al Salem, et M. Al Baghly ; Kuwait Airforces, Squadron 32, Major Hussein Al-Mane, Capt. Emad Al-Momen ; Kuwait Airways, M. Al Nafisy

LIBAN : Lucien George ; Georges Salem ; les militaires libanais

LUXEMBOURG : Bernard Séguy, pilote

MADAGASCAR : MM. Riaz Barday et Normand Dicaire, pilote, Aéromarine ; Sonja et Thierry Ranarivelo, M. Yersin Racerlyn, pilote, Madagascar Hélicoptère ; M. Jeff Guidez et Lisbeth

MALAISIE : le Club Med de Cherating

MALDIVES : le Club Med de Faru

MALI : TSO, Rallye Paris-Dakar, M. Hubert Auriol ; MM. Daniel Legrand, Arpèges Conseil et Daniel Bouet, pilote du Cessna

MAROC : Gendarmerie royale marocaine, général El Kadiri et Colonel Hamid Laanigri ; M. François de Grossouvre

MAURITANIE : TSO, Rallye Paris-Dakar, M. Hubert Auriol ; MM. Daniel Legrand, Arpèges Conseil et Daniel Bouet, pilote du Cessna ; M. Sidi Ould Kleib

MEXIQUE : les Club Med de Cancun, Sonora Bay, Huatulco et Ixtapa

MONGOLIE : S.E.M. Jacques-Olivier Manent, ambassadeur de France en Mongolie ; S.E.M. Louzan Gotovddorjiin, ambassadeur de Mongolie en France ; Tuya de Mongolie Voyages ; les militaires mongols

NAMIBIE : Ministry of Fisheries ; Mission française de coopération, M. Jean-Pierre Lahaye, Mme Nicole Weill, M. Laurent Billet et Jean Paul Namibian ; Tourist Friend, M. Almut Steinmester

NÉPAL : Ambassade du Népal à Paris ; Terres d'Aventure, M. Patrick Oudin ; Great Himalayan Adventures, M. Ashok Basnyet ; Royal Nepal Airways, M. J.B. Rana ; Mandala Trekking, M. Jérôme Edou, Bhuda Air ; Maison de la Chine, Mmes Patricia Tartour-Jonathan, directrice, Colette Vaquier et Fabienne Leriche ; Mmes Marina Tymen et Miranda Ford, Cathay Pacific

NIGER : TSO, Rallye Paris-Dakar, M. Hubert Auriol ; MM. Daniel Legrand, Arpèges Conseil et Daniel Bouet, pilote du Cessna

NORVÈGE : Airlift A.S., MM. Ted Juliussen, pilote, Henry Hogi, Arvid Auganaes et Nils Myklebust

OMAN : S.M. le sultan Quabous ben Saïd al-Saïd ; ministère de la Défense,

M. John Miller ; Villa d'Alésia, M. William Perkins et Mme Isabelle de Larrocha
OUZBÉKISTAN : (pas survolé) ambassade d'Ouzbékistan à Paris, S.E.M. Mamagonov, ambassadeur, et M. Djoura Dekhanov, premier secrétaire ; S.E.M. Jean-Claude Richard, ambassadeur de France en Ouzbékistan, et M. Jean Pierre Messiant, premier secrétaire ; M. René Cagnat et Natacha ; M. Vincent Fourniau et M. Bruno Chauvel, Institut français d'études sur l'Asie centrale (IFEAC)
PAYS-BAS : Paris-Match ; M. Franck Arrestier pilote
PÉROU : Dr Maria Reiche et Ana Maria Cogorno-Reiche ; Ministerio de Relaciones Exteriores, M. Juan Manuel Tirado ; Policía Nacional del Perú ; Faucett Airline, Mme Cecilia Raffo et M. Alfredo Barnechea ; M. Eduardo Corrales, Aero Condor
PHILIPPINES : Filipino Airforces ; « Seven Days in the Philippines » par les Éditions Millet, Mme Jill Laidlaw
PORTUGAL : le Club Med de Da Balaia ; Ana Pessoa et l'ICEP ; HeliPortugal et Mme Margarida Simplício ; l'IPPAR
PRINCIPAUTÉ DE MONACO : SAS le prince Albert de Monaco ; colonel Lambelin ; colonel Jouan ; Catherine Alestchenkoff du Grimaldi Forum ; Patrick Lainé, pilote
RÉPUBLIQUE DE DJIBOUTI : M. Ismaïl Omar Guelleh, président de la République ; M. Osman Ahmed Moussa, ministre des Affaires présidentielles ; M. Fathi Ahmed Houssein, général de division, chef d'état major général des Armées ; M. Hassan Saïd Khaireh, chef de cabinet militaire ; Mme Mouna Musong, conseillère du Président ; l'office national du tourisme de Djibouti
ROYAUME-UNI : Angleterre : Aeromega et Mike Burns, pilote ; M. David Linley ; M. Philippe Achache ; Environment Agency, MM. Bob Davidson et David Palmer ; Press Office of Buckingham Palace ; Écosse : Mme Paula O'Farrel et M. Doug Allsop de Total oil Marine à Aberdeen ; Iain Grindlay et Rod de Lothian Helicopters ltd à Édimbourg
RUSSIE : M. Yuri Vorobiov, Vice-ministre, et M. Brachnikov, Emerkom ; M. Nicolaï Alexiy Timochenko, Emerkom au Kamtchatka ; M. Valery Blatov, délégation de la Russie auprès de l'Unesco

SAINT-VINCENT et LES GRENADINES : M. Paul Gravel, SVG Air ; Mme Jeanette Cadet, The Mustique Company ; M. David Linley ; M. Ali Medjahed, boulanger ; M. Alain Fanchette
SÉNÉGAL : TSO, Rallye Paris-Dakar, M. Hubert Auriol ; MM. Daniel Legrand, Arpèges Conseil et Daniel Bouet, pilote du Cessna ; les Club Med des Almadies et Cap Skirring
SOMALILAND : S.A.R. le sheikh Saud Al-Thani du Qatar ; MM. Majdi Bustami, E.A. Paulson et Osama, bureau de S.A.R. le sheikh Saud Al-Thani ; M. Fred Viljoen, pilote ; M. Rachid J. Hussein, Unesco-Peer Hargeisa, Somaliland ; M. Nureldin Satti, Unesco-Peer, Nairobi, Kenya ; Mme Shadia Clot, correspondante du sheikh en France ; Waheed, agence de voyages Al Sadd, Qatar ; Cécile et Karl, Emirates Airlines, Paris
SUÈDE : Stine Norden
TAÏWAN : Helene Lai ; le bureau de l'Aviation civile du ministère des Transports de Taïwan
TCHAD : S.E.M. Jacques Courbin, ambassadeur de France au Tchad, Yann Apert, conseiller culturel, Sandra Chevalier-Lecadre et les services de l'ambassade de France au Tchad ; Lael Weyenberg et « A Day in the Life of Africa » ; Thierry Miaillier de RJM aviation ; Jean-Marie Six et Aviation sans Frontières ; Bruno Callabat et Guy Bardet, pilotes ; Gérard Roso
THAÏLANDE : Royal Forest Department, MM. Viroj Pimanrojnagool, Pramote Kasemsap, Tawee Nootong, Amon Achapet ; NTC Intergroup Ltd, M. Ruhn Phiama ; Mme Pascale Baret, Thaï Airways ; office national du tourisme Thaïlandais, Mme Juthaporn Rerngronasa et Watcharee, MM. Lucien Blacher, Satit Nilwong et Busatit Palacheewa ; Fujifilm Bangkok, M. Supoj ; Club Med de Phuket
TUNISIE : M. le président de la République Zine Abdine Ben Ali ; présidence de la République, M. Abdelwahad Abdallah et M. Haj Ali ; Armée de l'air, base de Laouina, colonel Mustafa Hermi ; ambassade de Tunisie à Paris, S.E.M. Bousnina, ambassadeur, et M. Mohamed Fendri ; Office national du tourisme Tunisien, MM. Raouf Jomni et Mamoud Khaznadar ; Éditions Cérès, MM. Mohamed et Karim Ben Smail ; Hotel The Residence, M. Jean-Pierre Auriol ; Basma-Hôtel Club Paladien, M. Laurent Chauvin ; Centre météo de Tunis, M. Mohammed Allouche

TURQUIE : Turkish Airlines. M. Bulent Demirçi et M. Nasan Erol ; Mach'Air Helicopters, MM. Ali Izmet, Öztürk et Seçal Sahin, Mme Karatas Gulsah ; General Aviation, MM. Vedat Seyhan et Faruk, pilote ; les Club Med de Bodrum, Kusadasi, Palmiye, Kemer, Foça
UKRAINE : M. Alexandre Demianyuk, secrétaire général Unesco ; M. A.V. Grebenyuk, directeur de l'administration de la zone d'exclusion de Tchernobyl ; Mme Rima Kiselitza, attachée à Chornobylinterinform, Marie-Renée Tisné, Office de protection contre les rayonnements Ionisants
VÉNÉZUELA : Centro de Estudios y Desarrollo, M. Nelson Prato Barbosa ; Hoteles Intercontinental ; Ultramar Express ; Lagoven ; Imparques ; Icaro, M. Luis Gonzales

Nous remercions également les entreprises qui nous ont permis de travailler grâce à des commandes ou des échanges :

AÉROSPATIALE, MM. Patrice Kreis, Roger Benguigui et Cotinaud
AOM, Mmes Françoise Dubois-Siegmund et Felicia Boisne-Noc, M. Christophe Cachera
CANON, Guy Bourreau, Pascal Briard, Service Pro, MM. Jean-Pierre Colly, Guy d'Assonville, Jean-Claude Brouard, Philippe Joachim, Raphaël Rimoux, Bernard Thomas, et bien sûr M. Daniel Quint et Mme Annie Rémy qui nous ont si souvent aidés tout au long du projet.
CLUB MED, M. Philippe Bourguignon, M. Henri de Bodinat, Mme Sylvie Bourgeois, M. Preben Vestdam, M. Christian Thévenet
CRIE, courrier express mondial, M. Jérôme Lepert et toute son équipe
DIA SERVICES, M. Bernard Crepin
FONDATION TOTAL, M. Yves Le Goff et son assistante Mme Nathalie Guillerme
JANJAC, MM. Jacques et Olivier Bigot, Jean-François Bardy et Éric Massé
KONICA, M. Dominique Brugière
MÉTÉO FRANCE, M. Foidart, Mme Marie-Claire Rullière, M. Alain Mazoyer et tous les prévisionnistes
RUSH LABO, MM. Denis Cuisy, et tous nos amis du labo
WORLD ECONOMIC FORUM de Davos, Dr Klaus Schwab, Mme Maryse Zwick et Mme Agnès Stüder
Équipe de « La Terre vue du Ciel », agence

Altitude :
Assistants photo : Franck Charel, Françoise Jacquot, Ambre Mayen et Erwan Sourget qui ont suivi tout le projet sans oublier Sibylle d'Orgeval et Arnaud Prade qui nous ont rejoint ces deux dernières années et tous ceux qui se sont succédé au cours de ces années de vol : Denis Lardat, Tristan Carné, Christophe Daguet, Stefan Christiansen, Pierre Cornevin, Olivier Jardon, Marc Lavaud, Franck Lechenet, Olivier Looren, Antonio López Palazuelo.
Pilote du Colibri EC 120 Eurocopter : Wilfrid Gouère dit « Willy »
Bureau de coordination :
Coordination de la production : Hélène de Bonis (de 1994 à 1999) et Françoise Le Roch'-Briquet. Coordination de l'édition et rédaction des légendes : Isabelle Delannoy assistée de Émilie Tran-Phong, Nicolas Cennac, Julien Nennault et Audrey Salas ainsi que Anne Jankeliowitch et ceux qui ont participé aux éditions précédentes : Hervé Le Bras, Astrid Avundo, Sophie Bily, Séverine Dard, Cyria Emelianoff, Virginie Lemaistre, Vanessa Manceror, Marie-Carmen Smyrnelis (hors Altitude) et Nadia Auriat de l'Unesco
Coordination des expositions : Catherine Arthus-Bertrand, Tiphanie Babinet et Jean Poderos
Chargés de production : Antoine Verdet, Catherine Quilichini, Gloria-Céleste Raad pour la Russie
Rédaction : Danielle Laruelle, Judith Klein, Hugues Demeude, Sophie Hurel et PRODIG, laboratoire de géographie, Mmes Marie-Françoise Courel et Lydie Goeldner, M. Frédéric Bertrand.
Documentation iconographique : Isabelle Lechenet, Florence Frutoso, Claire Portaluppi

Toutes les photos de cet ouvrage ont été réalisées sur film Fuji Velvia (50 ASA). Yann Arthus-Bertrand a travaillé principalement avec des boîtiers CANON EOS 1N et des objectifs CANON série L. Quelques photos ont été réalisées avec un PENTAX 645N et le panoramique FUJI GX 617

Crédits photographiques

Toutes les photographies de *366 Jours pour réfléchir à notre Terre* sont de Yann Arthus-Bertrand, sauf :

21 janvier, 1er février, 2 février, 27 février, 21 mars, 14 avril, 4 mai, 10 mai, 22 mai, 19 juillet,
13 septembre, 4 octobre, 7 octobre, 14 novembre © Helen Hiscocks

24 mars © Max PPP/Reuters

17 mai © Jim Wark

16 juin, 20 juin, 16 octobre, 11 décembre © Philippe Bourseiller

12 août © François Jourdan

19 août © Renaud Van der Meeren

Les procédés d'impression utilisés pour imprimer
cet ouvrage respectent l'environnement.

Toutes les images du livre sont distribuées
par l'agence Altitude, à l'exception
de la photographie du 24 mars.
altitude@club-internet.fr
www.yannarthusbertrand.org

Achevé d'imprimer en juillet 2003
sur les presses de l'imprimerie Canale à Turin
Photogravure : Quadrilaser, Ormes et Janjac, Paris
ISBN : 2-7324-3051-X
Dépôt légal : septembre 2003
Imprimé en Italie